Musée de l'Orangerie

Catalogue de la collection Jean Walter et Paul Guillaume

Musée de l'Orangerie

Catalogue
de la collection Jean Walter et Paul Guillaume

par Michel Hoog
Conservateur du Musée de l'Orangerie
Chargé du Palais de Tokyo

avec la collaboration de:

Hélène Guicharnaud
Conservateur
et de
Colette Giraudon
Documentaliste

Ministère de la Culture
Editions de la Réunion des musées nationaux
Paris 1984

Couverture : Renoir, *Claude Renoir en clown* (détail)
cat. nº 97

ISBN 2-7118-0262-0

10, rue de l'Abbaye, 75006 Paris

Introduction

Après avoir reçu tant d'expositions temporaires, le musée de l'Orangerie est désormais consacré à la présentation permanente de la collection Walter-Guillaume. Ce nom double désigne l'ensemble réuni par le grand marchand d'art Paul Guillaume et continué par sa veuve et par le second mari de celle-ci, Jean Walter. Cédée à l'Etat à des conditions particulièrement généreuses, cette collection vient y rejoindre les *Nymphéas* de Claude Monet, seule partie permanente du Musée jusqu'en 1984 ; ce type de musée, témoin du goût de grands amateurs, a une vocation complémentaire des collections systématiques et méthodiques ; il en existait déjà dans la capitale pour des périodes artistiques plus anciennes. Aucun ne concernait ce moment particulièrement glorieux de la création artistique à Paris, qui va de l'Impressionnisme aux années 30.

De Chirico, *Portrait de Paul Guillaume*, Grenoble, Musée de Peinture et de Sculpture

Est-ce parce qu'il mourut jeune et que sa galerie disparut en fait avec lui, que la figure de Paul Guillaume est aujourd'hui un peu oubliée et que circule plus d'une erreur sur son compte ? Sa mort prématurée l'a empêché d'écrire des *Mémoires* qui, à d'autres marchands, ont permis de laisser un autoportrait plus ou moins flatté. Cette introduction ne prétend pas constituer l'étude détaillée que mériterait une telle personnalité, la documentation très lacunaire dont on dispose à ce jour ne le permet pas.

Paul Guillaume est né le 28 novembre 1891, à Paris et y est mort le 1er octobre 1934. On sait peu de choses sur son milieu familial — sans doute aisé ; ses parents sont parisiens, et le nom de Guillaume n'est pas un pseudonyme.

Pendant l'adolescence de Paul Guillaume, Paris a reçu le choc du fauvisme et du cubisme, celui des *Ballets Russes* de Serge de Diaghilev et de l'abstraction naissante. Il a suivi cette actualité livrée à la polémique et va choisir pour ses premières expositions quelques-uns des artistes qui, en raison de leur originalité, y ont été le plus exposés. On est confondu en constatant que c'est un jeune homme de 23 ans qui, en 1914, ouvre sa galerie avec une exposition de « Madame Natalie de Gontcharowa, l'auteur des décors du *Coq d'or* et de Monsieur Michel Larionov, chef du mouvement moderne en Russie ». Vont leur succéder Derain en 1916, Matisse et Picasso associés, ce qui se reverra rarement, en 1918, puis Van Dongen, et des présentations de groupes (par exemple en 1918, encore Matisse, Picasso, Derain, de Chirico, Vlaminck, La Fresnaye, Modigliani, Utrillo).

Réformé pour raisons de santé, il est de ceux qui ont réussi à maintenir une vie artistique à Paris pendant la guerre. Quant à ses choix

Monsieur PAUL GUILLAUME *vous prie de vouloir bien visiter en sa Galerie, 6, Rue de Miromesnil (près l'Elysée), l'Exposition de*

Madame NATALIE DE GONTCHAROWA
l'auteur des décors du COQ D'OR

et de Monsieur MICHEL LARIONOW
Chef du mouvement moderne en Russie

du 18 au 30 Juin 1914.

Vernissages les Mercredis 17 et 24 Juin.

postérieurs, ils prouvent son indépendance d'esprit, mais ne lui firent pas négliger ses anciennes admirations.

Aucun peut-être des autres grands marchands-sourciers de l'époque n'a eu des choix aussi variés. On reste toujours admiratif en voyant qu'au milieu de l'indifférence ou de sarcasmes (on a tendance aujourd'hui à les oublier), quelques hommes, comme Paul Guillaume, aient su faire les choix que la postérité a ratifiés.

Les nombreux ouvrages sur l'actualité artistique parus alors, qu'il s'agisse d'exposés généraux ou de recueils d'articles, négligent en général le rôle des hommes et des institutions[1]. Leurs auteurs rappellent certes dans quel contexte polémique l'art moderne s'est développé. Mais l'effort de quelques marchands (P. Guillaume ayant été l'un des plus actifs mais non le seul, bien sûr), le rôle des galeries, la carence (sauf exceptions) des institutions officielles françaises, alors que les musées étrangers acquièrent des œuvres et organisent des expositions, tout ce combat que les artistes n'auraient jamais pu mener seuls, est comme ignoré.

Modigliani, *Portrait de Paul Guillaume*, Toledo, Musée d'Art

•

Paul Guillaume a bénéficié des conseils de Guillaume Apollinaire qu'il connut vers 1910 et à qui il demanda plusieurs fois la préface de ses catalogues. La voracité intellectuelle et les dons d'animateur d'Apollinaire ne pouvaient que se trouver en sympathie avec Paul Guillaume. Encore fallait-il se montrer réceptif aux suggestions d'un tempérament versatile et exigeant ; d'autres étaient restés plus circonspects et d'ailleurs P. Guillaume n'a pas partagé toutes les admirations et tous les engagements du poète.

Après 1918, Paul Guillaume va s'intéresser à Robert Delaunay, qui après des débuts brillants, chantés précisément par Apollinaire, connaissait une période difficile. C'est peut-être Delaunay, grand admirateur du Douanier Rousseau, qui a contribué à attirer l'attention de Paul Guillaume sur lui. Il se passionne aussi pour des artistes qui ne s'étaient pas encore manifestés avant 1914 : Modigliani, dont il est avec Zborowski l'un des très rares soutiens, puis Soutine qu'il va découvrir et lancer. A l'égard de plusieurs peintres, il va exercer un mécénat discret et d'autant plus méritoire que lui-même, après 1929, est touché par la crise. Son activité s'étend aussi à la génération précédente avec Renoir, Cézanne ou le Douanier Rousseau. Vers 1920, le goût commun ne les avait pas encore, surtout les deux derniers, pleinement admis.

Plus hardi encore, paraît être le goût de Paul Guillaume pour l'art dit nègre. Il semble aussi précoce, ou presque, que son intérêt pour l'art vivant. On doit à des témoignages recueillis par Jean Laude[2] auprès d'Alice Halicka, la femme du peintre Marcoussis, et de Charles Ratton, le spécialiste de l'art africain, des indications sur l'éveil de sa vocation : « Aux environs de 1910, Paul Guillaume était admis en la compagnie des peintres

1. Une des rares exceptions est constituée par l'ouvrage de G. Turpin (*La stratégie artistique*, Paris, 1929) où le rôle de Waldemar George (désigné par des initiales) auprès de P. Guillaume est clairement indiqué.

2. Jean Laude. *La peinture française (1905-1914) et « l'art nègre »*, Paris, 1968, pp. 117 et 364.

et des écrivains qui se réunissaient autour de G. Apollinaire [...] Ce fut le sculpteur tchèque Brummer qui avait attiré son attention sur les figures Fangs. » La femme de ménage du jeune P. Guillaume, qui était aussi celle de Marcoussis, avait un fils militaire aux Colonies (comme on disait alors) et qui lui envoyait des objets nègres. Le marchand de pneumatiques chez lequel il était employé, près de la place de l'Etoile, en possédait aussi.

Les avant-gardes parisienne et allemande se sont intéressées dès le début du siècle à ce qui n'était jusque-là qu'une simple curiosité ethnographique. Ils y ont vu un répertoire de formes *autres*. Mais Paul Guillaume a été l'un des premiers à les reconnaître comme œuvres d'art. Une telle démarche validait en quelque sorte la caution que les artistes y cherchaient, l'art «nègre» constituant un mode de représentation du volume et de l'espace indépendant des règles issues de la Renaissance italienne. Paul Guillaume consacra plusieurs articles et deux ouvrages à la sculpture africaine.

Masque anthropomorphe, Gabon
Paris, Musée de l'Homme
(don Mme P. Guillaume, 1941)

Paul Guillaume n'a jamais dissocié son activité de directeur de galerie de celle d'écrivain et d'éditeur. Dès sa première exposition, celle de Larionov et Gontcharova, il publie un catalogue de présentation soignée accompagné d'un texte d'Apollinaire. Ce n'est que le premier d'une longue série. Une telle pratique, aujourd'hui habituelle, était alors exceptionnelle, et c'est un nouvel exemple des qualités de précurseur de Paul Guillaume. A partir de 1918, il édite aussi une revue *Les Arts à Paris*, où il donne à de jeunes critiques l'occasion de s'exprimer.

En 1929, l'un d'eux, Waldemar George, publie un volume à la gloire de son «patron» et de sa collection sous un titre significatif, *La grande peinture contemporaine à la collection Paul Guillaume*; une partie en a été publiée dans la *Renaissance de l'art et des industries de luxe*, revue indépendante de Paul Guillaume, mais dont le titre avait une valeur de manifeste auquel il aurait certainement souscrit. Parfois, par exemple contre Camille Mauclair, il ne dédaigna pas de prendre part personnellement à des polémiques.

Il devient aussi le propagandiste à l'étranger des artistes qu'il aime, multipliant articles, conférences, prêts à des expositions, réussissant des ventes à des collectionneurs ou à des musées. Sa rencontre avec le docteur Albert C. Barnes est, à cet égard, décisive. On a souvent évoqué la personnalité hors du commun de ce médecin américain qui va consacrer une fortune gagnée dans la vente de produits pharmaceutiques, à la constitution d'une des collections les plus massives d'art français des XIXe et XXe siècles. Il l'installa dans un bâtiment dont les pierres, sur les conseils de Paul Guillaume, auraient été apportées de France et constitue une fondation aux orientations pédagogiques très originales. Le caractère du personnage, ses intentions didactiques appuyées, son irritation devant les appréciations mitigées que sa collection provoqua, la réglementation très stricte des visites, ont suscité des passions et des légendes. Il reste le prodigieux ensemble toujours conservé à Merion dans la banlieue de Philadelphie et dont Paul Guillaume a été le principal fournisseur. C'est à l'enthousiasme du marchand que Barnes doit de s'être enthousiasmé à son tour pour Modigliani et pour Soutine, ainsi sans doute que pour l'art

Modigliani, *Portrait de Paul Guillaume*,
Milan, Galerie d'Art Moderne

africain. C'est, de plus, la Fondation Barnes qui patronna la publication en anglais du livre de Paul Guillaume et Thomas Munro sur la sculpture nègre (*Primitive Negro Sculpture,* 1926, dont l'édition française ne devait paraître qu'en 1929). Paul Guillaume a certainement été l'un des propagandistes les plus efficaces de l'art français de son temps aux Etats-Unis. Il est même aujourd'hui un peu surprenant que la lettre d'Edouard Herriot, alors ministre de l'Instruction publique, le proposant pour la Légion d'honneur (24 janvier 1928), insiste sur ce rôle de «fournisseur» des musées américains. Depuis, on aurait plutôt tendance à déplorer cette fuite des œuvres d'art français vers l'étranger. Mais il faut se souvenir que les peintres que défendait Paul Guillaume et qu'il faisait acheter à ses clients étrangers étaient en France, sauf Renoir, suspects ou totalement ignorés.

Cependant, la lettre d'E. Herriot, inspirée certainement par Paul Guillaume, contient d'évidentes exagérations, affirmant par exemple que la collection Barnes a été «entièrement constituée par Paul Guillaume». Même s'il a joué auprès de Barnes un rôle de conseiller, ce n'est pas lui qui a vendu la totalité des œuvres aujourd'hui à Mérion. Toutefois l'argument dut paraître bon et Paul Guillaume, déjà conseiller du Commerce extérieur, reçut la Légion d'honneur en 1930 ; elle lui fut remise par un homme qu'il pouvait considérer à bien des titres comme son modèle : Ambroise Vollard. Il s'est marié en 1920 avec Juliette Lacaze, restée célèbre pour sa beauté et son élégance. Vers 1930, brillant, mondain, Paul Guillaume est devenu une personnalité du monde artistique parisien ; le couple reçoit beaucoup, comptant des amitiés dans les milieux politiques. Ainsi, Albert Sarrault, avec qui ils étaient très liés, prononça une conférence en 1929, lors de la présentation de la collection à la Galerie Bernheim-Jeune, conférence qui fut ensuite publiée en volume sous le titre de *Variations sur la peinture contemporaine.* Le soutien d'hommes politiques influents à l'action de personnalités aux goûts engagés, comme Paul Guillaume, rend encore plus frappant l'écart existant entre ces prises de position et l'incurie des pouvoirs publics de l'époque devant l'art de leur temps. Il faut attendre les nominations de Louis Hautecœur et de Jean Cassou, et la préparation de l'Exposition de 1937, pour voir apparaître les premières démarches valables dans ce domaine.

Paul Guillaume considérait sa propre collection comme une sorte de musée, mise libéralement à la disposition des artistes et des spécialistes. Il songeait à en assurer la pérennité et soit qu'il estimât que les temps n'étaient pas venus, ou bien que sa mort prématurée l'ait empêché de réaliser ses intentions, rien n'était arrêté en 1934. La décision de Mme Walter réalise sans aucun doute une intention de Paul Guillaume. Plusieurs articles, sinon inspirés, du moins approuvés par lui, l'indiquent clairement, par exemple, celui de Jacques Villeneuve : «Au cours des récentes années, Paul Guillaume a beaucoup voyagé à l'étranger. Voyages d'études certes, mais où sa convoitise des chefs-d'œuvre a subi de rudes épreuves. Il a eu assez de décision et de sagesse — mais de bonheur aussi — pour acquérir un certain nombre d'œuvres capitales de Maîtres comme Manet, Cézanne, Renoir, etc., qui rejoindront sa vaste collection particulière lorsque l'Hôtel-musée dont il projette la création sera édifié. Cet

Statue anthropomorphe, Gabon
Paris, Musée de l'Homme
(don Mme P. Guillaume, 1941)

Masque rituel, Gabon
Paris, Musée de l'Homme
(don Mme P. Guillaume, 1941)

Hôtel-musée auquel le public aura accès et qui sera peut-être un jour offert à l'Etat — si celui-ci s'en montre digne — constituera, toujours selon les plans de ses animateurs, la représentation la plus complète et la plus brillante qui soit au monde, après la Fondation Barnes, et à longue distance de celle-ci, il est vrai, de la grande peinture française depuis 50 ans. »[1]

De son vivant, il réalisa lui-même plusieurs dons à des musées, parmi lesquels : au Musée de Grenoble, *les Epoux* de G. de Chirico en 1927, et *le Métis à la chemise blanche* de Derain en 1932, au Musée des Beaux-Arts d'Alger, *La jeune fille au collier de corail* de Derain, au Musée des Colonies (devenu depuis le Musée des Arts Africains et Océaniens) sept importants bas-reliefs anciens de Madagascar, et en juin 1934, peu avant sa mort, au Musée du Luxembourg, *La jolie bouquetière* d'Edouard Goerg.

Les témoignages de la littérature mémorialiste sont rares cependant, et peu précis, comme celui de Maurice Sachs (*Chronique joyeuse et scandaleuse*) où Paul Guillaume est silhouetté sans bienveillance sous le pseudonyme d'Hector Frédéric.

Cependant, l'émotion provoquée par sa mort permit de mesurer la place qu'il occupait et la liste des fondateurs de la « Société des amis de Paul Guillaume » est assez éloquente, groupant des artistes, directeurs de galeries, ethnologues, hommes politiques, écrivains et critiques : Georges Braque, Josse Bernheim, Francis Carco, André Demaison, André Derain,

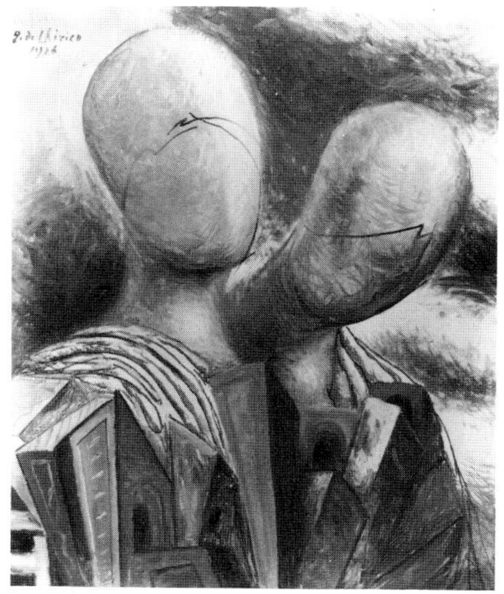

De Chirico, *Les époux*,
Grenoble, Musée de Peinture et de Sculpture
(don P. Guillaume, 1927)

1. *Les Arts à Paris,* X-1927, n° 14, p. 2, « Echos Actualités », par Jacques Villeneuve.

Bois de lit malgaches, Paris, Musée des Arts Africains et Océaniens (don P. Guillaume, 1932)

Roland Dorgelès, A. Fauchier-Magnan, Andry-Farcy, le baron Gourgaud, Maximilien Gauthier, Edouard Goerg, Max Jacob, Stéphane Manier, Henri Matisse, Picasso, le professeur Rivet, Georges-Henri Rivière, André Salmon, Albert Sarrault, Ambroise Vollard, Waldemar-George.

Après la mort de Paul Guillaume (1934), sa galerie ferma et la revue *les Arts à Paris*, au bout de quelques mois, cessa de paraître. Mme Paul Guillaume devait le 25 septembre 1941 épouser Jean Walter, architecte, industriel, mécène et amateur d'art. Il n'est pas toujours possible, pour chaque œuvre conservée aujourd'hui à l'Orangerie, d'en désigner la provenance. Si la grande majorité vient certainement de Paul Guillaume, quelques-unes ont été achetées par Mme Walter. C'est à elle qu'on doit une partie des œuvres des peintres de la génération impressionniste, le Sisley, plusieurs Renoir et la majorité des Cézanne, notamment les deux grands paysages tardifs. L'achat, à la célèbre vente Cognacq (Galerie Charpentier, 14 mai 1952) de *Pommes et biscuits* (n° 5) pour la somme de trente-cinq millions de francs de l'époque, ce qui constituait un record, avait fait d'autant plus sensation que Mme Walter était venue enchérir elle-même, attirant ainsi l'attention sur une collection qui n'était alors connue que de peu d'amateurs.

Mme Walter continua à s'intéresser à l'art de son temps, soutenant plusieurs artistes, leur achetant des œuvres qui ne figurent pas dans la collection de l'Orangerie. Elle écrivit même un article pour défendre un de ses peintres préférés, Bernard Lorjou (*Combat Arts,* n° 6, 3 mai 1954).

Statue anthropomorphe, Gabon
Paris, Musée de l'Homme
(don Mme P. Guillaume, 1941)

Le mobilier de Paul Guillaume était résolument moderne, autant qu'on puisse juger par quelques photographies. Il semble que ce soit après sa mort que sa femme acheta des meubles anciens, dont elle constitua un bel ensemble, ainsi que des livres de bibliophilie. Certains meubles sont d'ailleurs inclus dans la donation. Poursuivant l'effort de Paul Guillaume, attesté notamment par Pierre Loeb (*Voyages à travers la peinture,* Paris, 1945, p. 35), elle se préoccupa de pourvoir ses tableaux de cadres anciens souvent somptueux. Elle voulut offrir au Musée de l'Homme l'ensemble d'œuvres d'art africain et océanien que son mari lui avait laissé. Les négociations n'ayant pas abouti, c'est seulement seize pièces gabonaises, de haute qualité, il est vrai, qu'elle remit au Musée en 1941. Le reste fut dispersé en vente publique à l'Hôtel Drouot (9 novembre 1965).

Masque rituel, Gabon
Paris, Musée de l'Homme
(don Mme P. Guillaume, 1941)

Faut-il attribuer une part dans la constitution de la collection à Jean Walter? Peut-être a-t-il acheté personnellement certains Renoir et certains Rousseau. L'état de la documentation ne permet pas d'être plus précis. C'est en accord avec lui que Mme Walter a pu conserver et enrichir la collection et c'est conformément aux intentions de Jean Walter comme de Paul Guillaume qu'elle décida de la proposer à l'Etat pour constituer un musée qui porterait leurs deux noms.

C'est à partir de 1957 que commencent les négociations qui aboutirent à deux actes successifs en 1959 et 1963. La collection était cédée aux Musées nationaux à des conditions exceptionnellement généreuses avec la participation des Amis du Louvre, à la condition de la présenter après la mort de la donatrice en un musée autonome, à l'Orangerie des Tuileries. Une exposition, organisée par Mme H. Adhémar, eut lieu en 1966 et les œuvres furent rendues à Mme Walter, qui consentit à en prêter à nouveau, notamment pour l'exposition Cézanne dans les Musées nationaux, toujours à l'Orangerie, en 1974.

Le décès de Mme Walter (30 juin 1977) précéda de peu l'apparition de fissures dans le bâtiment de l'Orangerie, mettant en cause la solidité de l'édifice et la sécurité des *Nymphéas* de Monet. L'Orangerie dont la construction fut décidée par décret en date du 25 mai 1852, n'avait reçu au cours de ses transformations successives, que des fondations sommaires. Comme il était matériellement impossible de déplacer les *Nymphéas,* il fallut reprendre tout le bâtiment en sous-œuvre et lui assurer les fondations grâce à la mise en place de micro-pieux. Ce travail a été exécuté avec beaucoup de soins sous la direction de M. Jean-Claude Daufresne, Architecte en chef, sous l'autorité de la Direction des Musées de France et de la Direction du Patrimoine. Ce fut l'occasion de pourvoir l'Orangerie des locaux de service indispensables.

Le présent catalogue, qui a mis à profit et complété la première publication faite en 1966 au moment de la présentation de la collection à l'Orangerie, s'efforce de donner une étude complète des tableaux de l'Orangerie. Cependant, les lacunes de la documentation (par exemple en ce qui concerne l'histoire des œuvres), et le manque d'études approfondies sur certains artistes, nous ont empêché parfois d'être aussi précis et complets que nous l'aurions souhaité. Une nouvelle édition permettra, nous l'espérons, de combler certaines lacunes.

Michel Hoog

Les auteurs du catalogue tiennent à remercier tous ceux qui ont bien voulu les aider dans leurs recherches et en particulier :

Mme Blatas, M. Bouret, Mme Yvelyne Cantarel-Besson, Mlle France Daguet, M. Guy Patrice Dauberville, Mme Anne Distel, M. Charles Durand-Ruel, Mme Caroline Godfroy, Mme Jacqueline Henry, Mme Claude Laugier, M. Daniel Marchesseau, Mlle Laurence Marceillac, M. Daniel Meyer, M. John Rewald, M. Olivier Rouart, Me Dominique Tailleur, Mme Nicole Tamburini, Mlle Nicole Villa.

Catalogue

Paul Cézanne

Aix-en-Provence, 1839-1906

1

Le déjeuner sur l'herbe

Huile sur toile ; H. 0,21 ; L. 0,27
N.s.
RF 1963-11

Dans la série des *Bacchanales* et des *Pastorales* datées en général de 1873-1878, et dont certaines sont peut-être plus anciennes, celle-ci est une des plus paisibles. La touche est hachée et très lisible ; la composition, apparemment difficile à déchiffrer, est cependant bien calculée, les personnages, sommairement indiqués, se répartissant de part et d'autre d'un axe vertical décrit par une femme debout dont la silhouette se prolonge par une flèche d'église. L'identification de cette flèche avec un des clochers d'Aix (Saint-Jean-de-Malte ?) est possible.

Faut-il voir dans ce thème, plusieurs fois choisi par lui, une allusion non dénuée d'ironie au tableau à scandale de Manet, Cézanne répétant ici l'opération réductrice qu'il avait réalisée en peignant *Une moderne Olympia* (Jeu de Paume) ? Mais si le thème (des personnages conversant dans un cadre de verdure) est bien celui des tableaux de Manet et de Monet, il n'est pas sûr que le titre remonte à Cézanne lui-même. La disposition rappelle également celle d'une *Bacchanale* de Poussin. On a peut-être aussi le souvenir des joyeuses sorties dans la campagne aixoise de Cézanne et de ses amis, connues notamment par le témoignage de Zola qui y participa dans sa jeunesse. M.H.

Historique :
E. Fabbri, Florence ; P. Rosenberg, Paris ; Mme J. Walter.

Expositions :
1920, Venise, n° 3 ; 1966, Paris, n° 2 (repr.) ; 1974, Tokyo, n° 14 ; 1974, Paris, n° 18 (repr.) ; 1983, Centre Georges Pompidou. M.N.A.M., Galeries Contemporaines, *Bonjour Monsieur Manet* (repr.).

Bibliographie :
L. Venturi, 1936, t. 1, n° 238 (repr.) ; M. et G. Blunden, *Le Journal de l'Impressionnisme,* Genève, 1970, p. 81 ; *Tout l'œuvre peint,* n° 258 (repr.) ; *L'Impressionnisme,* Paris, 1971, p. 112 (repr. et détail p. 113) ; J. Arrouye, « Le dépassement de la nostalgie », *Cézanne ou la peinture en jeu,* Limoges, 1982, pp. 117-120 ; J. Rewald, n° 258.

Cézanne, *Baigneurs*, Paris, Musée d'Orsay

Paul Cézanne

2

Paysage au toit rouge ou *le pin à l'Estaque*

Huile sur toile ; H. 0,73 ; L. 0,60
N.s.
RF 1963-7

Si ce tableau représente bien l'Estaque, comme Venturi l'indique, c'est probablement pendant le séjour que Cézanne y fit en 1876 qu'il fut peint. La touche épaisse et large, proche de celle des paysages d'Auvers, annonce celle des Fauves, qui virent au Salon des Indépendants de 1904 l'exposition Cézanne. Il s'éloigne ici du dispositif du paysage classique, comme de celui de l'École de Barbizon : pas de deuxième plan, mais un avant-plan très dissymétrique, constitué par le talus et le pin, qu'on retrouve, analogues, dans certaines vues de la Montagne Sainte-Victoire.

Les séjours de Cézanne à l'Estaque près de Marseille furent nombreux et ce site lui a inspiré la plupart de ses vues de mer. Sa mère y possédait une maison et il vint s'y réfugier lors de la guerre de 1870 ou pour cacher sa liaison à son père (cf. n° 8).

Une lettre de Cézanne à Pissarro, datant précisément de 1876, éclaire ici assez bien sa démarche : « C'est comme une carte à jouer. Des toits rouges sur la mer bleue. Si le temps devient propice, peut-être pourrais-je les pousser jusqu'au bout... il y a des motifs qui demanderont trois ou quatre mois de travail, qu'on pourrait trouver, car la végétation n'y change pas. » Le rôle essentiel de l'observation est ainsi affirmé, mais la comparaison avec les cartes à jouer est également suggestive : la carte à jouer était une des rares formes de stylisation, c'est-à-dire de déformation systématique, ou pour employer le vocabulaire du temps, de « synthèse » alors admise, et cette comparaison a souvent été employée à l'époque, notamment à propos de Manet.

Ce tableau est probablement celui qui fut l'objet d'un projet d'achat par l'État en 1904. Cézanne fut toujours — sauf une fois, grâce à son ami Guillemet — tenu à l'écart du Salon officiel. En 1904, le nouveau directeur des Beaux-Arts, Henri Marcel, décide de libéraliser le système d'achat et envoie des représentants au Salon d'Automne. Parmi eux, Roger Marx, et c'est sans doute grâce à lui qu'on signale « particulièrement l'exposition du peintre Cézanne en émettant le vœu qu'une œuvre pût être acquise, notamment le tableau représentant une maison blanche dans un paysage ». La décision administrative fut négative : « Le tableau appartenant à M. Vollard, il vaut mieux attendre une occasion de s'adresser directement à l'artiste. »

M.H.

Historique :
A. Vollard, Paris ; Mrs Henry P. Newman, née von Duering, Hambourg ; Galeries Wildenstein, Paris-Londres-New York ; acheté par Mme J. Walter en 1953.

Expositions :
1904, Paris, Salon d'Automne, n° 904 ; 1921, Berlin, Paul Cassirer, *Cézanne,* n° 27 ; 1934, Hambourg, Kunsthalle, *Das Bilder Landschaft,* n° 87 (repr.) ; 1966, Paris, n° 3 (repr.) ; 1974, Paris, n° 19 (repr. coul.) ; 1980, Athènes, n° 4 (repr. coul.) ; 1981, Tbilissi-Leningrad, n° 4 (repr.).

Bibliographie :
A. Vollard, *Paul Cézanne,* 1914, pl. 44 ; L. Venturi, 1936, T. 1, n° 163 (repr.) ; M. Hoog, « La direction des Beaux-Arts et les Fauves », *Art de France,* 1963, p. 364 ; *Tout l'œuvre peint,* n° 160 (repr.) ; M. Hoog, *L'univers de Cézanne,* Paris, 1971, p. 81 ; J. Rewald, n° 241.

Paul Cézanne

3
Fleurs dans un vase bleu

Huile sur toile ; H. 0,30 ;L. 0,23
N.s.
RF 1963-12

A côté de natures mortes où Cézanne agence avec soin des objets assez nombreux, il en est d'autres où il se limite à un très petit nombre d'éléments. Celle-ci est d'une extrême simplicité de mise en page et d'une grande délicatesse de couleurs. Les fleurs rose pâle, dont il est difficile de désigner l'essence (Cézanne s'est-il servi ici de fleurs en papier comme il le faisait quelquefois ?) sont peintes dans une matière précieuse et plus épaisse que le reste de la toile. Ces fleurs, par leur simplicité et la qualité de leur matière, sont proches des derniers *Bouquets* de Manet (1881-1883), qui en sont à peu près contemporains. C'est une nouvelle rencontre entre Manet et Cézanne dans le domaine de la nature morte. Ils en avaient peint l'un et l'autre, dans un même esprit naturaliste et sombre, dans les années 1860.

Venturi, suivi par J. Rewald (comm. écrite), place ce tableau vers 1880. Seule la façon dont les fleurs et le vase sont comme plaqués contre la paroi, où se devine, semble-t-il, un motif de papier peint, pourrait suggérer une date un peu plus tardive. M.H.

Historique :
M. Gangnat, Paris ; vente Gangnat, Paris, 25 juin 1925, n° 164 (repr. cat.) ; E. Vautheret, Lyon ; vente Vautheret, 16 juin 1933, n° 3 (repr. cat.) ; Galerie Reid et Lefevre, Londres ; E. Bignou, New York ; Mme P. Guillaume.

Expositions :
1934, Ottawa, Galerie Nationale-Toronto, Galerie d'Art-Montréal, Association d'Art-Glasgow, Galerie McLellan, *French Painting in the 19th Century,* n° 10 ; 1934, Londres, Galerie Reid et Lefevre, *Renoir, Cézanne and their contemporaries,* n° 6 ; 1934, Londres, Galerie Reid et Lefevre, *Cézanne,* n° 1 ; 1946, Paris, Galerie Charpentier, *Tableaux de la vie silencieuse,* n° 13 ; 1966, Paris, n° 9 (repr.) ; 1974, Tokyo, n° 26 (repr.) ; 1974, Paris, n° 28 (repr.) ; 1980, Marcq-en-Barœul, Septentrion, *Impressionnisme,* n° 6 (repr.) ; 1981, Tbilissi-Leningrad, n° 7 (repr.)

Bibliographie :
Amour de l'Art, 1925, n° 2, p. 55 (repr.) ; C. Zervös, « Renoir, Cézanne, leurs contemporains et la jeune peinture anglaise », *Cahiers d'Art,* 1934, n°s 5/8 (repr. p. 136) ; L. Venturi, 1936, t. 1, n° 362 (repr.) ; *Tout l'œuvre peint,* n° 490 (repr. p. 109) ; J. Rewald, n° 435.

Paul Cézanne

4
Fleurs et fruits

Huile sur toile ; H. 0,35 ; L. 0,21
N.s.
RF 1963-6

Cette nature morte peut être rapprochée de celle exposée sous le numéro précédent : même simplicité de mise en page, même délicatesse de couleurs. Le vase duquel sortent fleurs et feuillage se retrouve aussi d'un tableau à l'autre, mais représenté avec des dimensions différentes, selon un procédé dont il y a d'autres exemples. Les fruits, dont les surfaces ont perdu leur apparence sensuelle et leur texture, sont disposés par rang de taille et le sont aussi, curieusement, selon l'ordre du prisme : ils décrivent un arc-en-ciel orangé, jaune, vert et bleu. On notera, survivance de l'impressionnisme, le reflet du fruit vert sur le citron.

Il n'est pas très facile de dater ce tableau. La fleur et les feuillages du haut paraissent relativement anciens. En revanche, la facture plus plate des fruits, et le cerne léger qui les entoure, suggèrent une date nettement postérieure à 1880. Venturi place cette œuvre dans la séquence 1879-1882. J. Rewald (comm. écrite) vers 1880 ou un peu plus tard, Ch. Sterling (catalogue 1936) vers 1886.

Il est possible que cette toile inachevée soit un rare exemple de tableau abandonné par Cézanne et repris par lui après plusieurs années.

M.H.

Historique :
P. Guillaume, Mme J. Walter.

Expositions :
1935, Springfield (Etats-Unis) ; 1936, Paris, n° 69 ; 1946, Paris, Galerie Charpentier, *Tableaux de la vie silencieuse,* n° 12 ; 1966, Paris, n° 8 (repr.) ; 1974, Paris, n° 31 (repr.) ; 1981, Tbilissi-Leningrad, n° 8 (repr.).

Bibliographie :
Les Arts à Paris, juillet 1931, p. 34 (repr.) ; L. Venturi, t. 1, n° 359 (repr.) ; *Tout l'œuvre peint,* n° 486 (repr.) ; J. Rewald, n° 436.

Paul Cézanne

5
Pommes et biscuits

Huile sur toile ; H. 0,45 ; L. 0,55
N.s.
RF 1960-11

Cette nature morte est une des plus pures de la maturité de Cézanne, une de celles qui résument le mieux les caractères essentiels de son art dans sa période la plus sereine. Pour créer une composition d'une parfaite cohérence, il lui suffit d'une assiette et de quelques pommes disposées sur un coffre. La délicatesse des couleurs (le rose et le bleu pâle à droite) aux nuances d'aquarelle, la feinte simplicité de l'ordonnance utilisant subtilement les vides autour de quelques objets modestes, ne se trouvent guère que chez Baugin ou chez Zurbaran, dont il est peu probable que Cézanne ait pu voir des natures mortes.

Que, dans ses recherches de stylisation de la forme et de traduction des volumes par la couleur, Cézanne ait trouvé un support particulièrement approprié dans la pomme, ce n'est pas douteux et on l'a souligné depuis longtemps. Mais ceci n'exclut pas que le choix répété de ce fruit ait une signification plus profonde. Meyer Schapiro a longuement analysé cet aspect de la thématique cézannienne. Par-delà leur symbolisme érotique banal, si on peut dire, et traditionnel, elles sont un élément essentiel dans l'expression de son combat pictural. Ses relations d'enfance avec le jeune Zola s'établissent en termes de protection du futur peintre envers le futur romancier, un peu plus jeune que lui. Elles ont commencé avec des pommes que le jeune Zola a offertes en remerciements à son aîné pour un service rendu au lycée. Cézanne a exercé une protection de grand frère, pour ne pas dire de père, à l'égard de Zola, orphelin de père. Plus tard, Cézanne peint de nombreuses natures mortes de pommes, à une époque où la nature morte était un genre un peu mineur et négligé. Cézanne en rétablit l'éminente dignité et veut, comme il le dit lui-même, « conquérir Paris avec une pomme », c'est-à-dire acquérir une notoriété de peintre avec un sujet à la fois trivial et chargé d'une signification poétique par toute la tradition (*Eve, Jugement de Pâris,* avec le calembour involontaire sur le nom de *Paris*) et pour lui, chargé aussi de souvenirs d'enfance.

A la longue démonstration de M. Schapiro, on peut ajouter un détail supplémentaire. Au moment du plein combat de Cézanne, de Zola et de leurs amis, contre le Salon officiel où presque toutes leurs toiles étaient refusées par le jury, un jeune peintre se suicida à cause d'un refus du jury (1867). Ce peintre s'appelait Holzappfel (*Pomme en bois*). Cézanne ne put ignorer l'incident dont une coïncidence de nom renforçait la signification. (Cf. Zola, coll. *Génies et Réalités,* Paris, 1969, p. 197.) M.H.

Historique :
A. Kann, Saint-Germain-en-Laye ; Marczell de Nèmes, Budapest ; vente coll. de Nèmes, Paris, 18 juin 1913, n° 87 (repr. cat.) ; Biermann ; baron M. de Herzog, Budapest ; P. Rosenberg, Paris ; Durand-Ruel, Paris-New York ; G. Cognacq, Paris ; vente Cognacq, Galerie Charpentier, 14 mai 1952, n° 28 (cat. pl. XXVI), adjugé à Mme J. Walter.

Expositions :
1910, Budapest, Musée des Beaux-Arts, *Impressionnistes,* n° 15 ; 1911, Budapest, Musée des Beaux-Arts, *Exposition Collection Nèmes* ; 1912, Düsseldorf, Staedtische Kunsthalle, *Exposition Collection Nèmes,* n° 114 (repr.) ; 1918, Budapest, Museum, *Première Exposition de Trésors d'Art Socialisés,* n° 5 ; 1931, Paris, Galerie Paul Rosenberg, *Grands Maîtres du XIXe siècle, au profit de la Cité Universitaire,* n° 3 (repr.) ; 1936, Paris, n° 54 ; 1937, Paris, *Chefs-d'œuvre de l'Art français,* n° 250 ; 1939, Paris, Galerie Paul Rosenberg, *Cézanne,* n° 7 (repr.) ; 1939, Londres, n° 23 ; 1945, Paris, Galerie Charpentier, *La vie silencieuse ;* 1949, Lyon, *Les grands courants de la peinture contemporaine,* n° 20 (repr. fig. 6) ; 1950, Paris, Galerie Kaganovitch, *Œuvres choisies du XIXe siècle,* n° 6 ; 1957, Paris, Galerie Charpentier, *Cent chefs-d'œuvre de l'art français, 1750-1950,* n° 9 (repr.) ; 1966, Paris, n° 5 (repr.) ; 1974, Paris, n° 30 (repr.) ; 1983, Paris, sans n°.

Bibliographie :
Kunstchronik und Kunstmarkt, *"Die Sammlung Nemes"*, 17 janv. 1973 ; E. Bernard, *Sur Paul Cézanne,* Paris, 1925, p. 109 (repr.) ; M. Müveszet, 1927, n° 4, p. 205 (repr.) ; L. Venturi, 1936, n° 343 (repr.) ; *L'Art et les Artistes,* 1936, p. 337 ; *L'Art sacré,* mai 1936, fig. 11 ; *Amour de l'Art,* mai 1936, p. 178 (repr.) ; A. Barnes et V. de Mazia, *The Art of Cezanne,* New York, 1939, pp. 214, 340, 341 (repr.) ; R. Cogniat, *Cézanne,* Paris, 1939, pl. 50 ; B. Dorival, *Cézanne,* Paris, 1948, pp. 154-155, n° 65 (repr. coul.) ; Ch. Sterling, *La nature morte de l'Antiquité à nos jours,* Paris, 1952, p. 93 (repr. coul.) ; L. Gowing, *Burlington Magazine,* vol. XCVIII, juin 1956, p. 188 ; J. Bouret, « L'éblouissante collection Walter », *Réalités,* n° 239, déc. 1965 (repr. coul.) ; M. Schapiro, « Les pommes de Cézanne », *La revue de l'Art,* 1968, I-II, pp. 73-87 ; *Tout l'œuvre peint,* n° 450 (repr.) ; C. Bonzo, *Jardin des Arts,* janv. 1972, p. 64 (repr.) ; *L'Impressionnisme,* Paris, 1971, p. 258 ; M. Brion, 1972, p. 34, p. 35 (repr. coul.) ; F. Tobien, 1981, pl. coul. 66.

6
Fruits, serviette et boîte à lait

Huile sur toile ; H. 0,60 ; L. 0,73
N.s.
RF 1960-10

La nature morte ne groupant que quelques objets familiers, disposés sur une table ou un coffre, a servi à Cézanne de support à des variations innombrables. Travailleur lent, Cézanne trouvait dans ces fruits et ces ustensiles des modèles dociles, aux formes simples et quasi géométriques.

La façon dont les objets sont rabattus sur le coffre, selon un système perspectif neuf, si elle ne nous surprend pas aujourd'hui, était à l'époque tout à fait choquante. Le couvercle du coffre aurait dû former avec le mur, décoré d'un papier peint, un angle de 90 degrés, et les pommes se placer les unes derrière les autres et non s'étager les unes au-dessus des autres. Les deux extrémités du bord postérieur du coffre ne sont pas dans le prolongement l'une de l'autre. Cependant, si la disposition des objets subit une distorsion considérable par rapport aux règles de la perspective traditionnelle, leur forme reste toujours, selon ces règles, exacte, et modelée avec soin. Cézanne réalise un équilibre extraordinaire entre la rigueur de la construction et le sentiment de la présence des objets les plus humbles.

On a voulu se servir des motifs de papier peint qui apparaissent dans une vingtaine de natures mortes pour les dater, en supposant que ces papiers ornaient les murs de tel ou tel domicile de Cézanne. Ce sont des papiers de type alors courant, et dont il a pu s'inspirer alors qu'il ne les avait plus sous les yeux. De même, les objets de cette nature morte, et le coffre qui la supporte, se retrouvent çà et là dans des œuvres de dates très diverses.

Pour la signification du thème privilégié de la pomme chez Cézanne, voir la notice n° 5. M.H.

Historique :
Durand-Ruel, Paris ; Brown, Baden ; Mauthner-Markhof, Vienne ; P. Rosenberg, Paris ; Galerie Thannhauser, Lucerne ; Galerie S. Rosengart, Lucerne ; M. Silberberg, Breslau ; vente S. et S., Galerie Georges Petit, 9 juin 1932, n° 13, repr. cat. ; Collection privée, Pays-Bas ; Mme J. Walter.

Expositions :
1922, Paris, Galerie Paul Rosenberg, *Les maîtres du siècle passé*, n° 6 ; 1934, New York, Galerie Durand-Ruel, *Exhibition of Important Paintings by Great French Masters*, n° 1 ; 1938, Amsterdam, Stedelijk Museum, *Honderd Jaar Franske Kunst*, n° 24 ; 1966, Paris, n° 4 (repr.) ; 1974, Paris, n° 29 (repr.) ; 1980, Athènes, n° 5 (repr. coul.) ; 1981, Tbilissi-Leningrad, n° 6 (repr. coul.) ; 1982, Prague-Berlin, n° 18 (repr. coul.) ; 1983, Paris, sans n°.

Bibliographie :
G. Janneau, « Les grandes expositions : Maîtres du siècle passé chez P. Rosenberg », *La Renaissance*, 1922, n° 5, p. 343 (repr.) ; G. Rivière, *Le Maître Paul Cézanne*, Paris, 1923, p. 141 ; E. d'Ors, *Paul Cézanne*, Paris, s.d., pl. 29 ; *Kunst und Künstler*, oct. 1931 (repr. p. 11) ; *Bulletin de l'Art*, oct. 1932 (repr. p. 300) ; *L'Art Sacré*, mai 1936, fig. 9 ; L. Venturi, 1936, T. 1, n° 356 (repr.) ; B. Dorival, *Cézanne*, Paris, 1948, p. 154 (repr. p. 63) ; L. Gowing, *Burlington Magazine*, vol. XCVIII, p. 188 ; *Tout l'œuvre peint*, n° 447 (repr.) ; J. Rewald, n° 441.

7
Portrait du fils de l'artiste

Huile sur toile ; H. 0,35 ; L. 0,38
N.s.
RF 1963-59

Paul Cézanne fils, né le 4 janvier 1872, semble assis sur le bras d'un fauteuil dont on voit le dossier à droite. L'âge imprécis du modèle ne peut aider à dater exactement l'œuvre. Cependant, l'indication donnée par Venturi (1883-1885) paraît une limite extrême, le visage de l'enfant suggérant une datation un peu moins tardive. Mais les portraits de Cézanne sont d'autant moins individualisés que les modèles lui sont plus familiers ; c'est le cas pour les très nombreux dessins et tableaux d'après sa femme ou d'après son fils.

C'est autour de 1880 qu'apparaissent aussi nettement l'abandon de la perspective et l'écrasement des volumes, si marqués ici dans le vêtement, le cou, le front, et qui annoncent Gauguin. J. Rewald (comm. écrite) propose comme date 1881-1882 ou peut-être plus tard. Il est frappant de constater que les spécialistes de Cézanne utilisent pour dater ce tableau, non pas l'âge apparent du modèle, mais des considérations de style. Il n'est pas de preuve plus nette que la *manière* du peintre passe avant le souci de la représentation.

Cézanne semble avoir éprouvé un attachement très profond pour son fils dont la naissance illégitime lui avait créé de sérieuses difficultés avec son propre père. A la fin de sa vie, Cézanne, méfiant et sans intimité, semble-t-il, avec sa femme, trouva en son fils une aide morale et un soutien.
M.H.

Historique :
A. Vollard, Paris ; P. Guillaume ; Mme Walter.

Expositions :
1966, Paris, n° 7 (repr. coul.) ; 1966, Paris, Théâtre de l'Est Parisien, *Chefs-d'œuvre de l'Impressionnisme*, n° 7 ; 1974, Tokyo, n° 30 (repr. coul.) ; 1974, Paris, n° 32 (repr.) ; 1981, Paris, sans n°.

Bibliographie :
M. Dormoy, « Quelques tableaux de la collection particulière d'Ambroise Vollard », *Formes*, n° 17, sept. 1931 ; A. Vollard, « Souvenirs sur Paul Cézanne », *Cahiers d'Art*, nos 9/10, 1931, p. 390 (repr.) ; L. Venturi, 1936, t. 1, n° 535 (repr.) ; J. Bouret, « L'éblouissante Collection Walter », *Réalités*, n° 239, déc. 1965 (repr. coul.) ; *Tout l'œuvre peint*, n° 514 (repr. p. 110) ; M. Brion, 1972, p. 47, n° 3 (repr. coul.) ; « The paradoxes of Cezanne », *Apollo*, août 1974, n° 150, p. 106, n° 15 (repr.) ; *Cézanne ou la peinture en jeu*, Limoges, 1982, p. 267 (repr.) ; J. Rewald, n° 428.

8

Madame Cézanne au jardin

Huile sur toile ; H. 0,80 ; L. 0,63
N.s.
RF 1960-8

On connaît plus de vingt portraits peints de la femme de Cézanne : leur groupement et leur datation précise ne vont pas sans problèmes. A. van Buren *(loc. cit.)* a tenté de dater celui-ci d'après le vêtement de Madame Cézanne, qui correspond à la mode de la fin des années 70. Un tel renseignement, de même que l'aspect du visage, ne peut fournir qu'une indication approximative. Il paraît donc préférable de conserver la marge d'imprécision adoptée par Venturi (1879-1882).

Parmi les nombreux portraits dessinés d'après Madame Cézanne, nous proposons de mettre en relation avec ce tableau, l'un des rares croquis poussés, que Chappuis (1973, n° 729, ancienne coll. Cassirer) place vers 1880. La chaise et le vêtement sont identiques. Madame Cézanne y est vue à mi-jambes, assise de trois-quarts et cousant. On devine sur la gauche du dessin un bois de lit et une table, tandis que, dans le tableau, Madame Cézanne pose en plein air, accoudée à un guéridon de jardin, devant un fond de feuillage resté inachevé. Un tel cadre est tout à fait inhabituel dans les portraits de Cézanne, en général situés dans un intérieur ou sur un fond neutre. Ce n'est qu'à la fin de sa vie, notamment avec la série des *Jardiniers Vallier*, qu'il accorde volontiers un cadre de plein air à ses portraits individualisés.

Hortense Fiquet, que Cézanne rencontra à Paris en 1871, devait lui donner un fils l'année suivante (cf. n° 87). Cézanne dut longtemps cacher cette liaison à son père. Quand celui-ci la découvrit, il en résulta une tension qui ne s'apaisa qu'en 1885 ; l'année suivante, le peintre épousa H. Fiquet.

Celle-ci a été son modèle le plus fréquent et le plus patient. On sait qu'il lui infligeait de longues séances de pose, et comme Cézanne caractérisait d'autant moins ses modèles que leur visage lui était plus familier, on ne saurait tirer de conclusions ni stylistiques ni psychologiques de l'aspect assez inexpressif du visage de Madame Cézanne. M.H.

Historique :
P. Guillaume ; Mme J. Walter.

Expositions :
1929, Paris, Galerie Pigalle, n° 11 ; 1931, Paris ; 1939, Londres, Galerie Wildenstein, n° 24 ; 1939, Lyon, Palais Saint-Pierre, *Centenaire de Paul Cézanne*, n° 26 ; 1950, Paris, Galerie Charpentier, *Cent portraits de femmes du XVe siècle à nos jours*, n° 13 (repr.) ; 1966, Paris, n° 6 (repr.) ; 1974, Paris, n° 27 (repr.) ; 1981, Tbilissi-Leningrad, n° 5 (repr.) ; 1982, Liège-Aix-en-Provence, n° 8 (repr.).

Bibliographie :
The Arts, XIII, mai 1928, p. 326 (repr.) ; W. George, 1929, p. 47 (repr. p. 49) ; W. George, *La Renaissance*, n° 4, avr. 1929 (repr. p. 174) ; *Les Arts à Paris*, n° 16, 1929, p. 28 ; L. Venturi, 1936, T. 1, n° 370 (repr.) ; W. George, « La femme. Mesure de l'art français », *L'Art et les Artistes*, fév. 1938, p. 173 ; A. van Buren, Madame Cezanne's Fashions and the dates of her portraits, *Art quaterly*, 1966, n° 2, fig. 17, p. 122 ; *Tout l'œuvre peint*, n° 499 (repr.), pl. coul. XV ; F. Tobien, 1981, pl. coul. 43 ; J. Rewald, n° 424.

Paul Cézanne

9
Arbres et maisons

Huile sur toile ; H. 0,54 ; L. 0,73
N.s.
RF 1963-8

Ce tableau représente vraisemblablement une maison située près du Tholonet, entre Aix et la Montagne Sainte-Victoire, sur une route qui s'appelle aujourd'hui route Cézanne.

Fréquemment, Cézanne a utilisé le procédé consistant à disposer un ou plusieurs arbres aux troncs sombres, de part et d'autre desquels on voit un paysage aux couleurs claires. Dans les tableaux des années 1878-1885, on peut encore employer, pour ces arbres, l'expression de « premier plan », qui permet au peintre de définir la profondeur ; au fur et à mesure que Cézanne abandonne la perspective traditionnelle, l'étagement des plans est de moins en moins défini. Ici, le plan de la ligne d'arbres, comme celui des façades des maisons, est rigoureusement parallèle au plan de la toile ; entre les deux, règne une zone intermédiaire laissée dans l'indétermination. Cézanne a, en particulier, évité toute courbe ou toute diagonale qui aurait pu suggérer la profondeur et seul le contraste des valeurs contribue à définir l'espace. Les couleurs claires dominent avec un jeu très léger de verts, de bleus, d'ocres. La pâte est très mince, la toile à peine couverte.

En revanche, le schéma de la composition reste assez traditionnel, avec un jeu de verticales, d'horizontales et d'obliques très construit, et qui rappelle, par-delà les vergers de son ami Pissarro, les paysages les plus architecturés de Poussin. L'œuvre se place vers 1885, à la fin de la période sereine.

Il existe de cette composition deux autres versions ; la plus proche est celle de la Fondation Robert Lehman (New York, Metropolitan Museum, Venturi, 479). J. Rewald la considère comme antérieure. A la différence du présent tableau, la disposition des arbres de droite et les mouvements de terrain y créent un certain étagement des plans. La troisième version (Oslo, Nasjonalgalleriet, Venturi, 481) paraît inachevée. M.H.

Historique :
A. Vollard, Paris ; A. Gold, Berlin ; prêt de longue durée à la Galerie Nationale, Berlin ; Galerie S. Rosengart, Lucerne ; Baron E. Von der Heydt, Ascona ; Mme P. Guillaume.

Expositions :
1966, Paris, n° 10 (repr.) ; 1974, Paris, n° 34 (repr. coul.) ; 1978, Paris, Grand Palais, *De Renoir à Matisse, 22 chefs-d'œuvre des musées soviétiques et français*, n° 2 (repr.) ; 1980, Athènes, n° 7 (repr. coul.) ; 1981, Tbilissi, Leningrad, n° 9 (repr. coul.) ; 1982, Prague-Berlin, n° 19 (repr.) ; 1983, Paris, Grand Palais, Salon d'Automne, *De Cézanne à Matisse*, n° 8 (repr. coul.).

Bibliographie :
A. Vollard, *Paul Cézanne*, Paris, 1914, pl. 47 ; E. Bernard, *Sur Paul Cézanne*, Paris, 1925, p. 32 (repr.) ; E. d'Ors, *Paul Cézanne*, Paris, s.d. p. 79 (repr.) ; L. Venturi, 1936, T. 1, n° 480 (repr.) ; *Tout l'œuvre peint*, n° 399 (repr.) ; F. Tobien, 1981, pl. coul. 48 ; J. Rewald, n° 515.

Cézanne, *Arbres et maisons*,
New York, Metropolitan Museum, coll. Lehman

10
Portrait de Madame Cézanne

Huile sur toile ; H. 0,81 ; L. 0,65
N.s.
RF 1960-9

Parmi les nombreux portraits de Madame Cézanne, rares sont ceux où le parti pris de symétrie et de frontalité soit aussi affirmé qu'ici. Sans être exceptionnel, ce dispositif n'est pas, chez lui, le plus fréquent ; c'est celui qu'il adopte en général pour des œuvres importantes et très travaillées (*Portrait d'Achille Emperaire*, *Femme à la Cafetière*, Jeu de Paume). Malgré ses dimensions plus modestes et son apparent inachèvement, ce tableau présente le même caractère monumental et hiératique. Les plans et les volumes sont répartis dans l'espace, sans aucun souci de la perspective traditionnelle : l'allongement du bras gauche, la suppression de l'accoudoir droit du fauteuil en témoignent. Parmi les portraits de Madame Cézanne, il occupe une place intermédiaire entre les portraits familiers et les effigies assez élaborées comme celles du Metropolitan Museum (Venturi, 569, 570), de Chicago (Venturi, 572) et de São Paulo (Venturi, 573). Il est difficile de serrer de très près la date de ce tableau, entre 1886 et 1890. On peut en rapprocher la figure en buste et à peine esquissée du Musée Guggenheim (Donation Thannhauser, Venturi, 525), celle récemment entrée dans les collections nationales (Musée d'Orsay, Venturi 524), ou le portrait, à mi-jambes, de la Fondation Barnes (Venturi, 522). Aucun dessin connu n'est en relation directe avec ce tableau. Le plus proche est celui de l'album de la collection P. Mellon (Chappuis, n° 1068).

Les portraits les plus construits de Madame Cézanne ont particulièrement retenu l'attention des peintres de la génération suivante. Juan Gris les a copiés plusieurs fois et C. Malévitch les a analysés avec soin dans le livre qu'il publia au Bauhaus (*Die gegenstandslose Welt*, Munich, 1927).
M.H.

Historique :
P. Cassirer, Berlin ; P. Guillaume ; Mme J. Walter.

Expositions :
1926, Paris, n° 2869 ; 1929, Paris ; 1929, Paris, Galerie Pigalle, n° 12 (repr.) ; 1930, Amsterdam, Stedelijk Museum, *Van Gogh et ses Contemporains*, n° 129 ; 1936, Paris, n° 65 ; 1939, Paris, Société des Artistes Indépendants, n° 14 ; 1945, Paris, Galerie Charpentier, *Portraits français*, n° 11 (repr.) ; 1966, Paris, n° 11 (repr.) ; 1974, Paris, n° 35 (repr.) ; 1978, Paris, n° 4 (repr.) ; 1980, Athènes, n° 6 (repr. coul.) ; 1981, Paris, sans n° ; 1982, Prague-Berlin, n° 20 (repr. coul.).

Bibliographie :
W. George, « Trente ans d'art indépendant », *L'Amour de l'Art*, janv. 1926. n° 1 (repr. p. 90) ; *Les Arts à Paris*, juin 1927, n° 13, p. 18 ; W. George, s.d., p. 47 (repr. p. 19) ; G. Charensol, « La quinzaine artistique. Cézanne à la Galerie Pigalle », *Art Vivant*, fév. 1930 (repr. p. 181) ; L. Venturi, 1936, t. 1, n° 523 (repr.) ; A. Chappuis et R. Bacou, *Album de Paul Cézanne*, 1966, p. 28 ; A.H. van Buren, « Madame Cezanne's fashion and the dates of her portraits », *The Art Quaterly*, 1966, p. 119, 125 (fig. 15) ; *Tout l'œuvre peint*, n° 534 (repr.) ; M. Brion, 1972, n° 4, p. 46 (repr. coul. p. 47).

Cézanne, *Portrait de Mme Cézanne*, Paris, Musée d'Orsay

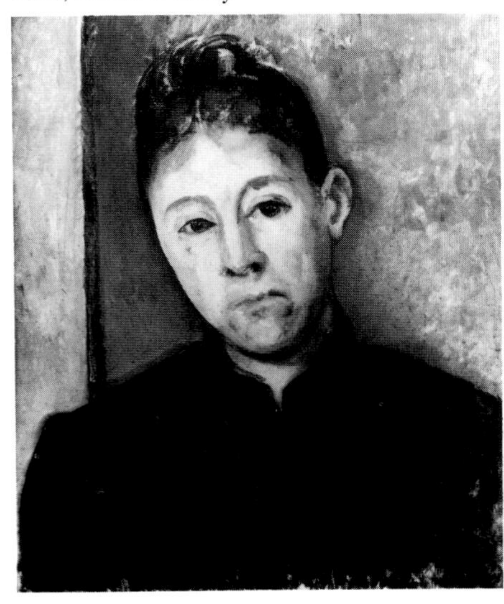

Paul Cézanne

11
La barque et les baigneurs

Huile sur toile : H. 0,30 ; L. 1,25
N.s.
RF 1973-55 (partie centrale) ; RF 1960-12 et 1960-13

Cette œuvre, qu'un achat a permis de reconstituer, est d'une importance particulière. Si l'on excepte les peintures murales dont il décora, dans sa jeunesse, le Jas de Bouffan, la propriété aixoise de son père, cette œuvre est la seule de Cézanne destinée à un cadre architectural précis. Il s'agit, en effet, d'un dessus de porte pour l'appartement parisien de Victor Chocquet, collectionneur d'art du XVIIIe siècle et de Delacroix, qui se passionna aussi pour les Impressionnistes (cf. Rewald, *loc. cit.*). Il fut l'un des premiers et, pendant longtemps, l'un des seuls amateurs et défenseurs de Cézanne, dont il posséda jusqu'à trente-et-un tableaux. Il n'en fallait pas moins pour que l'ombrageux Cézanne acceptât de faire son portrait et de se plier à une commande impliquant un format très insolite et l'exécution (sans autre exemple chez lui) de véritables pendants. L'autre pendant représente une fontaine dans un parc (Venturi, n° 315, collection privée, exposition *Sept impressionnistes*, Paris, Galerie Alex Maguy, 1974, sans n°). Cette destination particulière a peut-être entraîné aussi le caractère assez exceptionnel du sujet (une double allégorie de la terre et de l'eau ?). Si le thème des *Baigneurs* est en effet fréquent chez Cézanne, ses baigneurs sont en général représentés sans eau, ou à peu près. Si l'on excepte les vues de l'Estaque, on a ici la seule marine de Cézanne.

G. Rivière date ces œuvres de 1888 en précisant qu'elles n'étaient pas achevées à la mort de Chocquet en 1891.

Comme l'a observé M.-Th. Lemoyne de Forges, le groupe de gauche se retrouve presque identique, mais inversé, dans une aquarelle (Venturi, n° 1104). M.H.

Historique :
Victor Chocquet, Paris ; vente Chocquet, Paris, Galerie G. Petit, 1er au 4 juillet 1899, n° 19 ; J. Bernheim-Jeune, Paris ; collection Walter-Guillaume.
Ce tableau a été divisé en trois parties ; les deux fragments latéraux font partie de la collection Walter-Guillaume ; la partie centrale a été achetée en 1973 par les Musées Nationaux et l'ensemble reconstitué.

Expositions :
1926, Paris ; 1945, Paris, Galerie Charpentier, *Paysages d'eau douce*, n° 20 ; 1966, Paris, n°s 12 et 13 (repr.) ; 1974, Paris, n° 40 (repr.) ; 1979, Paris, Musée de la Monnaie, *20e anniversaire du prix Victor Chocquet.*

Bibliographie :
O. Mirbeau, Th. Duret, L. Werth, F. Jourdain, *Cézanne*, Paris, 1914, pl. 27 ; *Le Carnet des Artistes*, 1er juillet 1917, p. 14 (repr.) ; *L'Art Moderne*, Paris, 1919, t. 1, pl. 26 ; G. Rivière, *Paul Cézanne*, Paris, 1923, p. 217 ; L. Venturi, n° 583 ; C. Roger-Marx, « le nu et la mer », *Jardin des Arts*, 1955, p. 661 ; J. Bouret, « L'étonnante collection Walter-Guillaume », *Réalités*, déc. 1965, (repr. coul.) ; J. Rewald, « Chocquet and Cézanne », *Gazette des Beaux-Arts*, 1969, pp. 68, 69 et 83 ; *Tout l'œuvre peint*, n° 626 (repr.) ; M. Brion, 1972, pp. 60, 61 (repr. coul. n°s 1 et 3) ; H. Adhémar, « Cézanne dans les Collections des Musées Nationaux », *La Revue du Louvre*, 1974, n° 3, p. 218 (repr. n° 2), p. 219 (repr. n° 4).

Cézanne, *La barque et les baigneurs*
(détail de la partie droite)

Paul Cézanne

12
Vase paillé, sucrier et pommes

Huile sur toile ; H. 0,36 ; L. 0,46
N.s.
RF 1963-9

Cette nature morte est un des exemples les plus audacieux de l'invention cézannienne. La perspective traditionnelle est ici ignorée, les objets librement dispersés sur la toile, selon une disposition dont la cohérence relève de nécessités picturales et non descriptives. Le refus d'une représentation littérale, ou au moins plausible, concerne la texture des objets, et leur forme, autant que leur position par rapport au plateau de la table, lui-même fort malmené. Bien plus, Cézanne introduit ici des éléments indéchiffrables, c'est-à-dire abstraits, comme la ligne verticale qui se prolonge entre le vase et le sucrier, l'oblique noire (un manche de couteau?) qui touche à droite le bord du tableau, ou l'indication du contour du vase dans une première position que Cézanne s'est gardé d'effacer.

Quant à l'assiette chargée de fruits, en apparent déséquilibre, Cézanne l'a répétée une dizaine de fois, associée ou non au vase paillé, par exemple dans la grande *Nature morte* du Metropolitan (Venturi, n° 793).

Maurice Denis, qui fut un des premiers admirateurs de Cézanne parmi les peintres de sa génération et un de ses premiers commentateurs, a très finement analysé la démarche de Cézanne telle qu'elle apparaît dans cette nature morte : «Les fruits de Cézanne, ses figures inachevées sont le meilleur exemple de cette méthode de travail, renouvelée peut-être de Chardin : quelques touches carrées en indiquent par de doux voisinages de teintes la forme arrondie ; le contour ne vient qu'à la fin, comme un accent rageur, un trait à l'essence, qui souligne et isole la forme déjà rendue sensible par le dégradé de la couleur.

«Dans ce concours de nuances en vue d'un effet de grand style, les plans perspectifs disparaissent, les valeurs (au sens de l'École des Beaux-Arts), les valeurs d'atmosphère s'atténuent, sont équipollées. L'effet décoratif, l'équilibre de la composition apparaissent d'autant mieux que la perspective aérienne est extrêmement sacrifiée.» (*L'Occident*, septembre 1907, repris dans *Théories*, Paris, 1920, p. 259). M.H.

Historique :
P. Guillaume ; Mme J. Walter.

Expositions :
1929, Paris ; 1929, Paris, Galerie Pigalle, n° 13 (repr.) ; 1931, Paris ; 1939, Londres, n° 380 ; 1939, Lyon, n° 32 ; 1966, Paris, n° 14 (repr.) ; 1974, Paris, n° 43 (repr.) ; 1974, Tokyo, n° 47 (repr.) ; 1982, Liège-Aix-en-Provence, n° 19 (repr. coul.) ; 1982, Saint-Germain-en-Laye, Musée du Prieuré, *L'éclatement de l'Impressionnisme*, n° 5 (repr. 54) ; 1983, Paris, Grand Palais, Salon d'Automne, *De Cézanne à Matisse*, n° 11.

Bibliographie :
E. Teriade, «Les peintres nouveaux. La formation d'une plastique moderne», *Les Cahiers d'Art*, 1927, n° 1 (repr. p. 25) ; R. Huyghe, «Les origines de la peinture contemporaine», L'*Amour de l'Art*, 1933, n° 1 (repr. p. 16, fig. 14) ; L. Venturi, 1936, t. 1, n° 616 (repr.) ; *Tout l'œuvre peint*, n° 791 (repr.) ; M. Costantini, «Le primitif d'un art nouveau», *Cézanne ou la peinture en jeu*, Limoges, 1982, pp. 121, 122 (repr. p. 165), p. 198.

Paul Cézanne

13
Le rocher rouge

Huile sur toile ; H. 0,92 ; L. 0,68
N.s.
RF 1960-14

Vers 1895, les paysages de Cézanne changent de caractère. Ils perdent la sérénité, l'ordonnance claire et la lumière ensoleillée de ceux des années précédentes. Cézanne recherche, aux environs d'Aix, des sites sauvages où se mêlent en des compositions touffues et mouvementées, végétation et rochers.

Le jeu des lumières et des valeurs détermine une composition d'où toute idée de perspective est abolie. La masse des arbres traitée en petites hachures régulières est curieusement interrompue par la paroi rouge orangé d'un rocher en surplomb, qui contraste par sa couleur, mais aussi par sa facture, avec le reste de la toile.

« Du point de vue de la composition, observe John Rewald, la surimposition totalement asymétrique et brutale du rocher, à cette vue de forêt, est un élément tout à fait inhabituel dans les paysages de Cézanne. Mais une borne blanche, en bas à gauche, dont la stabilité se détache de la végétation luxuriante et dont la solidité fait écho au roc à droite, établit un équilibre miraculeux. » (Catalogue, 1978, n° 37).

Des rochers analogues, mais occupant une beaucoup plus grande surface, se retrouvent dans la célèbre *Vue de la Carrière Bibemus*, du Musée Folkwang d'Essen, vendue sous Hitler, « parce qu'un si mauvais tableau ne mérite pas d'être accroché sur un mur allemand » ; le musée d'Essen a cependant pu le racheter depuis (cité par J. Rewald, catalogue, 1978). M.H.

Historique :
A. Vollard, Paris ; Mme J. Walter.

Expositions :
1933, New York, Galerie Knoedler, *Paintings from the Ambroise Vollard Collection*, n° 42 ; 1939, Paris, Galerie Rosenberg, n° 32 (repr.) ; 1966, Paris, n° 15 (repr.) ; 1974, Paris, n° 47 (repr.) ; 1977, New York, The Museum of Modern Art, Houston, The Museum of Fine Arts, *Cézanne, The Late Work*, n° 13 (repr. coul.) ; 1978, Paris, Grand Palais, *Cézanne, les dernières années* (n° 37, repr. coul.) ; 1982, Saint-Germain-en-Laye, Musée du Prieuré, *L'éclatement de l'Impressionnisme*, p. 57 (repr.), p. 39 (pl. coul.).

Bibliographie :
J. Rewald, *Amour de l'Art*, 1935, pp. 15-21 ; L. Venturi, 1936, t. 1, n° 776 (repr.) ; *Tout l'œuvre peint*, n° 706 (repr.) et pl. coul. LIX ; T. Reff, « Painting and theory in the final decade », *Cézanne : The Late Work*, New York, 1977, p. 24 ; F. Tobien, 1981, pl. coul. 51.

Paul Cézanne

14
Dans le Parc de Château Noir

Huile sur toile ; H. 0,92 ; L. 0,73
N.s.
REF 1960-15

Arbres et maisons (nº 9) décomposait le paysage en deux plans. Ici un seul plan unifie le minéral et le végétal. Cette nature profuse, envahissante, intemporelle, d'où l'homme est exclu, est caractéristique des derniers paysages de Cézanne dont c'est ici un des plus grandioses exemples. Leur poétique n'est pas sans parenté avec celle, animée de panthéisme, des *Nymphéas* de Monet, de peu postérieurs.

Jamais l'emprise du peintre sur le visible n'a été aussi forte, jamais la nature n'a été à ce point soumise à la « sensation » de l'artiste, selon le mot que Cézanne aimait ; mais paradoxalement, cette volonté de l'artiste intervient dans le choix du moment et du motif, beaucoup plus que dans sa représentation. Tout comme Monet fabrique un jardin tel qu'il a envie de le peindre, Cézanne choisit soigneusement dans les environs d'Aix le motif qui l'intéresse et le transpose si peu qu'on a pu souvent, et c'est le cas ici, l'identifier avec précision (J. Rewald et L. Marschutz, 1935).

Il existe trois versions de cette composition : celle-ci, dominée par les verts et les bruns, une autre à la National Gallery de Londres (traitée dans une gamme plus sombre) et une troisième dans une collection privée suisse (Venturi, 788). Un certain nombre de dessins et d'aquarelles (la plus proche, Venturi, 1543, vente Sotheby, Londres, 26 juin 1972, nº 3) représentent un enchevêtrement très proche de branches et de rochers dans un cadrage identique. On doit, là encore, opérer le rapprochement avec Claude Monet, dont les séries, répétant le même motif sous différents éclairages, sont exactement contemporaines. Cézanne a pu voir chez Durand-Ruel l'exposition des *Meules* en 1891, ou celle des *Cathédrales de Rouen* en 1895. Faut-il parler d'influence? N'y a-t-il pas plutôt chez ces deux fortes personnalités (et qui s'appréciaient) même approfondissement et systématisation des découvertes majeures de l'impressionnisme que ni l'un ni l'autre n'avaient jamais renié?

Château noir est une propriété située entre Aix et la Montagne Sainte-Victoire. Cézanne aimait venir travailler dans le parc très sauvage qui entourait la maison où il avait loué un temps un atelier.

Ce tableau a inspiré au peintre André Lhote une véritable analyse du maniement des couleurs par Cézanne.

« Un tableau peut être porté à son maximum d'intensité colorée à la condition que l'harmonie choisie soit extrêmement réduite. Si l'on veut employer une couleur à l'état pur, que toutes les autres soient diminuées à l'extrême ; si l'on opte pour des tons également saturés, que ce soient un froid et un chaud qui, se fortifiant réciproquement, paraissent purs par contraste. Ils auront été préalablement altérés, dans la mesure même où leur opposition doit les intensifier. Et tous les autres tons s'effaceront, ils ne seront pas présents, actifs, mais suggérés par le jeu des décharges complémentaires.

« Les modulations multipliées amplifient l'échelle des objets, de même que les détails différenciés ou suffisamment isolés les uns des autres amplifient l'échelle d'une composition dessinée ou modelée. » (A. Lhote, *Traités du paysage et de la figure,* Paris, 1958, commentaire pour pl. 1.)
M.H.

Historique :
A. Vollard, Paris ; G. Bernheim, Paris ; Dr J. Soubies, Paris ; Mme J. Walter.

Expositions :
1939, Paris, nº 33 (repr.) ; 1945, Paris, Galerie Charpentier, *Paysages de France*, nº 12 (repr.) ; 1950, Paris, Galerie Charpentier, *Autour de 1900*, nº 54 ; 1966, Paris, nº 16 (repr.) ; 1967, Paris, Musée de l'Orangerie, *Vingt ans d'acquisition au Musée du Louvre, 1947-1967*, nº 407 ; 1974, Paris, nº 48 (repr. coul.) ; 1977, New York, The Museum of Modern Art, Houston, The Museum of Fine Arts, *Cézanne: The Late Work*, nº 49 (repr.) ; 1978, Paris, Grand Palais, *Cézanne : les dernières années*, nº 47 (repr.) ; 1982, Liège-Aix-en-Provence, *Cézanne*, nº 24 (repr.).

Bibliographie :
J. Rewald et L. Marschutz, « Cézanne au Château Noir », *Amour de l'Art*, 1935, nº 1, p. 20 (repr. fig. 13) ; E. D'Ors, *Paul Cézanne*, Paris, s.d. (repr. p. 17) ; L. Venturi, 1936, t. 1, nº 779 (repr.) ; *Tout l'œuvre peint*, nº 711 (repr.) ; M. Brion, 1972, p. 66 (repr. coul.) ; H. Adhémar, « Cézanne dans les Collections des Musées Nationaux », *La Revue du Louvre*, 1974, nº 3, p. 219 (repr. fig. 6) ; F. Tobien, 1981, pl. coul. 27 ; M.-J. Coutagne-Wathier, « Quand Blondel manque Cézanne... », *Cézanne ou la peinture en jeu*, Limoges, 1982, p. 232 (repr.), pl. coul. H.T.

Paul Cézanne (attribué à)

15
Nature morte, poire et pommes vertes

Huile sur toile ; H. 0,22 ; L. 0,32
N.s.
RF 1963-10

Cette petite toile, rarement exposée et peu étudiée, s'apparente d'assez près à quelques œuvres datées de 1873-1877 par L. Venturi. Cependant, si la disposition très simple et sans recherche est celle de plusieurs natures mortes de cette époque, les contours fins et discontinus du fruit à gauche se retrouvent surtout dans des tableaux plus tardifs. Ce manque d'homogénéité dans l'exécution, ainsi que les couleurs sans éclat et une certaine pauvreté dans l'invention ont fait douter de son authenticité : L. Venturi ne la cite pas, mais aurait pu ne pas la connaître, l'œuvre étant dans les années 30, au moment où il rédigea son catalogue, chez Paul Gachet, fils du médecin ami de Cézanne, et protecteur de Van Gogh ; l'on sait que Venturi omet d'autres tableaux indiscutables. J. Rewald la rejette.

M.H.

Historique :
Dr Gachet, Auvers-sur-Oise ; P. Gachet ; Mme J. Walter.

Expositions :
1966, Paris, n° 1 (repr.) ; 1974, Paris, n° 7 (repr.) ; 1983, Paris, sans n°.

Bibliographie :
Non cité par Venturi ; J. Bouret, « L'éblouissante Collection Walter », *Réalités,* n° 239, déc. 1965 (repr. coul.) ; *Tout l'œuvre peint,* n° 842 (non repr.) ; *Cézanne ou la peinture en jeu,* Limoges, 1982, p. 281 (repr.).

André Derain

Chatou, 1880 - Garches, 1954

16

La gibecière

Huile sur toile ; H. 1,16 ; L. 0,81
S.b.d. *a derain*
RF 1963-38

Si la figure et surtout le paysage occupent l'essentiel de la production de Derain aux époques fauve et cubiste, il a de surcroît pratiqué la nature morte qu'il développe à partir de 1910, de retour d'un voyage en Espagne. Sans doute y a-t-il été frappé par les compositions très savantes des maîtres du *Bodegón,* de Sanchez Cotan à Zurbarán. Les tables garnies se succèdent alors dans son œuvre, mais leur traitement s'inscrit dans la ligne de ses différentes recherches plastiques. *La gibecière* de 1913 reste attachée à la manière cubisante qui caractérise *La nature morte au pichet* de 1910 (Musée d'Art moderne de la Ville de Paris) ou *La table* de 1911 (New York, Metropolitan Museum of Art, Wolfe Fund). Chaque élément de la composition se détache suivant son rapport avec les rayons lumineux issus d'un point haut à gauche : la gibecière est modulée par une succession de pans triangulaires d'ombre et de lumière ; le compotier participe à un mouvement lumineux qui l'enveloppe en même temps qu'il accentue la rondeur du ventre de la bécasse en réponse à l'arrondi inversé de la tenture claire. Lorsque les objets échappent à l'emprise directe du rayon lumineux, ils sont cernés de noir, comme le panier en osier auquel fait pendant la cruche d'eau qui allonge son ombre géométrique et qui reçoit du compotier le reflet de deux points lumineux rosés. La composition à angle droit est rigoureuse et rappelle *Le dessert* de 1912 (Suisse, Bottmingen, coll. Dr Arthur Wilhelm), *La nature morte au panier* (Leningrad, Musée de l'Ermitage) et *L'échiquier* (Paris, coll. part.) où une draperie remplace la verticalité de la gibecière et des cornets à poudre. C'est avec une nature morte comportant une table garnie à un retour de chasse que Derain a obtenu en 1928 le premier prix de l'Institut Carnegie à Pittsburgh.

La gibecière est passée deux fois en salle de vente avant d'appartenir à Paul Guillaume. La signature de Derain figurait au dos du tableau, en haut à gauche selon les indications portées dans les différents catalogues de vente. C'est après 1926 que l'artiste a apposé sa signature à l'emplacement actuel. C.G.

Historique :
Acheté à l'artiste par D.H. Kahnweiler, Paris ; vente Kahnweiler, Drouot, 13-14 juin 1921 (séquestre de guerre), n° 43 ; vente A. Pellerin, Drouot, 7 mai 1926, n° 8 ; Van Leer, Paris ; P. Guillaume ; Mme J. Walter.

Expositions :
1943, Paris, Galerie Charpentier, *L'automne,* n° 220 (repr.) ; 1954, Paris, n° 31 ; 1966, Paris, n° 64 (repr.) ; 1967, Edimbourg-Londres, n° 54 (repr.) ; 1980, Paris (repr.) ; 1983, Paris, sans n°.

Bibliographie :
D. Henry (Kahnweiler), 1920, repr. ; A. Salmon, « André Derain », *L'Amour de l'Art,* oct. 1920, n° 6, pp. 196-199 (repr. p. 197) ; W. George, « Derain », *Médecines, Peintures,* Paris, 1935, repr. ; D. Sutton, 1959, fig. 37, notice p. 151 ; G. Hilaire, 1959, repr. fig. 105 ; G. Diehl, s.d., pp. 53-54 ; N. Katalina, A. Barskaia, E. Gheorghreskaya, *André Derain dans les musées soviétiques,* Leningrad, 1976, p. 134, repr.

André Derain

17
Portrait de Paul Guillaume

Huile sur toile, H. 0,81 ; L. 0,64
Dédicacé, s.b.d. : *a derain*
RF 1960-40

La date de 1922 donnée à ce portrait par A. Salmon est évidemment fausse, le tableau étant déjà reproduit dans l'ouvrage de D. Henry (Kahnweiler) paru en 1920, avec la date de 1919. Traité dans les tons froids de bleu — la couleur de prédilection du modèle — ce portrait se détache sur un fond délicat de touches horizontales et courtes. Vivement éclairé dans sa partie supérieure, le visage présente un nez aplati et un front fuyant où le rayon lumineux sculpte de façon incisive la frontière qui le sépare de la plante des cheveux. Le menton légèrement rentré dans le cou accentue l'arrondi du bas du visage qui révèle une certaine mollesse des traits. Le bleu des yeux, avivé par un apport de blanc, dégage une impression de tristesse que ne dément pas la bouche impassible. Cette intensité de la couleur se détache avec d'autant plus de profondeur que les autres tons de bleu du nœud papillon, du costume et du chaton de la bague sont adoucis par des touches de jaune. Derain rompt ici avec le style anguleux et la palette sombre de ses portraits d'avant-guerre. Une grande douceur dans la lumière et le modelé jusqu'à l'attitude familière de la main tenant la cigarette à demi consumée entre les doigts permet d'évoquer, comme le fait G. Allemand-Lacambre, les portraits de Renoir.

C'est par l'intermédiaire de Max Jacob que Derain, sur les conseils d'Apollinaire, rencontre Paul Guillaume. Dès 1916, ce dernier lui consacre une exposition individuelle et fait appel à cinq poètes pour rédiger les textes du catalogue : Apollinaire, Blaise Cendrars, Max Jacob, Pierre Reverdy et Fernand Divoire. Une atmosphère de confiance qui ne se démentit pas, va lier les deux hommes jusqu'à la mort de Paul Guillaume en 1934.

Paul Guillaume a posé pour de nombreux peintres. En témoignent ici son portrait par Modigliani (n° 61) et celui par Van Dongen (n° 143). C.G.

Historique :
P. Guillaume ; Mme J. Walter.

Expositions :
1954, Paris, n° 44 ; 1966, Paris, n° 65 (repr.) ; 1967, Edimbourg-Londres, n° 63 (repr.) ; 1976, Rome, n° 25 (repr.) ; 1977, Paris, n° 29 (repr.) ; 1978, Paris, n° 33.

Bibliographie :
D. Henry (Kahnweiler), 1920 (repr.) ; A. Salmon, 1929, pl. 7 ; D. Sutton, 1959, p. 36.

18
Nature morte champêtre

Huile sur toile ; H. 0,58 ; L. 1,17
N.s.
RF 1963-34

Les objets sont à peine posés, comme en suspens sur une série de draperies aux teintes évanescentes : noir, blanc, vert, orange. Les couleurs passent de l'une à l'autre en douceur. Le noir de la flûte à bec éclate sur le tissu blanc réchauffé par le jaune. Toutes ces couleurs se succèdent comme une série de notes et confèrent à cette composition un rythme musical fréquent chez Derain.

Cette nature morte a le format et l'allure d'un dessus de porte, travail traditionnel, mais que les artistes d'avant-garde n'ont pas dédaigné de pratiquer. Ce tableau était probablement destiné à décorer l'appartement d'un collectionneur norvégien habitant Paris, M. Halvorsen. Les libertés que Derain prend avec la perspective et l'apparente négligence de la composition placent cette œuvre vers 1921, sans doute avant la série des grandes natures mortes de cuisine à l'agencement plus rigoureux et aux contours plus nets. Il faut peut-être voir dans la réunion de ces objets une allégorie, à la mode ancienne, évoquant les distractions de la vie champêtre.

On peut en rapprocher les dessus de porte de R. de La Fresnaye pour la célèbre *Maison cubiste* du Salon d'Automne de 1913, que Derain connaissait, et qui représentent, l'un les travaux du jardin, l'autre les travaux intellectuels (G. Seligman, *R. de La Fresnaye,* Neuchâtel, 1969, n°s 167 et 169). C.G.

Historique :
P. Guillaume ; Mme J. Walter.

Expositions :
1966, Paris, n° 66 (repr.) ; 1980, Athènes, n° 9 (repr.) ; 1981, Tbilissi-Leningrad, n° 12 (repr.).

André Derain

19
La table de cuisine

Huile sur toile ; H. 1,19 ; L. 1,19
S.b.d. : *a derain*
RF 1960-38

En 1922-1925, Derain peint une série de grandes natures mortes représentant des ustensiles de cuisine ; elles se caractérisent par leur construction statique et monumentale, et par leurs teintes sombres que dominent les bruns. Derain y recommence à sa manière les expériences de Cézanne.

Cette *Table de cuisine* est une des plus importantes de la série et devint vite célèbre. Les critiques crurent y déceler des souvenirs de la peinture ancienne. J. Guenne l'appelle « une œuvre de musée » (*L'Art vivant,* mai 1931) ; Waldemar George écrit : « Le nom du Caravage et des peintres bolonais viennent à l'esprit devant les graves accords de noirs de fumée, de bruns havane, de blancs et de gris fer qui forment le registre chromatique de Derain » (*loc. cit.*). Il est certain qu'on peut trouver ici des réminiscences ; ainsi, par exemple, le couteau placé légèrement de biais est un accessoire banal de la nature morte depuis le XVIIe siècle. Mais la disposition extrêmement subtile des objets les uns par rapport aux autres, sous son apparent désordre, n'appartient qu'à Derain ; il en est de même de la présence fascinante qu'il donne à ces modestes ustensiles, présence à la limite du trompe-l'œil, genre que pratiquaient, à l'époque, certains peintres surréalistes.

La surface est richement quadrillée d'horizontales et de verticales créées par les trois tons bruns du fond et la table en position frontale dont les pieds représentés aux trois quarts découpent tout l'avant du tableau ; à partir de cette composition, Derain s'efforce de dégager l'effet de la lumière sur chaque ustensile et objet déposé sur la table et, par une vision en trompe-l'œil, d'y découvrir un degré de concordance.

Le même éclat venu d'un point lumineux frontal, traduit par une couleur blanche chargée de jaune, lie la soupière aux autres objets sur lesquels il est renvoyé : la queue du gril et quelques-unes de ses tiges qui ont perdu leur couleur noire d'origine, la cruche voisine éclairée par une tache en son centre, l'intérieur de la passoire, de la poêle, des assiettes, le pain, la nappe et le panier à salade, dont il transfigure quelques rangées de fil de fer. De même un double point de vue permet à Derain de découvrir au spectateur l'intérieur des formes creuses (soupière, passoire, poêle, assiettes) mais aussi l'espace qui se dégage sous les courbes des formes longues (dos de la cuillère en fer, de la fourchette en bois, intérieur de la râpe métallique et du tire-bouchon en bois au premier plan). Une autre concordance familière à Derain réside dans l'arrondi harmonieusement inversé du manche de la cuillère et du dos de la fourchette répété plus timidement par les couverts en bois sur la droite. Ces concordances nées de l'art du peintre — jeux de lumière, courbes inversées, composition en trompe-l'œil — camouflent une composition en deux triangles isocèles opposés dont les sommets se confondent au centre de la poêle en créant deux mondes géométriquement séparés, le triangle du haut comprenant les objets ronds, le triangle du bas les objets longs ; le gril vers le haut et le linge qui étale ses plis sur le rebord de la table dans le bas, sont là pour créer une diversion à cet agencement trop rigoureux.

Le catalogue de 1966 rapporte le témoignage de Mme Derain situant la réalisation de ce tableau à Saint-Cyr-sur-Mer, à « la Janette », villa que le peintre occupa durant deux saisons d'été. C.G.

Historique :
P. Guillaume ; Mme J. Walter.

Expositions :
1929, Paris ; 1936, New York, Brummer Gallery, n° 1 ; 1937, Paris, n° 28 ; 1939, Buenos-Aires, *La peinture française de David à nos jours,* n° 152 ; 1941, Worcester, Art Museum, *The Art of the Third Republic,* n° 30 (repr.) ; 1941, Los Angeles, County Museum, *The Painting of France since the French Revolution,* n° 44 ; 1954, Paris, n° 53 ; 1958, Paris, n° 3 ; 1966, Paris, n° 68 (repr. coul.) ; 1967, Edimbourg-Londres, n° 73 (repr.) ; 1976, Rome, n° 34 (repr.) ; 1980, Athènes, n° 10 (repr. coul.) ; 1980, Paris, *Les Réalismes, 1919-1939,* (repr. coul. p. 206) ; 1981, Tbilissi-Leningrad, n° 13 (repr. coul.).

Bibliographie :
M. Raynal, *Anthologie de la peinture en France de 1906 à nos jours,* 1927, p. 121 (repr.) ; *Drawing and Design,* 1928, p. 280 ; *Les Arts à Paris,* mai 1928 (repr. p. 10) ; A. Salmon, 1929, pl. 18 ; A. Basler, 1929, pl. 9 ; W. George, s.d. (repr. p. 105), *Cahiers de Belgique,* avril-mai 1931, p. 120 ; J. Guenne, « L'Art d'André Derain », *L'Art Vivant,* 1931, p. 13 ; W. George, « André Derain », *L'Amour de l'Art,* juillet 1933, n° 7 (p. 159, fig. 196), p. 162 ; W. George, 1935, pl. 4 ; D. Sutton, 1959, p. 154, n° 6 ; J. Bouret, « Pour un portrait de Derain », *Galerie Jardin des Arts,* mars 1977, n° 167 (repr. p. 42).

André Derain

20
Le beau modèle

Huile sur toile ; H. 1,15 ; L. 0,90
S.d.b. : *a derain*
RF 1960-37

A partir de 1920, Derain réalise une série de nus assis. En 1928, il confie à René Gimpel qu'il a consacré cinq à six mois de son année à faire des dessins de nus à raison de trois ou quatre dessins par jour « pour trouver une position » et qu'il ne l'a pas encore trouvée. Derain, avec la peinture du nu, se consacre alors à l'étude de ce que Jacques Guenne nomme « l'architecture des formes » et qu'il poursuit tout au long de sa carrière.

Le beau modèle est un exemple particulièrement heureux de l'étude d'une attitude du corps. Le bras gauche levé et replié au-dessus de la tête détermine un tracé vertical pour l'épaule et le dos, dont Derain atténue la raideur par une sorte de frémissement. La verticale contraste avec le relâchement des muscles de l'avant du corps, accentué par la jambe repliée et le bras baissé. Cette étude des tissus par endroits tendus, par d'autres relâchés est rendue dans une touche légère et mousseuse qui se détache sur un fond sombre ; elle trouve sa plus complète expression dans la draperie gris-bleu sur laquelle repose le corps et qui fait vibrer cette couleur en créant un gris qui rappelle les plus raffinés de Renoir.

Ce tableau est daté de 1923 par D. Sutton. Une pose analogue apparaît dans un *Nu au chat,* de 1923, traité dans un graphisme plus linéaire (G. Diehl, pl. 29). Derain fait appel à la même jeune femme, de face, les cheveux détachés sur les épaules, pour réaliser *Le joli modèle* de 1928, qui a appartenu à Paul Guillaume (A. Basler, 1931, pl. 22). Le traitement de la touche, en revanche, est rapproché par D. Sutton de celui du *Modèle roux* (W. George, 1929, repr. p. 97). C.G.

Historique :
P. Guillaume ; Mme J. Walter.

Expositions :
1955, Paris, n° 15 (repr.) ; 1964, Marseille, n° 41 (repr.) ; 1966, Paris, n° 67 (repr.) ; 1967, Edimbourg-Londres, n° 72 (repr.) ; 1976, Rome, n° 32 (repr.) ; 1977, Paris, n° 36 (repr.) ; 1978, Paris, n° 34 ; 1981, Marcq-en-Baroeul, n° 12 (repr.).

Bibliographie :
W. George, s.d., p. 83 (repr.) ; J. Guenne, « L'art d'André Derain », *L'Art vivant,* 1931 ; R. Brielle, « André Derain peintre classique », *L'Art et les Artistes,* avril 1934 (repr. p. 225) ; G. Hilaire, 1959, n° 136 (repr.), p. 147 ; D. Sutton, 1959, n° 55 (repr.), p. 153 ; G. Diehl, s.d., p. 61.

21
Arlequin et Pierrot

Huile sur toile ; H. 1,75 ; L. 1,75
S.b.d. : *a derain*
RF 1960-41

L'œuvre est une commande de Paul Guillaume et, d'après G. Charensol, les deux personnages ont été posés par le même modèle, Jacinto Salvado, peintre espagnol, qui, ne pouvant vivre uniquement de son art, travaillait pour Picasso et Derain. Elle figurait en bonne place dans l'appartement du marchand à côté des *Trois sœurs* de Matisse (n° 50) (photos des *Cahiers d'Art,* 1927, *loc. cit.*). On la devine aussi dans le fond du *Portrait de Mme Paul Guillaume au grand chapeau* (n° 31).

Renoir, Cézanne, Picasso ont été inspirés par ce thème. Le modèle le plus proche de Derain, et la ressemblance n'a jamais, semble-t-il, été signalée, est le *Mardi-Gras* de Cézanne (Moscou, Musée Pouchkine) : mêmes personnages mais en position inversée, même déséquilibre des silhouettes en mouvement, même précipitation vers le spectateur, même impression de tristesse dans un thème de divertissement. Les deux compositions sont trop proches pour qu'il ne s'agisse pas d'une réminiscence, du moins inconsciente.

Le graphisme schématisant, la similitude de certains accessoires (la cruche, la mandoline), le contraste entre un paysage désertique et un personnage en costume de fantaisie se retrouvent dans la célèbre *Bohémienne endormie* du Douanier Rousseau (New York, Museum of Modern Art), précisément redécouverte en 1923, et que Derain connaissait ; on songea même à lui en attribuer la paternité.

En dépit du classicisme du thème et de son caractère de commande, Derain crée avec *Arlequin et Pierrot* une œuvre profondément originale.

Dans un paysage aride au caractère figé et statique — fond de colline, masse nuageuse qui recouvre en partie le ciel uniforme — sur un sol sans verdure qui bascule vers la gauche, les deux personnages se détachent sur une ligne d'horizon si basse qu'ils n'ont aucun espace pour reculer ni pour avancer. Ils sont entraînés dans un mouvement sans fin par un rythme dansant que tente d'exprimer Pierrot dans le mouvement de ses lèvres. L'ombre portée de leurs pieds semble les fixer plus intensément au sol et s'oppose au mouvement des jambes, de même que s'opposent à elles, dans leur fixité, la nature morte au premier plan et le talus planté sur la gauche dont le feuillage orienté vers les deux figures semble pourtant vouloir participer à cette danse.

L'expression grave des visages, l'absurdité voulue des mouvements, le paysage dénudé expliquent le sentiment d'angoisse généralement perçu devant ce tableau, auquel son sujet aurait dû donner un caractère enjoué. Il est vrai que de Watteau à Van Dongen et Picasso ou à Rouault, de Leoncavallo à Chaplin ou à Fellini, la tradition est longue qui préfère évoquer, de l'amuseur professionnel, clown, pitre ou comédien, son destin tragique.

L'élaboration de cette grande toile, carrée comme *La table de cuisine* (n° 19) a suscité de nombreuses études préparatoires. Un dessin dédicacé à Paul Guillaume (Musée de Troyes, donation Pierre Levy) figure Arlequin seul, face au spectateur ; le mouvement des jambes est inversé et les mains tiennent mollement la mandoline. Les deux personnages apparaissent dans le dessin de

Cézanne, *Mardi-Gras*,
Moscou, Musée Pouchkine

André Derain

l'ancienne collection Robert Von Hirsch (vente Sotheby, Londres, 26-27 juin 1978, n° 869) ; les deux visages sont à contretemps par rapport au rythme qui se lit dans le pas dansé. Un autre dessin (0,34 × 0,23), exposé en 1981 (New York, Galerie Theo Waddington, *Paintings and Drawings,* repr. mais non numéroté) présente les deux visages grimés, fait rare dans les représentations habituelles ; en position inversée, Pierrot à gauche tient une guitare ; Arlequin, la mandoline ; un tambourin est posé à leurs pieds. De nombreuses peintures montrent l'intérêt persistant de Derain pour ce thème : *Arlequin à la guitare* (n° 23) dans un cadre fictif à l'horizon très bas ; *Arlequin* à mi-corps (Washington, National Gallery, coll. Chester Dale) et *Arlequin* jouant de la guitare (Copenhague, Musée d'Etat). Enfin, une esquisse à l'huile (0,37 × 0,32) qui a appartenu à Paul Guillaume montre la composition mise en place à l'exception du premier plan en bas avec la petite nature morte au violon et à la cruche (Londres, coll. part., exposé à Rome en 1976, n° 35, et Paris, 1977, n° 38).

M.H.

Historique :
P. Guillaume ; Mme J. Walter.

Expositions :
1929, Paris ; 1935, Paris, n° 419 ; 1954, Paris, n° 51 (repr.) ; 1966, Paris, n° 69 (repr.) ; 1972, Paris, Galerie René Drouet, *André Derain,* n° 57 ; 1976, Rome, n° 36 ; 1980, Paris, Centre Georges Pompidou, *Les Réalismes, 1919-1939* (repr, coul. p. 206).

Bibliographie :
R. Rey, « Derain », *Art et décoration,* 1925, p. 43 ; J. Cassou, « Derain », *Cahiers d'Art,* n° 8, oct. 1926, p. 197 (repr.) ; E. Tériade, « Nos enquêtes. Entretien avec Paul Guillaume », *Cahiers d'Art,* n° 1, 1927, pp. 6-8 ; W. George, s.d., p. 108, couverture (repr. coul.), p. 109 (repr.) ; W. George, *La Renaissance,* n° 4, avr. 1929, pp. 178, 180, 181 (repr. p. 185) ; *L'Amour de l'Art,* juil. 1929 (repr. p. 274) ; A. Basler, 1929, pl. 11 ; J. Guenne, « L'art d'André Derain », *L'Art vivant,* 1931 ; W. George, « André Derain », *L'Amour de l'Art,* juil. 1933, n° 7, p. 160 fig. 197, p. 163 ; W. George, 1935, pl. 7 ; R. Huyghe, *Les Contemporains,* Paris, 1939, pl. 50 ; W. George, « André Derain ou l'apprenti sorcier », *La Renaissance,* mars 1939 (repr. coul.) ; F. Carco, *L'ami des peintres,* Paris, 1953, p. 89 ; D. Sutton, 1959, n° 61 (repr. p. 154) ; G. Hilaire, 1959, p. 63 (repr. p. 139) ; G. Diehl, s.d., p. 31 ; G. Charensol, « Paul Guillaume curieux homme et homme curieux », *Plaisir de France,* déc. 1966, p. 15 ; N. Katalina, A. Barskaia, E. Gheorghreskaya, 1976, repr. p. 20.

Derain, *L'Arlequin*,
Troyes
Musée d'Art Moderne
(donation D. et P. Lévy)

André Derain

22
Nu à la cruche

Huile sur toile ; H. 1,70 ; L. 1,31
S.b.d. : *a derain*
RF 1960-42

Cette figure monumentale de Derain rappelle les recherches de Picasso associant ses nus féminins aux divers élements naturels comme le sable ou le roc.

Le cadre, aussi conventionnel et simplifié que celui d'*Arlequin et Pierrot* ou de *L'Arlequin à la guitare* est traité dans les mêmes tonalités de bruns et de verts, accentués ici par le vert olive très pâle, mêlé de jaune et de blanc dans la ligne montagneuse du fond. Le bleu du ciel et de l'étendue d'eau vient rompre l'harmonie générale. Le ciel, qui occupe une partie importante de la composition, laisse apparaître de nombreuses traces de repentirs ; les montagnes occupaient sans doute une plus grande partie du fond.

La verdure, même stylisée d'*Arlequin et Pierrot* n'existe plus et la figure est située dans un monde à dominante minérale. Le bas du corps en contact avec le roc est droit ; les épaules basses et arrondies caractérisent les nus des années 1924-1930 (*Le modèle blond,* n° 24). Bien plus encore que dans *Le grand nu couché,* le visage est dur, avec des apparences de masque métallique.

Derain, comme Renoir, aimait à peindre des nus en extérieur. Le traitement de la forme rendue tantôt par la valeur du ton, tantôt par le trait se retrouve dans un nu assis et en pied comme celui-ci, de 1923-1924, de petit format et peint dans un décor d'intérieur (Musée d'Art Moderne de la Ville de Paris) C.G.

Derain, *Masque aux cheveux sur le front,*
Troyes, Musée d'Art Moderne
(donation P. et D. Lévy)

Historique :
P. Guillaume ; Mme J. Walter.

Expositions :
1955, Paris, n° 17 ; 1966, Paris, n° 70 (repr.).

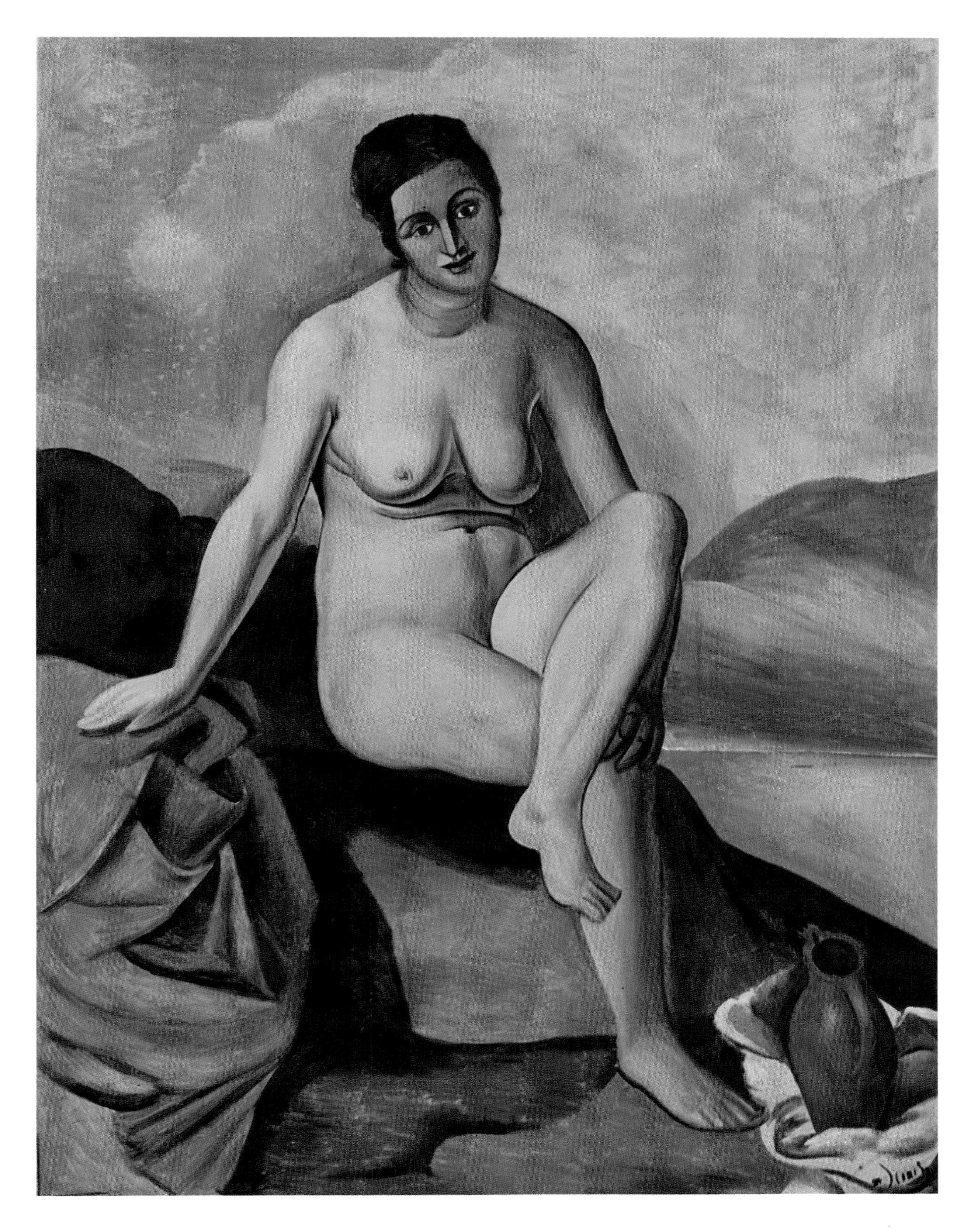

André Derain

23
Arlequin à la guitare

Huile sur toile ; H. 1,90 ; L. 0,97
S.b.d. : *a derain*
RF 1960-43

C'est par une confusion avec le personnage du grand *Arlequin et Pierrot,* et avec quelques-uns des dessins traitant du même sujet, que ce tableau a été appelé *Arlequin à la mandoline* tant qu'il a appartenu à Mme Walter. On peut lui rendre sans ambiguïté son titre d'origine car c'est bien une guitare que le saltimbanque tient appuyée sur son genou. Le même modèle, Salvado pose pour Arlequin, dans un paysage tout aussi désertique que celui de la grande composition carrée, mais dépouillé de son premier plan.

Dans les tonalités de vert et de brun du *Nu à la cruche* (n° 22), les masses colorées tout à fait fictives, ni décoratives, ni descriptives, éloignent le personnage de la réalité en accentuant ainsi son aspect lunaire.

En regardant de plus près la figure, très vite naît un effet de surprise et d'inattendu : la jambe droite au pied pointé est prête pour un pas de danse en entraînant une tension des muscles du même côté jusqu'à la taille. La jambe gauche est repliée et le pied est bien à plat sur le sol pour assurer un appui solide à la guitare. D'un côté le corps est en position de danse, de l'autre il est prêt à jouer sur un instrument avec des cordes invisibles, entraînant dans son rythme le mouvement du visage à la bouche tendue et aux joues creusées ; le regard, de même, semble accompagner ce rythme musical tout intérieur. L'effet d'étrangeté est accentué par les tons filtrés laissant brusquement passer un excès de lumière sur le col blanc et les chaussettes du saltimbanque. C.G.

Historique :
P. Guillaume ; Mme J. Walter.

Expositions :
1929, Paris ; 1936, New York ; 1955, Paris, n° 23 (repr.) ; 1958, Paris, n° 4 (repr. couverture) ; 1964, Marseille, n° 43 (repr.) ; 1966, Paris, n° 71 (repr.) ; 1976, Rome, n° 37 (repr.) ; 1977, Paris, n° 39 (repr.) ; 1980, Athènes, n° 11 (repr.).

Bibliographie :
W. George, s.d., p. 33 (repr.) ; M. Morsell, « French Masters of XXth Century in Valentine Show », *Art News,* 11 janv. 1936 (repr.) ; A. Basler, 1931 (repr. en couverture) ; D. Sutton, 1959, p. 155, pl. 64 ; G. Hilaire, 1959, pl. 153.

André Derain

24
Le modèle blond

Huile sur toile ; H. 1,00 ; L. 0,68
S.b.d. : *a derain*
RF 1963-50

Derain a peint de ce modèle plusieurs nus qui ont appartenu à Paul Guillaume. L'un d'eux, *Femme nue assise* (vente Sotheby, Londres, 2 juillet 1975, n° 97) pose de face, une draperie sur les cuisses. Le fond est sombre et la figure est centrée.

Dans *Le modèle blond,* la figure assise de côté se tient selon une diagonale et occupe davantage l'espace. Le bas du dos et le drap qui recouvre délicatement le bout des genoux du modèle sont dans la même touche mousseuse. Le dos est arrondi dans une pose d'abandon et la tête suit la courbe du corps maintenue par le bras plié au niveau du coude et posé sur les genoux. Cette attitude masque toutes les articulations. Les cernes noirs qui dessinent la rondeur des formes, permettent de dater ce tableau vers 1925-1926.

La répartition des masses claires paraît illustrer le propos de Derain (*loc. cit.*) :
« On construit un tableau par sa lumière et n'importe quelle lumière, aussi bien l'éclairage des formes que celui des substances, ou même la lumière d'une atmosphère figurée. » C.G.

Historique :
P. Guillaume ; Mme J. Walter.

Expositions :
1929, Paris ; 1955, Paris, n° 20 (repr.) ; 1958, Paris, n° 14 ; 1966, Paris, n° 73 (repr.) ; 1976, Rome, n° 38 (repr.) ; 1977, Paris, n° 40 (repr.).

Bibliographie :
Les Arts à Paris, mai 1928, repr. p. 30 ; W. George, s.d., repr. p. 85 ; A. Derain, « Notes sur la peinture », *Cahiers du Musée National d'Art Moderne,* p. 356, citées par G. Salomon.

André Derain

25
Nature morte au verre de vin

Huile sur toile ; H. 0,37 ; L. 0,52
S.b.d. : *a derain*
RF 1963-35

Les petites natures mortes de la collection s'échelonnent entre 1925 et 1932. On retrouve une technique commune à la peinture de Derain de cette période, que ce soit celle des nus, des paysages ou des natures mortes ; il s'agit d'une attitude du peintre devant le rendu de la forme qu'il définit ainsi dans le manuscrit 6887 de ses notes (*loc cit.*) : « Deux symboles pour une même idée se détruisent, détruisant l'idée aussi. Exemple, la couleur et la ligne employées simultanément s'annihilent et n'ont plus aucune expression. » C'est pourquoi certains volumes sont cernés par de gros traits noirs ou blancs : c'est le cas pour les grains de raisin et les formes du verre de vin ; d'autres objets en revanche sont mis en relief par les valeurs des tons qui confèrent aux formes éclat et volume : le morceau de pain ou les poires.

C'est le seul tableau de la collection qui développe ainsi l'ombre portée du morceau de pain et du verre de vin sur la table. Cette ombre portée se retrouve dans d'autres compositions de Derain : celle d'une nature morte réalisée vers 1923-1925 (*Derain,* Galerie Schmit, Paris, 1976, n° 30, coll. Van Leer-Mouradian, Paris) où différents objets reposent sur une table en est un exemple. C.G.

Historique :
P. Guillaume ; Mme J. Walter.

Expositions :
1935, Paris, n° 422 ; 1939, New York, *World fair* ; 1958, Paris, n° 9 ; 1966, Paris, n° 72 (repr.) ; 1967, Edimbourg-Londres, n° 75 (repr.).

Bibliographie :
A. Derain, « Notes sur la peinture », *Cahiers du Musée National d'Art Moderne,* n° 5, p. 350, citées par G. Salomon.

André Derain

26
Nature morte au panier

Huile sur toile ; H. 0,58 ; L. 0,72
S.b.d. : *a derain*
RF 1963-36

Le panier est un objet constant chez les peintres de natures mortes au XXe siècle. Il permet à l'artiste d'échelonner sa composition en hauteur. Celle-ci fait partie des natures mortes réalisées entre 1924 et 1927, dans lesquelles la lumière intervient dans le modelé et qu'il rend tantôt par des taches blanches, tantôt par des mouvements ondulants du pinceau ou par des touches rapides et d'épaisseur irrégulière placées les unes sur les autres. Le plat creux, comme la coupe, présentent des reliefs rendus dissymétriques par les déformations lumineuses.

La palette est la même que celle du *Nu couché* (n° 29) ou du *Nu à la cruche* (n° 22) : vert pâle pour la table, l'assiette, la coupe, le pot à eau, brun foncé pour le fond, plus clair pour le panier et les fruits. Derain ne termine pas sa toile sans un effet d'inattendu : deux fruits derrière le panier rompent par leur densité colorée ces formes vite enlevées et créent un effet de surprise annonciateur de Balthus et très évocateur de l'art de Derain. C.G.

Historique :
P. Guillaume ; Mme J. Walter.

Expositions :
1929, Paris ; 1935, Paris, n° 420 ; 1954, Paris, n° 61 ; 1957, Londres, Wildenstein Gallery, *Derain,* n° 50 ; 1958, Paris, n° 5 ; 1966, Paris, n° 74 (repr.) ; 1981, Marcq-en-Baroeul, n° 14.

Bibliographie :
W. George, s.d., repr. p. 94 ; *L'Amour de l'Art,* n° 7, juil. 1929, p. 254.

André Derain

27
Melon et fruits

Huile sur toile ; H. 0,50 ; L. 0,58
S.b.d. : *a derain*
RF 1963-37

Derain organise la nature morte selon un triangle dont le sommet occupe la partie haute à droite du tableau et dont un côté suit la diagonale. Au premier plan les feuilles de vigne se distribuent en guirlande au gré des deux plis imprimés dans la nappe et marqués d'un ferme contour noir. L'assiette de fruits est dominée par le melon qui dresse son appendice ondulé dans le mouvement graphique d'une ligne blanche doublée de noir.

Dans cette composition rigoureuse, Derain agence ses volumes à la manière des peintres néerlandais du XVIIe siècle, en dispersant des points blancs sur les éléments lumineux contrastant avec la forme du melon où le ton sourd crée un effet de masse.

Si les objets sont disposés de façon plus aérée qu'à l'habitude, Derain ne les relie pas moins par des rapports de formes et de ton. « L'artiste ne crée pas ce qu'il représente, mais le lien des objets représentés. » (Derain, cité par G. Salomon, p. 359.) C.G.

Historique :
P. Guillaume ; Mme J. Walter.

Expositions :
1929, Paris ; 1954, Paris, n° 62 ; 1958, Paris, n° 6 ; 1966, Paris, n° 75 (repr.) ; 1967, Edimbourg-Londres, n° 77 (repr.) ; 1976, Rome, n° 39 (repr.) ; 1977, Paris, n° 41 (repr.) ; 1981, Marcq-en-Baroeul, n° 15 (repr.).

Bibliographie :
W. George, s.d., p. 84, repr. ; R. Brielle, « André Derain, peintre classique », *L'Art et les Artistes,* avr. 1934 (repr. p. 226) ; W. George, « André Derain ou l'apprenti sorcier », *La Renaissance,* mars 1939 (repr.) ; G. Hilaire, 1959, p. 197, pl. 149.

28
La danseuse Sonia

Huile sur toile ; H. 0,47 ; L. 0,34
S.b.d. : *a derain*
RF 1963-46

Vers 1927, Derain, à qui la célébrité est venue, reçut de deux ballerines l'offre de poser pour lui. Il vit là l'occasion de réaliser une série de tableaux illustrant un monde qui lui était familier. Dès 1919, à la demande de Serge de Diaghilev, il crée pour les Ballets Russes, les décors et les costumes de *La boutique fantasque* et, en 1926, ceux de *Jack in the Box* ; il ne devait jamais plus cesser de travailler pour le théâtre. Ce goût pour le spectacle et spécialement pour la danse, commun à beaucoup d'artistes contemporains, il le partage aussi avec Paul Guillaume, qui exprime son enthousiasme dans un article des *Arts à Paris* (15 juillet 1918, n° 2, p. 9).

Dans ce petit tableau pose seule la danseuse Sonia. Les tentures vertes et rouges suggèrent une scène de théâtre. Le peintre substitue à la grâce du modèle l'observation d'une attitude de travail : le corps est contraint, les pieds ouverts, le poignet cassé contre la taille, le cou tendu et le regard fixé sur un point éloigné du sol.

A l'exposition de la collection Paul Guillaume, chez Bernheim-Jeune en 1929, on a pu voir une toile intitulée *Deux danseuses* (0,38 × 0,49). *Deux danseuses,* c'est aussi le titre d'un prêt de la Galerie Schmit (Paris) à l'exposition *Derain* au Japon, en 1981 (repr. n° 29, 0,65 × 0,53). Dans *Les Cahiers d'Art* (*loc. cit.*), G. Gabory reproduit des *Danseuses,* appartenant aussi à Paul Guillaume. Les deux danseuses se tiennent par la main ; celle de gauche a les yeux à peine esquissés ; c'est la bouche qui n'est pas achevée à celle de droite. Enfin à l'exposition *The Stage* (New York, Jacques Seligmann, 1939) étaient présentées *Les deux danseuses* (collection Stephen C. Clark, repr., n° 32) : l'une debout en position de danse, l'autre assise devant elle, les jambes croisées, la tête appuyée sur un bras ; une guitare est appuyée sur la tenture du fond, à droite ; à terre, repose un tambourin. Une maison figure le décor, au fond à gauche. C.G.

Historique :
P. Guillaume ; Mme J. Walter.

Expositions :
1929, Paris ; 1966, Paris, n° 76 (repr.).

Bibliographie :
W. George, s.d. (repr. p. 108) ; W. George, « André Derain ou l'apprenti sorcier », *La Renaissance,* mars 1939 (repr.).

André Derain

29
Grand nu couché

Huile sur toile ; H. 0,97 ; L. 1,93
S.b.d. : *a derain*
RF 1963-49

La réalisation du *Grand nu couché* correspond à cette période située entre 1924 et 1930 où Derain concentre son attention sur la pose du corps féminin et aboutit ainsi à une plastique très élaborée. Le fond et la figure se partagent l'espace presque à égalité. C'est à peine si le corps étiré interrompt l'architecture du paysage fait d'une ligne d'horizon en longues touches vert clair semblables à celles de la mer traitée dans un registre plus foncé. La plage développe sa teinte uniformément ocre, interrompue par une dénivellation importante et à pic pour rehausser le buste de la femme. Le visage, comme c'est souvent le cas dans les nus de Derain, semble exclu de l'inspiration de l'artiste par une apparence de masque. Le corps est en contact en trois points avec le sable ; on ne lit pas d'abandon des formes ; pas un moment leur poids ne se dérobe au mouvement de tension interne qui confère un arrondi régulier. Le corps repose en une arabesque fluide retenue par le visage fermé qui semble indifférent à cette attitude contrôlée.

Derain a réalisé un nu semblable dans un paysage fictif, mais il est dans une position inversée et la tête repose sur un coussin (Musée d'Art Moderne de Stockholm). C.G.

Historique :
P. Guillaume ; Mme J. Walter.

Exposition :
1966, Paris, n° 77 (repr.).

Bibliographie :
A. Basler, 1929 (repr.) ; *Formes*, n° 2, 1930 (repr.).

André Derain

30
Le Noir à la mandoline

Huile sur toile ; H. 0,92 ; L. 0,73
S.b.d. : *a. derain*
RF 1963-45

A côté de portraits soigneusement individualisés, Derain aime enlever avec liberté de simples figures de fantaisie comme celle-ci. Il met alors entre les mains de ses modèles un instrument de musique ou tel autre accessoire qu'il conserve dans son atelier. Ici, il renouvelle les figures de musiciens des caravagesques néerlandais ou de Corot. Cependant, ce genre de réminiscence plus ou moins consciente, fréquent chez Derain, n'enlève rien à son originalité. *Le Noir à la mandoline* peut être rapproché par son attitude — manches retournées jusqu'aux coudes, col de la chemise ouvert, doigts en position de jeu sur l'instrument — du *Joueur de guitare,* appartenant à une collection américaine (repr. n° 10, Cincinnati, 1930).

La lumière imprime sur les objets des contrastes violents de bruns et de blancs. Les touches blanches posées avec délicatesse sur certaines zones du visage l'animent en lui conférant une vie étrange : blanc de l'œil, extrémité du nez, lèvre inférieure, partie haute de la lèvre supérieure. Il semblerait que ces touches de blanc soient des renvois de la lumière concentrée sur la chemise et traitée par des empâtements. La figure est d'autant plus lumineuse qu'elle se détache sur un fond sans vie. Nous retrouvons la palette de Derain, très sobre, de cette période : un vert pâle, des bruns et des blancs. C.G.

Historique :
P. Guillaume ; Mme J. Walter.

Expositions :
1930, Cincinnati, n° 27 (repr.) ; 1933, New York, n° 24 ; 1935, Springfield (Etats-Unis) ; 1954, Paris, n° 72 ; 1966, Paris, n° 78 (repr.) ; 1967, Edimbourg-Londres, n° 78 (repr.) ; 1980, Athènes, n° 12 (repr.) ; 1981, Tbilissi-Leningrad, n° 14 (repr.).

Bibliographie :
A. Basler, *Derain,* Paris, 1931 (repr.).

Derain, *Métis à la chemise blanche,*
Grenoble,
Musée de Peinture et de Sculpture

André Derain

31
Portrait de Madame Paul Guillaume au grand chapeau

Huile sur toile ; H. 0,92 ; L. 0,73
S.b.d. : *a derain*
RF 1960-36

Ce portrait de Madame Paul Guillaume, devenue ensuite Madame Jean Walter, et à qui on doit la collection du Musée de l'Orangerie, se situe dix ans environ après celui de Paul Guillaume (n° 17). D'après le témoignage de Mme Derain, rapporté dans le catalogue de 1966, il a été réalisé rue du Douanier, aujourd'hui rue Georges-Braque où Derain s'installe au début de l'été 1928. Ce tableau est reproduit dans l'ouvrage de W. George dont l'exemplaire de la bibliothèque Doucet est dédicacé par Paul Guillaume en avril 1929. Il a donc été exécuté pendant l'automne ou l'hiver de 1928-1929.

Avec ses étoffes et ses draperies, il correspond au goût des mondanités de l'époque. Une tenture rouge pend au fond à gauche ; à sa droite, on devine au mur un fragment important d'*Arlequin et Pierrot* (n° 21) ; une draperie plissée recouvre le dossier du fauteuil, une étole, le décolleté du modèle, une écharpe est nouée sur son épaule droite et d'autres étoffes entourent les bras posés sur les genoux. A la fluidité de toutes ces étoffes, le modèle oppose son allure majestueuse. Une grande force contenue se lit dans le regard rendu volontaire par la touche blanche qui éclaire la pupille et le présente au spectateur comme une énigme.

On retrouve le même procédé de la touche que dans le portrait n° 41 *(La nièce du peintre assise)* : mousseuse et vibrante pour rendre la pigmentation du bras et du décolleté, dans la même nuance que le chapeau au large bord, longue et lisse sur les mains particulièrement fines.

Derain a réalisé un autre portrait de la femme de Paul Guillaume, tête nue, une robe foncée au col blanc et rond (Paris, coll. part., exp. Tokyo, 1981, n° 26, repr.) ; dans cette tenue, elle apparaît beaucoup plus comme la femme d'affaires, épouse d'un marchand d'art, que dans l'attitude d'une femme du monde. C.G.

Historique :
P. Guillaume ; Mme J. Walter.

Expositions :
1950, Paris, Galerie Charpentier, *Cent portraits de femmes du XVe s. à nos jours*, n° 28 (repr.) ; 1966, Paris, n° 79 (repr.) ; 1980, Paris (repr.).

Bibliographie :
W. George, s.d., p. 106, fig. 107 ; W. George, *La Renaissance*, avril 1929, pp. 181, 182 (repr. en couverture) ; A. Basler, *L'Amour de l'Art*, juillet 1929, p. 252 (repr.) ; A. Basler, 1931, pl. 2 ; Roger Brielle, « André Derain, peintre classique », *L'Art et les Artistes*, avr. 1934, suppl. au n° 146 (repr. coul.) ; W. George, « L'Art français et l'esprit de suite », *La Renaissance*, mars-avril 1937, n°s 3-4, p. 29 (détail repr.) ; G. Hilaire, 1959, p. 146 ; G. Charensol, « Paul Guillaume, curieux homme et homme curieux », *Plaisir de France*, déc. 1966.

André Derain

32
Poires et cruche

Huile sur toile ; H. 0,25 ; L. 0,29
S.b.d. : *a derain*
RF 1963-33

Dans cette nature morte de petite dimension, les formes sont exaltées par l'intensité lumineuse que l'artiste rend par des empâtements de blanc et une touche agile qui modèle avec vivacité la rondeur de la cruche ou d'un fruit, la ligne de leur pédoncule ou les diverses taches de lumière sur l'ensemble de ces rondeurs. Les seules lignes horizontales sont celles de la table qui sépare les différents plans et qui s'allie aux objets par l'emploi des mêmes empâtements.

Ce n'est plus la délicatesse des petites natures mortes précédentes où le peintre étudie le rendu de la lumière sur les différents volumes, mais une simple et brillante esquisse enlevée qui lui permet de donner une vie intense à un espace aussi réduit. C.G.

Historique :
P. Guillaume ; Mme J. Walter.

Expositions :
1966, Paris, n° 80 (repr.) ; 1976, Rome, n° 41 (repr.) ; 1977, Paris, n° 43 (repr.).

André Derain

33
Le gros arbre

Huile sur toile ; H. 0,73 ; L. 0,92
S.b.d. : *a derain*
RF 1963-41

Le gros arbre fait partie de la série des paysages peints à Saint-Maximin et présentés à la Galerie Paul Guillaume en 1931. Hans Tietze (*loc. cit.*) lui-même historien de l'art de la Renaissance, est sensible aux références choisies par le peintre et situe ainsi les dernières orientations prises par Derain : « Il ressort de cette exposition que l'artiste est plus que jamais épris de l'idéal classique, de la forme classique, de l'exécution classique qu'il combine avec ses qualités de peintre hautement doué... Il représente, à l'heure actuelle, le seul grand peintre dans la tradition de la Renaissance. »

Ce paysage est réalisé avec une grande sobriété de moyens. Les masses verticales sont traitées en touches longues. Une lumière filtrée est suggérée par des couleurs légères et, par endroits avec plus d'éclat, par des taches blanches et jaunes dans l'arbre. Sur la gauche, deux lignes de prairie couleur orangée, éclairent l'ensemble et constituent un emprunt supplémentaire aux procédés de la peinture ancienne. C.G.

Historique :
P. Guillaume ; Mme J. Walter.

Expositions :
1931, Paris, Galerie Paul Guillaume, *Onze paysages de l'été 1930* ; 1931, Pittsburgh, Carnegie Institute, n° 178 ; 1954, Paris, n° 64 ; 1966, Paris, n° 81 (repr.) ; 1976, Rome, n° 42.

Bibliographie :
J. Guenne, « L'art d'André Derain », *L'Art Vivant*, 1931 (repr.) ; H. Tietze, « Les expositions à Paris et ailleurs », *Les Cahiers d'Art*, n° 3, 1931, p. 167 ; G. Hilaire, 1959 (repr. pl. 147).

André Derain

34
Paysage de Provence

Huile sur toile ; H. 0,33 ; L. 0,41
S.b.d. : *a derain*
RF 1963-42

L'unité de ce petit paysage est contrariée par l'arbre mort du premier plan, qui, par sa couleur d'un brun agressif s'oppose aux camaïeux de l'ensemble. Cet élément a-t-il été ajouté ultérieurement ? Dans la composition n° 35, les quelques arbres morts semblent participer à la matière minérale des maisons sous l'effet du soleil, mais, ici, ils créent un caractère étrange et presque inquiétant.

Toutes les formes et les couleurs sont diluées par la chaleur du soleil. A droite, les deux oliviers sont marqués par la dominante de leurs feuilles qui laissent leur empreinte colorée sur les troncs rablés. Les structures du muret et des autres reliefs sont aussi estompées que les couleurs ; les formes, en effet ne se détachent pas. Les cailloux deviennent des conglomérats rocheux, les maisons, des taches jaunes et rouges dans le lointain, les accidents du sol subsistent comme des mouvements. L'impression de chaleur domine. Seul le ciel exprime l'éclat de sa blancheur par-dessus le bleu ardent. C.G.

Historique :
P. Guillaume ; Mme J. Walter.

Expositions :
1947, Paris, Galerie Charpentier, *Beautés de Provence*, n° 35 ; 1954, Paris, n° 57 bis ; 1958, Paris, n° 10 ; 1964, Marseille, n° 45 ; 1964, New York, Hirsch and Adler Galleries, n° 20 ; 1966, Paris, n° 83 (repr.) ; 1967, Londres-Edimbourg, n° 81 (repr.).

André Derain

35
Paysage de Provence

Huile sur toile ; H. 0,33 ; L. 0,41
S.b.d. : *a derain*
RF 1963-44

Ce paysage représente le même groupe de maisons que l'œuvre précédente, de taille identique (n° 34), sous un point de vue et un éclairage différents.

Le ciel très pâle, d'une touche horizontale légèrement empâtée essaie de se faire ignorer en laissant s'installer la sérénité des formes douces où aucun élément ne domine : maisons, arbres, buissons, murets. Les oliviers et arbrisseaux s'échelonnent pour créer une profondeur. Le soleil frisant — peut-être du petit matin ? — permet aux cailloux plus nombreux du premier plan de se détacher comme s'ils allaient rouler. Par les nuances de leur ton, ils marquent une déclivité plus accentuée vers le bas à gauche. Ils rappellent certains paysages italiens de Corot, comme *Volterra, Le Municipe* (musée du Louvre). Les mondes minéral et végétal sont étroitement imbriqués. Sur la gauche, arbres et murets de pierre se superposent mais la matière n'intéresse pas Derain. Seule la rencontre des différentes surfaces colorées qu'il traite d'une pâte légère et fluide l'attire : les ocres de la terre, les gris élaborés des murets et des cailloux, les verts si variés des oliviers et de la végétation voisine, les maisons qui se mêlent aux formes de la terre. Elles naissent de quelques lignes horizontales avec très peu d'ouvertures pour se protéger du soleil. Près d'elles, les arbres sans feuilles semblent pétrifiés.

Georges Hilaire situe ces petits paysages aux environs des Lecques, petit port de pêche, situé à l'est de la Ciotat, à côté de Saint-Cyr-sur-Mer. Il semble difficile d'être précis, dans la mesure où la description des lieux est d'une sobriété rudimentaire, ce qui entraîne des datations tout aussi hasardeuses. C.G.

Historique :
P. Guillaume, Mme J. Walter.

Expositions :
1933, Pittsburgh, Carnegie Institute, *Thirty first International Exhibition of Paintings*, n° 183 ; 1947, Paris, Galerie Charpentier, *Beautés de Provence*, n° 36 ; 1954, Paris, n° 57 ; 1958, Paris, n° 11 ; 1964, Marseille, n° 46 ; 1964, New York, Hirsch and Adler Galleries, n° 22 ; 1966, Paris, n° 82 (repr.) ; 1967, Edimbourg-Londres, n° 79 (repr.) ; 1981, Tbilissi-Leningrad, n° 15 (repr.).

Bibliographie :
J. Leymarie, *André Derain ou le retour à l'Ontologie*, Paris, 1949, pl. 8 ; G. Hilaire, 1959, n° 146 ; J.-P. Crespelle, « Le Derain des années folles », *Jardin des Arts*, juin 1969, p. 82, repr.

36

Nu au canapé

Huile sur toile ; H. 0,83 ; L. 1,83
S.b.d. : *a derain*
RF 1960-39

A son tour, Derain traite le thème traditionnel de la femme couchée, déjà renouvelé par Manet et Renoir. Cette version, sans doute de peu antérieure à sa publication dans *Les Arts à Paris* de juillet 1931, représenterait Raymonde Knaublieh, jeune modèle de Derain, qui lui donna un fils quelques années plus tard. Papazoff l'a décrite ainsi : « Femme simple, pourvue d'une intelligence naturelle. Bien construite, elle avait la chair lumineuse, des cheveux blonds, des formes fines, des mains agiles et délicates. » *(Loc. cit.)*. Ces qualités correspondent à celles que Renoir appréciait aussi bien chez ses modèles.

Le corps est ici retenu dans une pose artificielle qui, par son inconfort, imprime un mouvement de torsion au poignet de la jeune femme. Des touches vives et délicates modèlent par leur clarté les parties du corps et du visage plus vivement éclairées. Pas une ligne ne dessine le nu mais les valeurs de ton définissent son épaisseur ; la draperie noire met en relief la luminosité du rose.

Derain s'attache, plus que dans *Le Grand Nu couché* (n° 29), à mettre en évidence l'architecture des formes, par des moyens proprement picturaux, comme il le note lui-même : « La plastique du nu dans un tableau n'a rien à voir avec la plastique du même nu en sculpture. » *(Loc. cit.)*.

C.G.

Historique :
P. Guillaume ; Mme J. Walter.

Expositions :
1955, Paris, n° 24 ; 1966, Paris, n° 84 (repr.)

Bibliographie :
Les Arts à Paris, juillet 1931, n° 18, repr. p. 12 ; W. George, « L'Art français et l'esprit de suite », *La Renaissance*, mars-avril 1937, n°s 3-4, p. 25 (repr.) ; G. Papazoff, *Derain, mon copain*, Paris 1960, p. 45 ; A. Derain, « Notes sur la peinture », *Cahiers du Musée national d'Art moderne*, n° 5, p. 355, citées par G. Salomon.

André Derain

37
La nièce du peintre

Huile sur toile ; H. 1,71 ; L. 0,77
S.b.d. : *a derain*
RF 1963-48

Il existe de nombreux portraits de Geneviève, la nièce de l'artiste. Le premier, de 1925 (Exp. *Derain*, Tokyo, 1981, repr. n° 25) révèle déjà un visage dont le sérieux ne se démentira pas jusqu'aux portraits de l'âge adulte. Les deux portraits de la collection peints en 1931 et 1932 représentent la jeune fille dans l'adolescence ; le témoignage du modèle, devenu Madame Taillade, sur les circonstances de leur exécution, est rapporté dans le catalogue de 1966 ; puis en 1937-1938, Derain réalise *Geneviève à la pomme* (Paris, coll. Mme Taillade). Un visage moins sévère apparaît ensuite dans le très beau portrait en buste de 1938 (Exp. Paris, 1974, Galerie Schmit, *Portraits français du XIXe et XXe s.* repr. n° 20). Elle figure aussi dans le tableau *Le peintre et sa famille* (Coll. André Derain), derrière l'artiste portant un chien dans ses bras.

Ce portrait ne laisse aucun recul au regard. La figure est à l'avant de la composition et chaque pied prend appui sur un côté du tableau avec tant de légèreté qu'elle paraît en suspens ; celui sur lequel repose le corps est sur la pointe pour décrire le même angle avec le sol que celui qui prend appui sur le côté droit. Le corps trouve un second point d'appui sur le genou plié et posé sur la chaise : il en découle une position élaborée qui constitue une illustration d'un propos de Derain concernant les lignes perpendiculaires : « Si étant donné le tracé d'une ligne droite, je veux prétendre que cette ligne représente la verticale absolue, cette prétention ne peut être justifiée que si cette verticale s'oppose à une autre ligne qui lui confère sa qualité ; ceci dit pour affirmer qu'en matière de représentation on se donne un élément quelconque qui ne prend sa qualité que par un autre élément qui lui est relatif. Dans le cas qui nous occupe cette ligne sera une perpendiculaire. » *(Loc. cit.)*. Ce procédé est repris par Balthus, grand admirateur de Derain.

Le corps, légèrement cambré laisse la robe flotter par derrière. La touche insiste sur la légèreté de cette dernière, en contraste, comme c'est souvent le cas dans l'art de Derain pour dépayser le spectateur, avec les formes lourdes et incurvées du fauteuil dont le galbe des pieds, sans concordance avec les formes de la figure en accentue encore l'étrangeté. Des repentirs importants dans le dos du fauteuil révèlent la difficulté de sa mise en place.

La courbe du chapeau et du dossier du fauteuil, de même que les arabesques des fleurs sont là pour adoucir la verticalité de la figure. Les accessoires divers — chapeau, fleurs dans la main, corbeille — ne manquent pas de rappeler les procédés employés par Corot ou Renoir.

C.G.

Historique :
P. Guillaume ; Mme J. Walter.

Expositions :
1938, Pittsburgh, Carnegie Institute, n° 181 (repr.) ; 1954, Paris, n° 78 ; 1966, Paris, n° 85 (repr.).

Bibliographie :
W. George, « André Derain », *Formes*, 1933 (repr.) ; J.-P. Crespelle, « Le Derain des années folles », *Le jardin des arts*, juin 1969, p. 83 (repr.) ; A. Derain, « Notes sur la peinture », *Cahiers du Musée national d'Art moderne*, n° 5, p. 361, cité par G. Salomon.

André Derain

38
Paysage du Midi

Huile sur toile ; H. 0,65 ; L. 0,54
S.b.d. : *a derain*
RF 1963-39

D'après certaines photos prises par Michel Delmas qui a fréquenté en peintre le village provençal d'Eygalières, il s'agirait d'une vue de ce village d'où se détachent nettement l'ancien donjon et la tour de l'horloge, l'ancien rempart à gauche dominé par le fronton de la chapelle des Pénitents, puis, à ses pieds, l'allée de cyprès qui conduit au vieux cimetière. Ce paysage a dû être réalisé en 1932 ou 1933, dates des séjours de Derain dans la région.

Dans un cadre où règnent le calme et la sérénité, le jeu des valeurs contribue à cerner les différents plans plus riches et nombreux que dans les autres paysages de la collection. Les arbres élancés du premier plan opposent leur feuillage vert pâle au feuillage foncé des cyprès qui bordent le cimetière. Le vallonnement est mis en relief tant par les murets, les chemins de pierre et le petit pont que par les valeurs de ton. Ce village semble avoir beaucoup inspiré Derain, et Paul Guillaume de son côté, a possédé un grand nombre de ces vues d'Eygalières. C.G.

Historique :
P. Guillaume ; Mme J. Walter.

Expositions :
1936, Pittsburgh, Carnegie Institute, n° 190 ; 1954, Paris, n° 82 ; 1957, Londres, n° 60 ; 1966, Paris, n° 86 (repr.) ; 1981, Tbilissi-Leningrad, n° 16 (repr.).

Bibliographie :
W. George, « André Derain », *Formes*, XXXI, 1933, repr.

André Derain

39
La route

Huile sur toile ; H. 0,65 ; L. 0,50
S.b.d. : *a derain*
RF 1963-43

Le village provençal d'Eygalières, peint à partir de la départementale qui va d'Eygalières à la route de Saint-Rémy, se dessine entre les deux platanes de bordure. Les couleurs chaudes délimitent les divers éléments de la composition : arbres avec leurs branches feuillues, terre, pierres. Le village en plein soleil est nettement cerné.

Rien n'arrête le ciel d'un bleu uniforme et violent, né de touches désordonnées mêlées de pointes de jaune. Il pèse sur le paysage qui ne se départit pas de ses couleurs d'ocres, de bruns et de verts marquant bien la frontière entre les deux mondes.

Edmond Jaloux, rapportant les propos de Derain (« Derain et le paysage français », *Formes*, 1931, pp. 20-21) met l'accent sur ce conflit : « Le drame du paysage, me disait Derain, est dans le rapprochement du ciel et de la terre. » C.G.

Historique :
P. Guillaume ; Mme J. Walter.

Expositions :
1940, Rio de Janeiro, Musée National des Beaux-Arts, *La peinture française*, n° 26 ; 1941, Los Angeles, The Young Memorial Gallery, *Exhibition of french art*, n° 53 bis ; 1955, Paris, n° 26 ; 1957, Londres, Wildenstein Gallery, n° 59 (repr.) ; 1958, Paris, n° 7 ; 1966, Paris, n° 87 (repr.) ; 1977, Paris, n° 44 (repr.).

40
Arbres et village

Huile sur toile ; H. 0,50 ; L. 0,61
S.b.d. : *a derain*
RF 1963-40

Ce paysage d'Eygalières, petit village des Alpilles, dans le sud de la France, caractérisé par son ciel dramatique est postérieur à 1930. Élie Faure écrit dans l'ouvrage qu'il consacre alors à Derain : « L'arbre dans le paysage, ne paraît être là que pour résumer et ramasser la solitude. »

Aucune vie humaine ou animale n'anime les paysages de Derain. Une barrière d'arbres s'ouvre par une allée qui se dirige, étroite, vers le village. Les masses colorées limitent les zones d'ombre et de lumière et le relief est estompé par une trop forte luminosité. Comme dans les paysages précédents, un arbre mort fixe la lumière dans un ton plus violent que les autres comme s'il concentrait en lui toute la solitude de l'artiste. C.G.

Historique :
P. Guillaume ; Mme J. Walter.

Exposition :
1966, Paris, n° 88 (repr.).

Bibliographie :
E. Faure, *André Derain*, Paris, 1923, p. 32.

a derain

André Derain

41
La nièce du peintre assise

Huile sur toile ; H. 0,97 ; L. 0,78
S.b.d. : *a derain*
RF 1963-47

Ce portrait représente Geneviève, nièce de l'artiste. Dans une pose tout en souplesse, où le mouvement léger du cou répond au croisement gracieux de la main sur le poignet, la jeune fille est assise devant un fond de feuillage sommairement brossé. Son grand chapeau est rejeté sur les épaules. La pause adoptée et l'attitude rêveuse appellent le nom de Corot que Derain admirait tant. Le regard paraît lointain, mais les taches blanches que Derain aimait à placer habilement sur le visage contribuent à rapprocher le modèle du spectateur, selon une recette de la peinture hollandaise. On a ici un véritable portrait individualisé, selon la tradition, et qui vise, au-delà de la ressemblance, l'analyse psychologique.

Derain utilise ici deux techniques très différentes : l'avant-bras, nettement cerné de noir, est traité en touches longues et lisses. En revanche, le corsage et les chairs sont peints dans une pâte légère prestement posée. Le flou de la robe est rendu par des contours sombres, mais discontinus, parcourant la matière vaporeuse de la mousseline.

C.G.

Historique :
P. Guillaume ; Mme J. Walter.

Expositions :
1933, New York, n° 7 ; 1936, New York, Brummer Gallery, n° 2 ; 1939, New York, World fair ; 1958, Paris, n° 2 ; 1966, Paris, n° 89 (repr.) ; 1976, Rome, n° 43 (repr.) ; 1977, Paris, n° 45 (repr.)

Bibliographie :
W. George, « André Derain », *Formes* XXXI, 1933 (repr.) ; ; M. Florisoone, « L'art français contemporain », *La Renaissance*, mai 1939, n° 2, p. 27 (repr.) ; D. Sutton, 1959, p. 155, pl. 66.

André Derain

42
Roses dans un vase

Huile sur toile ; H. 0,55 ; L. 0,46
S.b.d. : *a derain*
RF 1963-52

Le vase centré est le départ d'une composition où règne la plus parfaite symétrie dans laquelle les delphiniums et les pieds d'alouettes s'étalent en étoile autour des roses en position médiane.

L'atmosphère feutrée et le fond sombre rappellent aussi les natures mortes de Fantin-Latour dont le succès a toujours été vif aux Etats-Unis. Ce tableau, exposé pour concourir à l'Institut Carnegie de Pittsburgh en 1934 a obtenu le prix Allegheny offert par le Allegheny County Garden Club, pour récompenser « la meilleure peinture de jardin ou de fleurs [...]. Cette œuvre rayonne de la façon la plus extraordinaire qui soit pour celui qui sait combien il est difficile de rendre les véritables couleurs des fleurs » (Saint-Gaudens, *loc. cit.*, p. 140).

On a pu voir une œuvre très voisine (Paris, 1955, nº 16, repr.) dans laquelle Derain utilise la même touche vibrante et rapide qui se détache du fond par une ligne moutonneuse, mais l'anse de la cruche au lieu d'être de face, est déportée sur la droite. C.G.

Historique :
P. Guillaume ; Mme J. Walter.

Expositions :
1934, Pittsburgh, Carnegie Institute ; 1954, Paris, nº 85 ; 1957, Londres, Galerie Wildenstein, nº 48 ; 1958, Paris, nº 8 ; 1960, Paris, nº 23 ; 1966, Paris, nº 90 (repr.) ; 1981, Marcq-en-Barœul, nº 16.

Bibliographie :
Art Digest, 15 octobre 1934 (repr.) ; *New York Times*, 21 octobre 1934 (repr.) ; *Pittsburgh Post Gazette*, 19 octobre 1934 (repr.) ; H. Saint-Gaudens, « Consider the International », *The Carnegie Magazine*, octobre 1934, p. 138 (repr.), p. 140.

André Derain

43
Roses sur fond noir

Huile sur toile ; H. 0,73 ; L. 0,60
S.b.d. : *a derain*
RF 1963-51

Dans une suite de notes sur la peinture, *(loc. cit.)*, Derain écrit : « Il y a plus de mystère dans un noir que dans un triangle ou une figure organisée. La reproduction des formes sur un plan n'est pas non plus la forme. Mais qui donc décrétera le sens rythmique d'une forme si une matière préalable n'est pas conçue. Tout dessin au trait doit donc engendrer de la lumière plus que de la forme. »

Dans une composition rigoureusement perpendiculaire, Derain détaille des formes lumineuses ; il inonde de lumière les pétales de fleurs ; cet éclat rejaillit sur le vase foncé par d'énigmatiques petits points blancs qui apportent une extrême luminosité rappelée dans la coupe par une tache rose tout aussi éclatante.

Cette nature morte comprend deux procédés chers à l'artiste : les points blancs qu'il place de façon arbitraire sur un objet, rehaussant ainsi sa luminosité et contribuant peut-être à lui apporter un signifiant supplémentaire, et la coupe au tracé vert et parfois blanc d'un pinceau à peine posé.
C.G.

Historique :
P. Guillaume ; Mme J. Walter.

Expositions :
1933, New York, n° 13 ; 1954, Paris, n° 81 ; 1966, Paris, n° 91 (repr.) ; 1967, Edimbourg-Londres, n° 82 (repr.) ; 1981, Marcq-en-Barœul, n° 17.

Bibliographie :
A. Derain, « Notes sur la peinture », *Cahiers du musée national d'Art moderne*, n° 5, p. 358, citées par G. Salomon.

Paul Gauguin (attribué à)

Paris, 1848 - Atouana, 1903

44

Paysage

Huile sur toile ; H. 0,76 ; L. 0,65
S.D.b.d. : *P. Gauguin* 1901

On reconnaît ici des éléments de la flore équatoriale telle qu'elle apparaît dans un certain nombre de toiles des dernières années de Gauguin. De petits personnages (parmi lesquels celui qui porte un chapeau n'est pas nécessairement un ecclésiastique, qui, en Océanie, serait vêtu de blanc) occupent le centre de la composition.

La facture de l'œuvre n'est pas homogène : précise et serrée par endroits, ailleurs beaucoup plus sommaire. L'examen au laboratoire a mis en relief ces disparités : on retrouve la touche en parallèles, caractéristique de Gauguin, dans les arbres ronds et la prairie, tandis que le premier plan de végétation, le ciel, et plus généralement la périphérie de la toile sont d'une facture plus large et plus molle.

La signature, dont le graphisme n'est pas celui habituel sur les œuvres tardives, est bien prise dans la pâte, à l'exception du chiffre « 9 ». Pour ces différentes raisons, le doute est possible sur l'attribution à Gauguin de cette toile dont la provenance ancienne n'est pas connue. Elle est rejetée par D. Cooper (comm. écrite). Peut-être, peut-on supposer qu'une main étrangère ait complété une œuvre laissée inachevée par Gauguin ? M.H.

Historique :
H. Böhler, Vienne ; Huinck et Scherjon, Amsterdam ; Joseph von Sternberg ; Mme J. Walter.

Expositions :
1943, Los Angeles, Los Angeles Museum, *The collection of Joseph von Sternberg*, n° 12 ; 1964, Paris, Galerie Knoedler, *L'Héritage de Delacroix*, n° 13 (repr.) ; 1966, Paris, n° 52 (repr.) ; 1981, Tbilissi-Leningrad, n° 17 (repr.)

Bibliographie :
R. Rey, *Gauguin*, 1939, pl. 18 ; Lee Van Dovski, *Gauguin*, 1950, n° 374, p. 353 ; G. Wildenstein, *Paul Gauguin*, vol. 1, Paris, 1964, n° 600 (repr.).

Marie Laurencin

Paris, 1883-1956

45

Danseuses espagnoles

Huile sur toile ; H. 1,50 ; L. 0,95
S.b.d. en noir : *Marie Laurencin*
RF 1963-56

Lorsque après son séjour en Espagne pendant la Première Guerre mondiale, Marie Laurencin revient en France, elle a abandonné le chromatisme sourd de ses premières œuvres et un certain géométrisme hérité du cubisme analytique.

Danseuses espagnoles est caractéristique de l'élaboration du nouveau style de Marie Laurencin qui donna le meilleur d'elle-même dans les années 1920-1930. Les visages, déjà schématisés, ne sont pas encore réduits aux lèvres et aux yeux ardents mais ces traits y dominent. Marie se représente elle-même, agenouillée au premier plan, en un autoportrait pathétique que le rose vif de sa courte robe ne parvient pas à tempérer. Au reste, malgré les tons acides et gais, la grande place accordée aux gris étonne et donne à l'ensemble de la composition une mélancolie indéfinissable. Marie et la jeune fille de droite, aux bras entremêlés si harmonieusement que le bras gauche de Marie peut tout aussi bien se terminer par la main droite de sa compagne, paraissent aspirées dans une lévitation dansante. A gauche, la troisième jeune femme, exclue de cette complicité, semble-t-il, est traitée dans une technique et des tons différents, moins liés. De ses longues jambes fuselées, elle esquisse un pas qui sera repris, quasi textuellement, par Marie Laurencin dans des gravures de 1926, *Les Lettres espagnoles* et *La Danseuse ou Barbette* (D. Marchesseau, 1981, n°s 109 et 125). Dans cet étrange climat de Paradis ambigu, l'animal n'est ni dompté ni domestiqué. Il est le libre compagnon d'un Eden perdu, un égal, un confident. L'arabesque dessinée par les jeunes femmes est intensifiée par la présence du chien et la courbe du cheval, que ponctue l'amande insolite de son œil, jumeau majeur de ceux de la jeune fille en bleu. L'alliance irréfragable entre les mondes féminin et animal a souvent été célébrée par Marie Laurencin ; l'année même des *Danseuses espagnoles*, en 1921, avec *Les Amazones* (Y. Abé-D. Marchesseau, 1980, pl. 39) ; mais aussi avec *Les Biches* (n° 47), *Femmes au chien* (n° 49) et tant d'autres. H.G.

Historique :
Paul Rosenberg (en 1921) ; P. Guillaume (?) ; Mme J. Walter.

Exposition :
1966, Paris, n° 104 (repr.).

Bibliographie :
L'Amour de l'Art, août 1921 (repr.) ; Y. Abé-D. Marchesseau, 1980, n° 43 (repr. coul.).

46
Portrait de Mademoiselle Chanel

Huile sur toile : H. 0,92 ; L. 0,73
S.h.d. en noir : *Marie Laurencin*
RF 1963-54

A l'automne 1923, Coco Chanel, tout comme Marie Laurencin, travaille pour les Ballets Russes de Serge de Diaghilev. Celle-ci dessine les décors et costumes des *Biches*, celle-là, les costumes du *Train bleu* « opérette donnée en un acte » sur un scénario de Jean Cocteau et une musique de Darius Milhaud qui fut créée au théâtre des Champs-Elysées le 20 juin 1924. La couturière demande au peintre, qui a entamé depuis un an environ une carrière de portraitiste mondain (R. Gimpel, p. 218), de la représenter. Mais elle lui refuse son portrait, évocation allusive d'un caractère psychologique plutôt que représentation formelle du modèle. Marie réagit vigoureusement : « Et pourtant moi, je lui paye mes robes », déclare-t-elle à René Gimpel. Et de surenchérir : « Elle veut que j'entreprenne une autre toile et elle ne l'aura pas ; je vais enjoliver la sienne pour la vendre. Rosenberg y tient. » (R. Gimpel, p. 253). Il existe pourtant un second portrait de Chanel, de dimensions plus réduites (0,81 × 0,595), tout à fait semblable à celui de la collection Walter-Guillaume, à l'exception de détails infimes, telle la tache claire qui, sous le caniche, a remplacé l'aplat bleu foncé de la robe de Coco Chanel et où Marie a signé (repr. in Ch. Gere, *Marie Laurencin*, Londres, 1977, p. 40). Marie imprime à son modèle une pose languide et gracieuse et la vêt d'une longue écharpe noire qui s'enroule autour du cou et du corps, mettant en valeur la nudité de l'épaule. Le peintre affectionne particulièrement cet accessoire qui revient à plusieurs reprises dans son œuvre (par exemple dans *La cage*, 1917 ; *La femme au chien et aux oiseaux*, 1917 ; *Fille à la colombe*, 1928 ; Y. Abé-D. Marchesseau, 1980, respectivement n°s 31, 32, 67). Par sa longue tache colorée, elle s'insère parfaitement dans l'ensemble de l'œuvre, traitée en grands aplats de couleur. La palette, quoique réduite, répond très bien, dans son harmonieuse subtilité, à la sophistication mélancolique et au charme de la composition. Les animaux, ici encore, sont présents. Familiers, comme le chien qui s'est installé sur les genoux de Coco Chanel et qui ressemble comme un frère à celui de *La Femme au chien et aux oiseaux* (Y. Abé-D. Marchesseau, 1980, n° 49). La même année, Marie Laurencin, dans un de ses portraits de la baronne Gourgaud, la représente aussi avec un de ses chiens (Y. Abé-D. Marchesseau, 1980, n° 52) ; en 1931, dans le portrait de Madame Robert Tritton, elle choisit de faire figurer le chien « Val » auprès de sa maîtresse (vente Christies, Londres, 28 juin 1983, n° 353). Et l'on sait que, dans sa grande sensibilité et son attachement aux animaux, elle avait tenu à peindre le petit Pierre Gimpel en compagnie de « Petit Gris », le chat préféré de l'enfant (R. Gimpel, p. 218). D'autres sont davantage synonymes de liberté. Il n'est pas indifférent de constater que lors de son séjour oppressant en Espagne, après le départ de ses amis (les Gleizes, les Picabia), Marie introduit dans ses œuvres, les oiseaux, symbole de la liberté tant espérée. On les retrouve dans les œuvres déjà considérées (Y. Abé-D. Marchesseau, n°s 31, 32, 67), mais aussi sous la forme ramassée et élégante de l'oiseau en vol du *Portrait de Mademoiselle Chanel*, dans certaines estampes (*Le Concert*, 1926, D. Marchesseau, n° 100). Ici, il est associé à un chien qui, semblable à ceux des *Danseuses espagnoles* (n° 45), de *Femmes au chien* (n° 49) ou même des animaux des *Biches* (n° 47), lève d'un mouvement caractéristique son museau, barré d'un grand œil oblong. H.G.

Historique :
P. Rosenberg (?) ; P. Guillaume (?) ; Mme J. Walter.

Expositions :
1966, Paris, n° 105 (repr.) ; 1980, Athènes, n° 13 (repr. coul.) ; 1981, Tbilissi-Leningrad, n° 18 (repr. coul.).

Bibliographie :
J. Lassaigne, *Cent chefs-d'œuvre des peintres de l'École de Paris*, Paris, 1947, p. 164 (repr.) ; F. Mathey, *Six femmes peintres : Berthe Morisot, Eva Gonzalès, Séraphine Louis, Suzanne Valadon, Maria Blanchard, Marie Laurencin*, Paris, 1951, pl. XIV (repr. coul.) ; *Dictionnaire universel de la peinture*, Le Robert, 1975, t. 4, repr. p. 173 ; Y. Abé-D. Marchesseau, 1980, n° 53 (repr. coul.).

Marie Laurencin

47
Les Biches

Huile sur toile ; H. 0,73 ; L. 0,92
S.D.b.d. en noir : *Marie Laurencin 1923*
RF 1963-58

« Mme Laurencin a peint de jolis décors pour *Les Biches*, et tout le ballet prend les attitudes de ses personnages. Dans le couloir, j'entends... : « Regardez la salle, toutes les femmes ont l'air d'être de Marie Laurencin », note René Gimpel (*Journal d'un collectionneur, marchand de tableaux*, p. 267). Sur la recommandation de Francis Poulenc qui en écrivit la musique, Marie, lancée dans le monde parisien, obtient en 1923, commande de la part de Serge de Diaghilev, du décor et des costumes des *Biches*, « ballet en un acte avec chants ». Sur un livret de Jean Cocteau, qui met en scène l'élégante et maniérée société parisienne des années 20, Bronislava Nijinska, la sœur de Nijinski, crée une chorégraphie piquante, mêlant aux bases du classicisme, des danses venues d'Amérique. Nijinska, elle-même, vêtue de rose, parée d'accessoires tirés tout droit de *La Garçonne* de Victor Margueritte (lavallière, collier de perles et long fume-cigarettes) remporta tous les suffrages dans la rag-masurka tandis que Nemtchinova, en bas et gants blancs, costume de velours bleu tendre à longues manches collantes et culotte bouffante, s'illustra dans l'adagietto.

Créé le 6 janvier 1924 à Monte-Carlo avec deux autres ballets, *Les Tentations de la Bergère*, sur une musique de Montéclair (1666-1737) revue par Henri Casadesus, et *Les Fâcheux* de Georges Auric, d'après Molière, *Les Biches* remporta le plus vif succès et fut attendu avec impatience à Paris où il fut donné au théâtre des Champs-Élysées dans le cadre de la VIIIe Olympiade. Les décors et costumes des deux autres ballets avaient été assurés, respectivement par Juan Grís et Georges Braque. C'est dire la reconnaissance de Marie Laurencin par ses contemporains, à l'égal des plus grands. Ses décors et costumes furent textuellement repris, lorsqu'on redonna le ballet, à Covent Garden, en 1964.

Geneviève Allemand-Lacambre a précisé l'élaboration du décor en signalant l'existence de deux maquettes (repr. in *Les Biches, Marie Laurencin, Jean Cocteau, Darius Milhaud, Francis Poulenc*, Paris, 1924, fol. 18 et 19). « La première est un dessin rehaussé de quelques taches colorées, grises, bleues, roses, la seconde est une aquarelle qui correspond exactement à notre tableau. » (1966, Paris, p. 225.) Ce tableau, préparé donc par l'aquarelle, est le modèle du rideau de fond de scène que réalisa le prince Schervaschidzé. Ce rideau venait derrière un sofa, dans une grande pièce blanche dont une façade était ornée d'un balcon. Marie Laurencin qui travailla l'été 1923 dans le Midi, poursuivit sa tâche revenue à Paris. René Gimpel note scrupuleusement en date du 26 septembre : « Elle travaille aux décors et aux costumes de ce ballet russe : *Les Biches.* » Marie, séduite sans doute par l'allusion transparente du titre, avait déjà traité en 1921 dans un tableau féerique, la correspondance entre les jeunes femmes et les animaux (Y. Abé-D. Marchesseau, 1980, n° 38). Le rideau du ballet lui inspira une gravure (D. Marchesseau, 1981, n° 69) où sont reprises les grandes lignes du tableau. La figure de gauche a disparu et une jeune fille, vêtue d'une jupe rayée ornée d'un grand nœud dans le dos apparaît à droite, à l'emplacement approximatif de la guitare. La composition est plus lâche que celle du tableau. Dans celui-ci, tout procède et s'organise à partir de la figure centrale, femme ou biche, ou plus encore, femme-biche. Autour d'elle comme les branches d'une étoile, gravitent les autres éléments, animaux fantastiques aux souples lignes serpentines, et la guitare sans corde, et cet étrange personnage, sur la gauche, qui semble subir une métamorphose avec son bras s'achevant en sabot de cervidé serrant une sorte de queue de sirène venue d'on ne sait où. Le thème de la sirène, mi-femme-mi-animal, ni l'un ni l'autre et procédant des deux, a inspiré plusieurs fois Marie Laurencin à l'époque. On le retrouve en particulier comme sujet principal de deux gravures respectivement de 1922 et 1925 (D. Marchesseau, 1981, n°s 56 et 85) où la sirène, plus femme-serpent que femme-poisson, objet de convoitise et de séduction, s'enroule autour des souples volutes de sa queue. Le fond de rideau de scène est aussi composé en kaléidoscope où les teintes délicates se mêlent et se répondent subtilement. Marie Laurencin, pour qui la participation aux *Biches* fut en quelque sorte un manifeste, accrocha dans son salon l'huile préparatoire du rideau de fond de scène. Notre œuvre apparaît en évidence sur une photographie de Marc Vaux illustrant l'article *Chez Marie Laurencin* paru dans *L'Art vivant* en 1925 (*L'Art vivant*, n° 3, 1er février 1925). Elle ne dut donc

Marie Laurencin

s'en défaire (par l'intermédiaire de ses marchands Paul Rosenberg et Hessel ?) qu'après cette date.

L'artiste, qui avait participé à la décoration de *la Maison Cubiste* en 1912, fut à nouveau sollicitée après *les Biches* pour des décors et des costumes ; *les Roses* pour les Soirées de Paris du comte Etienne de Beaumont (1924) ; *A quoi rêvent les jeunes filles,* à la Comédie française, interprétée par Marie Bell et Madeleine Renaud (1928) ; *L'éventail de Jeanne* pour Jeanne Dubost (1929) ; plus tard, *Un jour d'été* sur une musique de Durey (1940) et *Dominique et Dominique* (1951). Hors du domaine du spectacle, après la commande annulée des Mendelssohn-Bartholdy à Berlin, en 1920, Marie exécuta en 1926 deux maquettes représentant une jeune femme assise et un athlète pour le restaurant de luxe de X.M. Boulestin, Southampton Street, à Londres ; le reste de la décoration fut confié à J.E. Laboureur et à Allan Walton, et Dufy dessina les tissus. Marie avait également pris part à la décoration de *l'Ambassade française* de l'Exposition internationale des Arts Décoratifs de 1925, en agrémentant de quelques peintures *le Boudoir de Madame l'Ambassadrice,* imaginé par André Groult, le mari de son amie Nicole, et beau-frère de Paul Poiret. Ce travail d'équipe, augmenté d'autres réalisations effectuées par la Société des Artistes Décorateurs, fut publié sous la forme de recueil par Charles Moreau. H.G.

Historique :
P. Guillaume (?) ; Mme J. Walter.

Exposition :
1966, Paris, n° 106 (repr.).

Bibliographie :
G. Day, *Marie Laurencin,* Paris, 1947 (repr.) ; F. Mathey, *Six femmes peintres : Berthe Morisot, Eva Gonzalès, Séraphine Louis, Suzanne Valadon, Maria Blanchard, Marie Laurencin,* Paris, 1951, n° 79, p. 14 (repr.) ; Y. Abé-D. Marchesseau, 1980, n° 56 (repr. coul.).

Laurencin, *Les biches* (gravure)

Marie Laurencin

48
Portrait de Madame Paul Guillaume

Huile sur toile ; H. 0,92 ; L. 0,73
S.h.d. en gris : *Marie Laurencin*
RF 1963-55

Dans *La grande peinture contemporaine à la collection Paul Guillaume* (dont des extraits furent publiés dans *La Renaissance,* avril 1929, pp. 172 à 185), Waldemar George commente ainsi le portrait de Madame Paul Guillaume par Marie Laurencin, qu'il publie avec les œuvres les plus représentatives du grand collectionneur : « Un *portrait de Mme Paul Guillaume,* en ingénue de l'époque de la Monarchie Censitaire. Des bleus, des roses, des gris. La tache noire et opaque des cheveux lisses rompt la gamme diaphane des tons pastels. Les filles des vieux Carlistes... avaient le port de tête, les fines attaches et la taille trop cambrée du modèle de Mme Laurencin. Guys eût aimé fixer en quelques traits de plume sa majestueuse et provocante stature... » (*op. cit.,* p. 185). L'artiste construit son tableau selon une composition pyramidale assez condensée et une stabilité spatiale inhabituelle chez elle. Cependant, ses accessoires favoris accompagnent le modèle, campé dans une pose gracieuse. Nous retrouvons les fleurs, les longues écharpes et l'animal. Mystérieux, immense et disproportionné, héritier des biches, il fait acte d'allégeance envers le modèle mélancolique et perdu dans ses pensées. Nous sommes loin du portrait de Madame Guillaume par A. Derain, pourtant contemporain (n° 31). Le casque sombre des cheveux, la ligne marquée des sourcils arqués, le modelé du visage où le nez est dessiné sont, malgré tout, peu courants chez Marie Laurencin. Pourtant ces caractères inhabituels apparaissent dans un portrait, *Femme à la rose* (vente Sotheby, Londres, 4 juillet 1979), très proche du *Portrait de Madame Paul Guillaume.* Le modèle, traité de la même manière et selon une technique identique, porte une robe rose, semblable par sa coupe, son décolleté, à celle de Madame Guillaume. A la différence de celle-ci, une écharpe bleue barre une de ses épaules, et elle est blonde. Des rideaux roses l'encadrent. On peut ainsi comprendre la large bande oblique sur la droite du portrait de Madame Guillaume, cet accessoire étant également favori de Marie Laurencin qui l'a aussi utilisé pour ses compositions décoratives, telle *Femmes au chien* (n° 49). Le rose du rideau répond à celui de la robe, comme le gris du chien, sur lequel vient se poser le bras démesurément long du modèle, répond au fond de l'œuvre. Ainsi est mis en place un accord chromatique en deux tons aussi subtil qu'un accord sonore.

Daté de 1924 par Daniel Marchesseau (Y. Abé-D. Marchesseau, 1980), le *Portrait de Madame Paul Guillaume* l'est de quelques années plus tard par Geneviève Allemand-Lacambre qui, se fondant sur un séjour que firent ensemble le peintre et le modèle en 1928 chez le professeur Gosset en Normandie, avance « vers 1928 ». En effet, *Les Arts à Paris,* janvier 1929, n° 16, p. 29, reproduisent une photographie regroupant Madame Guillaume, Marie Laurencin et le professeur Gosset chez ce dernier. Mais P. Guillaume et le professeur Gosset se connaissaient depuis plusieurs années. Notons qu'à la même époque Marie Laurencin peignait le portrait du professeur Gosset dans un tableau daté de 1929. H.G.

Historique :
P. Guillaume ; Mme J. Walter.

Expositions :
1966, Paris, n° 108 (repr.) ; 1980, Athènes, n° 14 (repr. coul.) ; 1981, Tbilissi-Leningrad, n° 19 (repr.).

Bibliographie :
W. George, s.d., p. 166 (repr. p. 167) ; *La Renaissance,* avril 1929, n° 4 (repr. p. 177) ; F. Mathey, *Six femmes peintres : Berthe Morisot, Eva Gonzalès, Séraphine Louis, Suzanne Valadon, Maria Blanchard, Marie Laurencin,* Paris, 1951, n° 67, p. 13 (repr.) ; G. Charensol, « Guillaume curieux homme et homme curieux », *Plaisirs de France,* déc. 1966, repr. ; Y. Abe-D. Marchesseau, 1980, n° 57 (repr. coul.).

Marie Laurencin

Marie Laurencin

49
Femmes au chien

Huile sur toile ; H. 0,80 ; L. 1,00
S.h.g. en noir : *Marie Laurencin*
RF 1963-58

« Si le génie de l'homme m'intimide, je me sens parfaitement à l'aise avec tout ce qui est féminin », confiait Marie Laurencin (*Le Carnet des Nuits,* p. 161). Et de fait, l'homme, à l'exception de rares portraits précis (*Nils von Dardell,* 1913 ; *Martin Fabiani,* 1939 ; *André Salmon,* 1942 ; *Jean Cocteau,* vers 1946 ; et, bien entendu, *Apollinaire et ses amis,* 1909) n'a pas sa place dans l'œuvre de Laurencin. Cette absence ne résulte pas d'une exclusion brutale, mais d'une inexistence ontologique. L'œuvre de Marie Laurencin, inconscient miroir de ses propres désirs, semble la perpétuelle célébration d'un insaisissable âge d'or. C'est le climat des *Biches* que nous retrouvons ici. L'ambiance quelque peu lunaire des tons froids de la scène est tempérée par les roses et la large bande jaune, couleur peu courante sous cette forme, dans la palette de Laurencin.

Les tons délicats sont amplifiés par un cadre raffiné, en glace, qui répond, en une parfaite adéquation, à la subtilité de l'œuvre. Lady Cunaud, dont Marie Laurencin avait fait le portrait, possédait plusieurs tableaux de l'artiste ainsi mis en valeur, qui tranchaient dans l'harmonie du salon XVIIIe siècle de leur propriétaire. L'idée de ces cadres en miroirs revient à Rose Adler, célèbre relieuse, et à Madame Natanson.

Comme dans *Danseuses espagnoles* (n° 45), l'animal s'interpose et assure le lien entre les deux compagnes. Nous retrouvons le même type d'animal, résumé en un museau surgissant à la verticale et à un œil sans pupille, dans un tableau de la même époque, *Femme à la plume,* daté de 1925 (Y. Abé-D. Marchesseau, 1980, n° 64). G. Allemand-Lacambre avait déjà rapproché certains éléments de *Femmes au chien* d'œuvres datées de 1924-1925 (1966, Paris, p. 227), ce qui laisse présumer cette date pour l'œuvre. L'inspiration qui relève directement des *Biches* (n° 47) ne peut que corroborer cette datation.
H.G.

Historique :
P. Guillaume (?) ; Mme J. Walter.

Expositions :
1946, Paris, n° 43 ; 1966, Paris, n° 107 (repr.).

Bibliographie :
Y. Abé-D. Marchesseau, 1980, n° 58 (repr. coul.).

Marie Laurencin

Henri Matisse

Le Cateau, 1869 - Nice, 1954

50

Les trois sœurs

1917
Huile sur toile ; H. 0,92 ; L. 0,73
S.b.d. : *Henri Matisse*
RF 1963-63

Les trois sœurs est un des rares tableaux que Paul Guillaume a choisi d'acheter en vente publique, sans doute parce qu'il lui rappelait le célèbre triptyque de la collection Barnes qui lui était probablement passé entre les mains. C'est un parfait exemple de la maîtrise de Matisse dans l'utilisation et l'animation d'une surface. Matisse réussit ici un équilibre miraculeux de formes et de couleurs, de pleins et de vides, de courbes et de droites, tels que rien ne peut y être modifié sans détruire une harmonie parfaite. Plusieurs sources ont été proposées : *Le Balcon* de Manet, l'estampe japonaise ou, de façon plus convaincante, le détail d'une composition italienne ou flamande du XVe siècle. Mais pour Matisse, le problème des sources se pose en termes d'affinités ou de correspondances, plus qu'en termes d'influences.

On a ici le portrait de Laurette, modèle habituel de Matisse à cette époque, avec ses deux sœurs. Ce tableau est à rapprocher, évidemment, du grand triptyque de la Fondation Barnes, longuement analysé par A. Barr (1951, pp. 192-193), représentant trois fois les trois sœurs dans des poses et des vêtements chaque fois différents, la version la plus proche de celle-ci étant le volet de droite. On peut en rapprocher aussi d'autres œuvres de 1916-1917 représentant Laurette seule, les yeux baissés, en vert sur un fauteuil rose (coll. Gelman, Mexico ; *Tout l'œuvre peint,* pl. couleur XXXV), les yeux levés dans la même gamme de couleurs (coll. part., Suisse ; exp. *Matisse,* Zurich-Düsseldorf, 1982-1983, n° 52, repr. couleur), dans le même fauteuil mauve (coll. part. ; *Tout l'œuvre peint,* pl. XXXVI ; exp. Zurich-Düsseldorf, n° 48).

L'esprit général de ces tableaux, le dispositif adopté, le problème à résoudre se retrouvent de l'un à l'autre, mais il s'agit en fait d'œuvres pleinement autonomes où, chaque fois, Matisse réinvente le choix et l'accord de couleurs apparemment incompatibles, et une organisation exactement déterminée de la surface. Cette préoccupation constante chez lui, aussi bien dans la gravure que dans la peinture ou la composition murale, donne ici, à une œuvre de format relativement modeste, un caractère monumental évident : « Dans le tableau de chevalet, on peut avoir les principes de la peinture murale. Mais il importe avant tout que la peinture murale soit une *surface* que l'on veut rendre *vivante* », déclare Matisse (à G. Diehl, février 1942, non repris dans *Ecrits et propos sur l'art*).

Nulle raideur cependant ; la dissymétrie de chaque visage, la variété des attitudes, les libertés prises avec la perspective, la sinuosité des contours amorcent le style plus détendu dont relèvent les autres œuvres de la collection Walter-Guillaume, et auquel Matisse reste fidèle jusqu'en 1925, date du *Nu décoratif sur fond fleuri* (Paris, Musée National d'Art Moderne).

Ce motif de la femme assise de face ou de trois quarts, parfois de dos, dans un fauteuil ou sur le sol, est un des plus constants chez Matisse. Cette fréquence

David (?), *Les Dames de Gand*,
Paris, Musée du Louvre

s'explique-t-elle par la possibilité de travailler longuement devant un modèle confortablement installé ou par le souvenir des portraits de la tradition davidienne (*Les trois dames de Gand* étaient unanimement données à David quand le jeune Matisse apprenait le Louvre) ou par la simple satisfaction de représenter une femme belle, élégante et calme dans une attitude détendue? Ces différentes motivations ne s'excluent pas et toute l'œuvre de Matisse est faite de l'agencement formel infaillible d'êtres, de fleurs ou d'objets beaux. M.H.

Historique :
Auguste Pellerin ; vente Pellerin, 7 mai 1926, Paris, n° 66 (repr.) ; P. Guillaume ; Mme J. Walter.

Expositions :
1929, Paris ; 1935, Paris, n° 424 ; 1936, New York ; 1937, Paris, Petit Palais, *Les maîtres de l'art indépendant, 1895-1937,* n° 21 ; 1945, Paris, Galerie Charpentier, *Portraits français,* n° 158 (repr.) ; 1948, Philadelphie, Philadelphia Museum of Art, *Matisse,* n° 29 (repr.) ; 1966, Paris, n° 53 (repr.) ; 1978, Rome, Villa Medicis, *Henri Matisse,* n° 12 (repr.) ; 1979, Paris, Centre national d'art et de culture Georges Pompidou, *Paris-Moscou, 1900-1930,* n° 165 (repr.) ; 1981, Moscou, Musée des Beaux-Arts Pouchkine, *Moscou-Paris* ; 1982, Zurich, Kunsthaus - Düsseldorf, Kunsthalle, *Henri Matisse,* n° 53 (repr.) ; 1983, Paris, Centre Georges Pompidou, *Bonjour Monsieur Manet* (sans n°, repr, p. 50).

Bibliographie :
M. Sembat, *Henri Matisse,* Paris, 1920, p. 61 (repr.) ; *Les Arts à Paris,* n° 13, juin 1927, p. 23 (repr.) ; E. Tériade, « Nos enquêtes. Entretien avec Paul Guillaume », *Cahiers d'art,* 1927 (repr. p. 28) ; Ternovets, « La vie artistique à Paris », *Petchat i Revolioutsia,* n° 1, Moscou, 1928, p. 69 (repr.) ; W. George, s.d., p. 68, p. 70 (repr. p. 61) ; J. Cassou, « Henri Matisse », *L'Amour de l'art,* n° 5, mai 1933, pp. 107-112 (repr. p. 108) ; M. Morsell, « French Masters of XXth Century in Valentine Show », *Art News,* 11 janv. 1936 (repr.) ; J. Lassaigne, *Cent chefs-d'œuvre des peintres de l'École de Paris,* Paris, 1947, p. 6 (repr.) ; A.H. Barr, 1951 ; G. Diehl, *Henri Matisse,* Paris, 1954, p. 69 (repr. n° 80) ; R. Escholier, *Matisse, ce vivant,* Paris, 1956, p. 181 ; G. Diehl, *Henri Matisse,* Paris, 1970 (non paginé) ; L. Aragon, *Henri Matisse,* Paris, 1972, t. II (repr. coul., pl. XVI) ; *Tout l'œuvre peint,* n° 225 (repr.).

51
La jeune fille et le vase de fleurs ou *Le nu rose*

Huile sur toile ; H. 0,60 ; L. 0,73
S.b.d. en lie de vin : *Henri-Matisse*
RF 1960-32

Homme du Nord, Matisse découvre la lumière méridionale durant un voyage qu'il fait en Corse, puis dans la région toulousaine en 1898. Ce sera ensuite l'expérience de l'Italie et celle de Collioure, la visite de l'Andalousie et du Maroc, avant la découverte de Nice où il passe l'hiver (pluvieux !) de 1916, à l'hôtel Beau Rivage. Il revient ensuite régulièrement dans cette ville où il s'installe, lors de ses séjours, à partir de 1918, à l'hôtel de la Méditerranée qu'allait remplacer, en 1929, le Palais de la Méditerranée, sur la Promenade des Anglais. « Quand j'ai compris que chaque matin je reverrais cette lumière, je ne pouvais croire à mon bonheur... Moi, je suis du Nord. Ce qui m'a fixé, ce sont les grands reflets colorés de janvier. La luminosité du jour. » Il y peint toute une série d'œuvres où se retrouvent invariablement la haute porte-fenêtre — ouverte ou fermée ou encore close de persiennes — encadrée par ses grands doubles rideaux, la tapisserie chamarrée, le sol de tomettes, d'où se dégage une atmosphère de calme intimité. Ici, Matisse renouvelle le thème quelque peu académique du nu féminin ; son modèle ne pose pas, mais traverse silencieusement la quiétude de la chambre, traînant derrière elle sa serviette rayée. Les lignes de fuite très marquées de la table et du divan, renforcées par les obliques de la fenêtre et des embrasses des rideaux, invitent le regard à converger vers la figure, dressée au centre de la composition. L'artiste se désintéresse de toute individualisation pour cerner d'un trait souple le corps féminin qu'il nous montre comme une sculpture lisse et modelée. Déjà, une dizaine d'années auparavant, il avait exposé son objectif de dépasser le particulier pour atteindre au général : « J'ai à peindre un corps de femme... Je vais condenser la signification de ce corps en recherchant ses lignes essentielles... [La] nouvelle image que j'aurai obtenue... aura une signification plus large, plus pleinement humaine. » (« Notes d'un peintre », *La Grande Revue,* 25 décembre 1908). C'est avec les mêmes procédés qu'il peint *Nu au tapis espagnol* (coll. part. ; *Tout l'œuvre peint,* n° 302) ou *Femme à l'ombrelle* (coll. part. ; *Tout l'œuvre peint,* n° 354).

Le bouquet de fleurs et le miroir ovale à col de cygne reviennent très souvent dans les œuvres de la période niçoise. On les retrouve dans *Le boudoir* (n° 53) et aussi, par exemple, dans *Vase de fleurs sur une coiffeuse, La leçon de peinture* (Galerie Nationale d'Art Moderne d'Edimbourg), *Femme assise dans un intérieur* (Merion, Fondation Barnes), *Le petit déjeuner* (Musée d'Art de Philadelphie). Par le jeu de ses reflets, le miroir peut être considéré comme un substitut de la fenêtre, ou encore une ouverture supplémentaire et différente qui permet une vision superposée de la perspective de l'ensemble de l'œuvre.

H.G.

Historique :
P. Guillaume ; Mme J. Walter ;

Expositions :
1929, Paris ; 1966, Paris, n° 55 (repr.).

Bibliographie :
Les Arts à Paris, n° 14, mai 1928, p. 8 (repr.) ; W. George, s.d., p. 72 (repr. p. 66) ; *Jardin des Arts,* mai 1972, p. 56 (repr, p. 57) ; *Tout l'œuvre peint,* n° 340 (repr.).

Henri-Matisse

Henri Matisse

52

Femmes au canapé ou *Le divan*

Huile sur toile ; H. 0,92 ; L. 0,73
S.b.d. en lie de vin : *Henri. Matisse*
RF 1963-68

« Comme vous avez su exprimer l'atmosphère d'une chambre d'hôtel à Nice ! Mais ce bleu de la mer devrait venir en avant... Et cette barre noire d'où tombent les rideaux blancs. Elle est à sa place. Tout est très juste... C'était très difficile... Ça me fiche en colère. » Bel hommage que rendit Renoir lors de sa première visite à Matisse, devant une *Fenêtre ouverte* (rapporté par R. Escholier, *Matisse ce vivant,* Paris, 1956, pp. 115-116). On a déjà noté la fréquence de ce thème du passage du monde clos de la maison sur celui ouvert de l'extérieur, véritable leitmotiv de l'œuvre de Matisse, perceptible dès 1896 dans *La porte ouverte,* peint en Bretagne (repr. dans A.H. Barr, 1951, p. 298), réduit à son expression la plus exacerbée dans ses limites poussées jusqu'à l'extrême dans *Porte-fenêtre à Collioure* (coll. part. ; *Tout l'œuvre peint,* n° 185), ou saisi dans la perception insolite du *Parebrise* (ou *La route de Villacoublay,* Musée des Beaux-Arts de Cleveland, coll. Mac Bride ; *Tout l'œuvre peint,* n° 250). *Femmes au canapé* concentre et développe de façon plus élaborée les procédés de *La jeune fille et le vase de fleurs* et du *Boudoir.* La perspective plus vaste, en plongée, juxtapose deux visions, une vers le sol dont le carrelage suggère la surface et non la profondeur et une, plus classique, vers l'échappée très lointaine de l'horizon marin, au-delà de la fenêtre entrouverte. La première nous ramène à l'intérieur et jusqu'à nous-mêmes, dans une sorte de mouvement introspectif. Au contraire, la seconde part du spectateur pour s'élargir vers l'infini. Matisse parvient à suggérer, par son vocabulaire plastique, deux attitudes tant physiques que mentales tout à fait contradictoires et à les concilier. Le lieu de passage des deux univers est la fenêtre, entrouverte et transparente, tangible dans sa matérialité mais aussi accédant au sens supplémentaire du symbole. Matisse s'est expliqué sur sa propre démarche, dont il nous fait partager l'expérience par sa peinture. A Tériade qui l'interroge, « Et la fenêtre ? », il répond : « Mon but est de rendre mon émotion. Cet état d'âme est créé par les objets qui m'entourent et qui réagissent en moi : depuis l'horizon jusqu'à moi-même, y compris moi-même. *Les fenêtres m'ont toujours intéressé car elles sont un passage entre l'intérieur et l'extérieur.* » (H. Matisse, *Ecrits et propos sur l'art,* Paris, 1972, p. 123.) « Intérieur » et « extérieur » ne sont pas chez Matisse deux mondes affrontés, l'intérieur — le moi — protégé s'ouvrant (ou s'entrouvrant, comme ici) sur l'extérieur — les autres —, danger potentiel. Notons d'ailleurs que, dans l'extérieur matissien, ne figurent jamais de personnes identifiables, mais l'espace cosmique, le ciel, la mer, les arbres, parfois un bâtiment s'intercalant entre l'horizon et la fenêtre.

Femmes au canapé illustre à la perfection ce mouvement de l'intérieur vers l'extérieur, en concentrant le pouvoir émotionnel et intellectuel de la démarche. La scène, aux deux personnages, est sublimée au-delà de sa représentation anecdotique pour atteindre ce que Matisse appelait « l'essentiel ». Sans craindre l'apparente contradiction de cette affirmation, on peut assurer que Matisse parvient à en traduire le concept non *en* image mais *par*

Matisse, *L'étui à violon,*
New York, Museum of Modern Art

henri-Matisse

l'image. Rien ne permet la dispersion. Les repentirs du canapé témoignent du soin de l'artiste à diriger le spectateur. Pour ne pas distraire le regard, le miroir lui-même ne reflète plus rien. Contrairement aux compositions traditionnelles, les objets sont repoussés en dégageant un vide central. Matisse avait déjà expérimenté cette disposition dans *l'Atelier rose* (Musée Pouchkine, Moscou; *Tout l'œuvre peint,* n° 145) et *l'Atelier rouge* (Musée d'Art Moderne de New York, dépôt Guggenheim; *Tout l'œuvre peint,* n° 151). On la retrouve aussi dans *L'étui à violon* (Musée d'Art Moderne de New York; *Tout l'œuvre peint,* n° 292) à l'atmosphère et à la composition si proches de *Femmes au canapé* et dans *Grand intérieur à Nice* (Art Institute of Chicago, Fondation Chapman; *Tout l'œuvre peint,* n° 353) dont l'œuvre de la collection Walter-Guillaume peut être considérée comme la préfiguration.

Dans ce contexte, la couleur joue pleinement son rôle; son choix, son intensité ne sont pas gratuits mais concourent à la suggestion de l'émotion. «Dire que la couleur est redevenue expressive, c'est faire son histoire. Pendant longtemps elle ne fut qu'un complément du dessin... De Delacroix à Van Gogh et principalement à Gauguin en passant par les impressionnistes... et par Cézanne..., on peut suivre cette réhabilitation du rôle de la couleur, la restitution de son pouvoir émotif.» *(Propos de l'artiste recueillis par G. Diehl, Problèmes de la peinture,* Paris, 1945.) Par-delà les artistes du XIXe siècle, Matisse rejoint la querelle de la fin du XVIIe siècle entre les tenants de la ligne et ceux de la couleur selon les principes de Roger de Piles. Chez Matisse, toutefois, on ne rencontre nulle théorisation mais la réalisation de son œuvre, par ses ressources les plus intimes. H.G.

Historique:
P. Guillaume; Mme J. Walter.

Expositions:
1923, Paris, Chambre syndicale de la curiosité et des Beaux-Arts, 18, rue de la Ville-l'Evêque, *Exposition d'œuvres d'art des XVIIIe, XIXe et XXe siècles* au profit du Comité national d'aide à la recherche scientifique; 1945, Londres, Victoria and Albert Museum, *Picasso and Matisse,* n° 29; 1946, Glasgow-Birmingham-Bruxelles-Amsterdam, *Picasso and Matisse,* n° 24; 1960, Paris, n° 74 (repr.); 1966, Paris, n° 56 (repr.); 1978, Rome, Villa Medicis, *Henri Matisse,* n° 14 (repr.); 1980, Athènes, n° 17 (repr. coul.); 1981, Tbilissi-Leningrad, n° 23 (repr. coul.).

Bibliographie:
Les Arts à Paris, n° 9, avril 1924, p. 13 (repr.); W. George, s.d., p. 76; A. Frey, *Henri Matisse,* Paris, 1935 (pl. 40); *Tout l'œuvre peint,* n° 344 (repr.).

Matisse,
Grand intérieur à Nice,
Chicago, Art Institute

53
Le boudoir

Huile sur toile ; H. 0,73 ; L. 0,60
S.b.g. en lie de vin : *Henri-Matisse*
RF 1963-64

Nous retrouvons ici les éléments caractéristiques de l'époque niçoise de Matisse et, plus particulièrement, de l'hôtel de la Méditerranée dont l'artiste regretta la démolition survenue en 1929 : « Un vieil et bon hôtel bien sûr ! Et quels jolis plafonds à l'italienne ! Quels carrelages ! On a eu tort de démolir l'immeuble. J'y suis resté quatre ans pour le plaisir de peindre des nus et des figures dans un vieux salon rococo. Vous souvenez-vous de la lumière qu'on avait à travers les persiennes ? Elle venait d'en dessous comme d'une rampe de théâtre. Tout était faux, absurde, épatant, délicieux. » La mise en page, qui conduit l'œil vers l'échappée de la fenêtre, sur l'espace extérieur et le palmier, est reprise dans *Femme au divan* (Bâle, Kunstmuseum, legs Doetsch-Benziger ; *Tout l'œuvre peint* n° 359) et développée dans *Le Peintre et son modèle* (New York, coll. Bakwin ; *Tout l'œuvre peint*, n° 290). Pour ce faire, Matisse applique les principes qu'il avait définis en 1908 : « Les moyens les plus simples sont ceux qui permettent le mieux au peintre de s'exprimer. » (« Notes d'un peintre », *La Grande Revue*, 25 décembre 1908.)

La palette est ici très claire et la technique rappelle l'aquarelle. Matisse a usé de ces tons pâles dans des œuvres de transition entre la production parisienne d'harmonies sombres et de simplification des lignes en relation avec le cubisme synthétique, et celle qui s'affirma ensuite dans le courant des années vingt. Cette œuvre peut, au reste, être datée de 1921, année pendant laquelle la présence de sa fille Marguerite conduit Matisse à peindre des compositions à deux figures, comme le fait remarquer Barr (A.H. Barr, New York, 1951, p. 210). La présence de Marguerite est, de plus, corroborée par Georges Charensol qui se rappelle : « *Le boudoir* de Matisse, je l'ai vu sur son chevalet, quand il le peignait à l'hôtel de la Méditerranée à Nice, avec pour modèle sa fille Marguerite » (dans *Plaisir de France*, décembre 1966). Les dates avancées par le catalogue de l'exposition de Bâle « peint en 1925 » et par Bertram, « 1929 », doivent, en tout cas, être systématiquement écartées, Matisse ayant quitté l'hôtel de la Méditerranée en octobre 1921 pour s'installer place Charles-Félix, dans la vieille ville. Notons enfin que cette œuvre figurait, comme de nombreuses œuvres appartenant à Paul Guillaume, avec la mention « à vendre », à l'exposition Matisse de Bâle, en 1931. H.G.

Historique
P. Guillaume ; Mme J. Walter.

Expositions :
1931, Bâle, Kunsthalle, *Henri-Matisse*, n° 88 ; 1944, Paris, Galerie Charpentier, *La vie familiale, scènes et portraits*, n° 242 (repr.) ; 1966, Paris, n° 54 (repr.) ; 1980, Athènes, n° 16 (repr. coul.) ; 1981, Tbilissi-Leningrad, n° 22 (repr.).

Bibliographie :
W. George, s.d., p. 74 (repr. p. 64) ; A. Bertram, *Henri Matisse*, Londres, 1930 (pl. XXIV) ; J. Lassaigne, *Cent chefs-d'œuvre des Peintres de l'École de Paris*, Paris, 1947 (repr. p. 67) ; G. Charensol, « Guillaume curieux homme et homme curieux », *Plaisir de France*, déc. 1966 ; *Tout l'œuvre peint*, n° 348 (repr.).

Henri-Matisse

54
Femme à la mandoline

Huile sur toile ; H. 0,47 ; L. 0,40
S.b.g. en lie de vin : *Henri Matisse*
RF 1963-69

« Ah ! c'est un beau pays, Nice. Quelle lumière tendre et moelleuse malgré son éclat ! Je ne sais pas pourquoi, je la rapproche souvent de celle de la Touraine... Celle de la Touraine est un peu plus dorée, celle d'ici est argentée. » (« Correspondance Henri Matisse-Charles Camoin », *Revue de l'Art,* n° 12, 1971.) C'est cette lumière argentée que rend ici l'artiste avec des tons clairs et comme aquarellés, dans l'esprit de ceux de *La jeune fille et le vase de fleurs* ou *Le boudoir.* Le thème de la fenêtre est toujours présent mais envisagé sous une optique nouvelle. L'écriture plastique ne fait pas converger le regard vers l'ouverture, mais permet, par une mise en page géométrique, la traversée directe, et la perception immédiate du lointain. La perspective de la pièce, réduite au mur gris de l'allège et à la paroi colorée, est pourtant inversée, la ligne de fuite du mur de droite s'étirant à contre-sens. Une autre modification de la perspective s'applique au reflet de la mandoliniste sur le carreau de la fenêtre, largement déporté sur la droite par rapport à la réalité, pour figurer une imposante masse de couleur sombre. Il constitue une variation du thème du miroir, si fréquent chez Matisse qui fut captivé, comme on le sait, par l'image de Madame de Senonnes d'Ingres. L'artiste développa pleinement ce motif dans *Le reflet (Femme devant une glace),* œuvre ultérieure datée de 1935, où le miroir n'est plus qu'un prétexte pour saisir le modèle sous deux aspects différents (*X*e *Biennale des Antiquaires*, 1980, Paris, Grand Palais, n° 29). Le thème de la correspondance se retrouve aussi, non plus appliqué à l'expression des formes mais des couleurs. Le gris rosé du mur d'allège concentre les tons de l'encadrement de la fenêtre et des bâtiments des Ponchettes, se dissout dans la jupe, le col de la jeune femme, le reflet de la vitre, tandis que le jaune éteint du mur de droite se retrouve dans l'ébrasement de l'ouverture et le corsage dont le motif — nouvel exemple de cette composition en écho — rappelle celui de la tapisserie.

Cette œuvre, qui, ainsi que *Le Boudoir* (n° 53), fut exposée à Bâle, en 1931, avec la mention « pour être vendu », a été peinte dans l'appartement de la place Charles-Félix où s'installa Matisse à l'automne 1921. Comme *Jeune fille à la fenêtre, soleil couchant* (Musée d'Art de Baltimore, coll. Cone ; *Tout l'œuvre peint,* n° 366), qui présente la même vue sur les Ponchettes et la mer, comme d'autres œuvres contemporaines où le modèle tient ou joue d'un instrument de musique (comme par exemple *La violoniste à la fenêtre* qui appartint aussi à Paul Guillaume, repr. dans A. Bertram, *Henri Matisse,* Londres, 1930, pl. XV), il peut être daté d'environ 1922, ce que confirme la date d'achat de la galerie Bernheim-Jeune à l'artiste, le 15 janvier 1923. H.G.

Historique :
Bernheim-Jeune (achat à Matisse le 15 janvier 1923) ; Druet (vendu le même jour, 15 janvier 1923) ; P. Guillaume ; Mme J. Walter.

Expositions :
1931, Bâle, Kunsthalle, *Henri-Matisse*, n° 38 ; 1966, Paris, n° 57 (repr.) ; 1980, Athènes, n° 18 (repr. coul.) ; 1981, Tbilissi-Leningrad, n° 24 (repr.).

Bibliographie :
Les Arts à Paris, n° 17, mai 1930, p. 11 (repr.) ; G. Diehl, *Henri Matisse*, Paris 1954, n° 86 (repr.) ; *Goya*, n° 7, juillet-août 1955, p. 30 (repr.) ; *Tout l'œuvre peint*, n° 352 (repr.).

55
Odalisque bleue ou *L'esclave blanche*

Huile sur toile ; H. 0,82 ; L. 0,54
S.b.d. en marron : *Henri-Matisse*
RF 1960-31

Dès le début du siècle, Matisse avait eu l'occasion de découvrir l'Orient qui fascina son maître Gustave Moreau, lors de l'exposition d'Art Musulman au Musée des Arts Décoratifs, en 1903 puis, à Munich, en 1910. Ces premiers contacts devaient être confirmés par les voyages qu'effectua l'artiste en Afrique du Nord dans les années qui suivirent et qui furent à l'origine de plusieurs œuvres. Toutefois, il n'entama sa série des odalisques que plus tard.

Peindre des odalisques est, pour Matisse, une nouvelle manière d'appréhender le nu. Ne dit-il pas à son ami Tériade : « Je fais des Odalisques pour faire du nu. Mais comment faire du nu sans qu'il soit factice ? » (*L'Intransigeant*, 14 et 22 janvier 1929, repris dans H. Matisse, *Propos sur l'art*, p. 93). Ainsi, le thème de l'Odalisque, si fréquemment retenu par les artistes depuis les succès de l'Orientalisme et si souvent galvaudé par les excès d'un exotisme de pacotille, est-il ici, renouvelé. L'inspiration orientalisante est suggérée plutôt qu'imposée. En effet, aucun accessoire ne vient encombrer l'œuvre et le regard est immédiatement happé par la figure féminine couverte d'un seul voile transparent, qui se dresse à l'angle des deux murs aux reflets de faïence. L'attitude des bras levés, derrière la nuque ou au-dessus de la tête, fut prisée par Matisse qui l'imprima à bon nombre de ses odalisques, mettant en valeur le galbe de ses modèles. (*Tout l'œuvre peint*, n°s 377, 383, 407, 408). I. Fontaine remarque même (exp. *Matisse*, M.N.A.M., 1979, n° 37) que « la pose "aux bras levés" est fréquemment celle des odalisques de cette année 1923 », à propos d'un dessin au fusain et à l'estompe qui rappelle d'ailleurs *L'Odalisque bleue* ainsi que l'œuvre de la collection Walter-Guillaume est dénommée dans toutes les anciennes publications. La date de l'achat par Bernheim-Jeune, le 13 février 1922 (n° d'enregistrement 29960) laisse présumer une exécution quelque peu antérieure.

La gamme chromatique qui peut être très intense dans d'autres odalisques contemporaines de celle-ci est, dans ce cas, très retenue et la matière, légère, rappelle l'aquarelle et la manière du *Boudoir* (n° 53). H.G.

Historique :
Bernheim-Jeune (achat à Matisse le 23 mars 1922) ; J. Quin (?) (vendu le 26 septembre 1922) ; P. Guillaume ; Mme J. Walter.

Expositions :
1929, Paris ; 1938, Paris, Galerie Max Kaganovitch, *Œuvres choisies*, n° 24 ; 1939, Genève, Galerie Moos, *Exposition d'Art français*, n° 44 (repr.) ; 1966, Paris, n° 58 (repr.) ; 1980, Athènes, n° 19 (repr. coul.) ; 1981, Tbilissi-Leningrad, n° 25 (repr.).

Bibliographie :
W. George, s.d., p. 74 (repr. p. 71) ; A. Basler, *L'Amour de l'art*, n° 7, juillet 1929 (repr. p. 252) ; A. Bertram, *Henri Matisse*, Londres, 1930 (pl. XVI) ; P. Courthion, *Henri Matisse*, Paris, 1934 (pl. XLI) ; G. Diehl, *Henri Matisse*, Paris, 1954, p. 78 ; *Tout l'œuvre peint*, n° 382 (repr.).

Henri-Matisse

56
Femme au violon

Huile sur toile ; H. 0,55 ; L. 0,46
S.b.g. en lie de vin : *Henri-Matisse*
RF 1960-30

Musicien lui-même (Matisse qui pratiquait le violon et avait acheté l'instrument du premier violon du quatuor Parent, commençait sa journée par quelques exercices musicaux, rapporte George Besson dans « Arrivée de Matisse à Nice. Matisse et quelques personnages », *Le Point*, n° 21, juillet 1939), Matisse a, assez tôt, introduit des musiciens ou même, parfois, l'instrument seul dans son œuvre (*La leçon de piano*, New York, Musée d'Art Moderne, qui appartint à Paul Guillaume ; *La leçon de musique*, Mérion, Fondation Barnes ; *Intérieur au violon*, Copenhague, Statens Museum for Kunst, coll. Rump ; *Le violoniste à la fenêtre*, Paris, Musée National d'Art Moderne). A Nice, dans les années 1921-1923, autour des instrumentistes, sont regroupées des scènes d'intimité où se distingue souvent, à l'arrière-plan, le paravent du *Paravent mauresque* (*La leçon de piano*, Dundee, Grande-Bretagne, *Tout l'œuvre peint*, n° 401 ; *La partie de dames, Tout l'œuvre peint*, n° 402) ou des motifs hérités de sa richesse décorative (*Les deux musiciennes*, coll. Mrs Leigh B. Block, repr. dans *Henri Matisse*, 2 novembre-1er décembre 1973, Acquavella Galleries, New York, n° 28). C'est ainsi qu'apparaissent les motifs circulaires du fond bleu, dont la forme contraste avec les rayures du polo de la violoniste et les différents plans unis.

Matisse a peint un tableau très proche, de dimensions légèrement inférieures à celui de la collection Walter-Guillaume dont il peut être considéré comme une variante (Baltimore Museum of Art, coll. Cone, *Tout l'œuvre peint*, n° 374). La jeune femme a posé son bras gauche sur la table où repose son instrument à la place de la boîte à violon, ménageant, comme pour l'œuvre de la collection Walter-Guillaume, le plan uni de la table. H.G

Matisse, *Femme au violon*,
Baltimore, Museum of Art

Historique :
Bernheim-Jeune (achat à l'artiste le 13 février 1922) ; Voyet (vendu le 15 mai 1923) ; P. Guillaume ; Mme J. Walter.

Expositions :
1929, Paris ; 1937, Paris, n° 38 ; 1966, Paris, n° 59 ; 1969, Bordeaux, Galerie des Beaux-Arts, *L'art et la musique*, n° 129.

Bibliographie :
W. George, s.d., p. 78 (repr. p. 62) ; *Kunst und Dekoration*, août 1931 (repr.) ; *Tout l'œuvre peint*, n° 400 (repr.)

Henri-Matisse

57

Nu drapé étendu

Huile sur toile ; H. 0,38 ; L. 0,61
S.b.d. en lie de vin : *Henri-Matisse*
RF 1963-65

Waldemar George nous apprend que dans la salle à manger de Paul Guillaume, avenue de Messine, deux Nus se faisaient pendant (W. George, s.d., p. 76). En réalité, quoique de dimensions similaires, les deux œuvres ne constituaient pas des pendants stricts, mais plutôt une variation sur un même thème, au sens musical du terme. Maintenant dissociés, l'un des deux nus est aujourd'hui dans une collection particulière (*Tout l'œuvre peint*, n° 338) tandis que l'autre, *Nu drapé étendu* resté dans la collection de Paul Guillaume, est entré dans les collections nationales. La pose de l'odalisque — bras levés, jambes ramassées — est celle de l'*Odalisque à la culotte rouge* (Musée National d'Art Moderne), mais rappelle encore davantage l'*Odalisque aux Magnolias* (New York, coll. part. ; *Tout l'œuvre peint*, n° 423). La culotte du modèle, retenue par une ceinture verte, commune à ces deux œuvres, est aussi celle de *La pose hindoue* (New York, coll. Stralem ; *Tout l'œuvre peint* n° 408) et l'on peut retenir la même date de 1923-1924 pour le *Nu drapé étendu*. Toutefois, le parti pris plastique et pictural est très différent. Autant l'*Odalisque aux magnolias* joue sur la richesse et l'opposition des motifs, autant le *Nu étendu* est concentré sur la sobriété des procédés, presque sur la sécheresse, les deux œuvres illustrant ainsi les deux pôles de la sensibilité matissienne. Le visage du modèle, aux arêtes aiguës, évoque les objets que Matisse aimait collectionner, les masques nègres, « les sculptures où les nègres de la Guinée, du Sénégal et du Gabon ont figuré avec une rare pureté leurs passions les plus paniques », que décrit Apollinaire à propos de la collection du peintre dans *Médaillon. Un fauve*, un texte de 1909, publié seulement en 1950 par M. Adéma (*Arts et Spectacles*, n° 285, 17 nov. 1950, repris dans *Chroniques d'art*, Paris, 1981, p. 82).

L'attitude contournée du modèle qui préfigure également celle du très linéaire *Nu rose*, bien plus tardif car de 1936 (Baltimore Museum of Art, coll. Cone ; *Tout l'œuvre peint*, n° 471) semble avoir très tôt préoccupé Matisse puisqu'il l'applique en sculpture dès 1907 avec son *Nu couché* I (*Tout l'œuvre peint*, S 3). Parallèlement aux recherches des Odalisques, il élabore les *Nu couché* II en 1927 et *Nu couché* III en 1929, qui peuvent être rapprochés de ses œuvres graphiques tout comme le *Grand nu assis bras levés* de 1923-1925 (*Tout l'œuvre peint*, S 20, S 23 et S 19). Dans le même temps, *Nu drapé étendu* témoigne, en peinture, des recherches de rendu de volumes qui disparaîtront peu à peu des odalisques postérieures. H.G.

Historique :
P. Guillaume ; Mme J. Walter.

Expositions :
1929, Paris ; 1931, Paris, Galerie Georges Petit, *Henri Matisse*, n° 130 ; 1966, Paris, n° 60 (repr.)

Bibliographie :
W. George, s.d., p. 76 (repr. p. 73) ; *La Renaissance*, avril 1929, n° 4 (repr. p. 174) ; A. Basler, *L'Amour de l'Art*, n° 7, juillet 1929 (repr. p. 253) ; A. Bertram, *Henri Matisse*, Londres, 1930 (pl. XX) ; A. Barnes-V. de Mazia, *The art of Henri-Matisse*, New York-Londres, 1933, n° 163 ; *Tout l'œuvre peint*, n° 422 (repr.).

Matisse, *Odalisque aux magnolias*,
New York, coll. part.

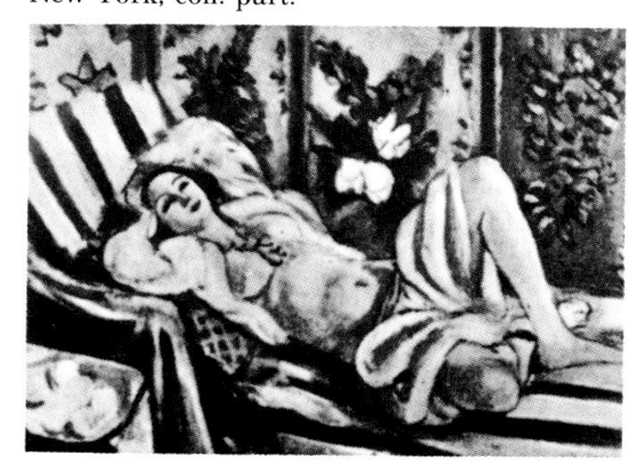

Matisse, *Nu étendu*,
Bruxelles, coll. part.

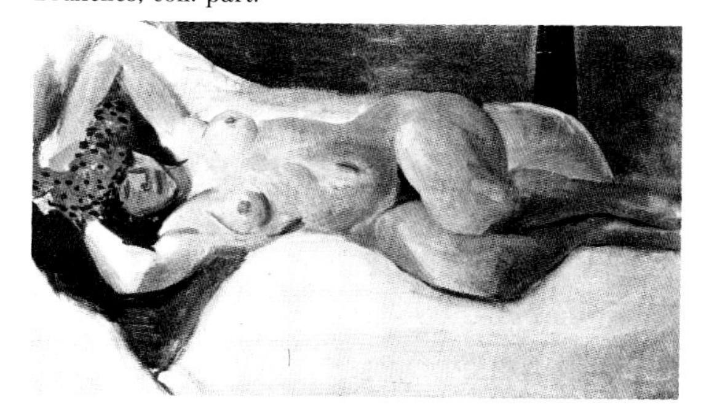

58
Odalisque à la culotte rouge

Huile sur toile ; H. 0,50 ; L. 0,61
S.b.g. en noir : *Henri-Matisse*
RF 1963-66

Même si les motifs géométriques en bandes du fond sont différents, l'*Odalisque à la culotte rouge* de la collection Walter-Guillaume appelle la confrontation avec celle du Musée National d'Art Moderne, peinte dans l'appartement de la place Charles-Félix, dans le vieux Nice, et datée de 1921 par Isabelle Fontaine. Bien que l'odalisque soit étendue sur le même canapé recouvert d'un tissu rayé vert et jaune dans les deux œuvres et que, dans l'une comme dans l'autre, elle porte une culotte à motifs dorés, resserrée par de larges bracelets chamarrés aux mollets, il est impossible d'avancer une date aussi haute pour l'*Odalisque à la culotte rouge* de la collection Walter-Guillaume, mais plutôt une date voisine de l'*Odalisque aux magnolias* avec laquelle elle présente certaines analogies, dont la distribution de l'espace n'est pas la moindre. Matisse se montre de plus en plus prodigue de motifs décoratifs touffus où les natures mortes de l'arrière-plan (guéridon, aiguière et bouquet) se mêlent à la profusion des fonds fleuris. C'est ainsi qu'apparaissent *Le plateau marocain* (New York, coll. part. ; *Tout l'œuvre peint*, n° 415) et *Histoires Juives* (Philadelphie, Musée d'Art, coll. White ; *Tout l'œuvre peint*, n° 411) où l'on retrouve l'aiguière de l'*Odalisque à la culotte rouge*. Cet accessoire figura d'ailleurs parmi le regroupement des objets familiers ayant servi à Matisse (repr. p. 32, Catalogue de l'exposition *Matisse*, Galerie Dina Vierny, 1980). Par la suite, sans renoncer à l'utilisation de couleurs stridentes, Matisse témoigna d'une approche différente des éléments décoratifs, en les traitant de façon à la fois plus vigoureuse et plus rigoureuse, comme dans *Odalisque à la culotte grise* (n° 59). H.G.

Historique :
P. Guillaume ; Mme J. Walter.

Expositions :
1929, Paris ; 1931, Paris, Galerie Georges Petit, *Henri-Matisse*, n° 129 ; 1946, Paris, n° 56 ; 1966, Paris, n° 61 (repr.) ; 1978, Rome, Villa Medicis, *Henri Matisse*, n° 15 (repr.).

Bibliographie :
W. George, s.d., p. 9 (repr.) ; A. Barnes-V. de Mazia, *The art of Henri-Matisse*, New York-Londres, 1933, n° 164 ; J. Lassaigne, *Cent chefs-d'œuvre des Peintres de l'École de Paris*, Paris, 1947, p. 65 (repr. coul.) ; *Tout l'œuvre peint*, n° 437 (repr.).

Henri Matisse

59
Odalisque à la culotte grise

Huile sur toile ; H. 0,54 ; L. 0,65
S.b.g. en noir : *Henri-Matisse*
RF 1963-67

Dans son compte rendu du Salon d'Automne de 1927, le critique Jacques Guenne, très sensible à la force chromatique de la toile de Matisse, la commentait en ces termes : «Pourquoi avec toutes ces raies bleues, rouges, violettes, jaunes, avec cette grande tenture rouge aux motifs gris, la petite toile de Matisse ne devient-elle pas le plus affreux étalage de marchands de papiers peints de quartier populeux, je l'ignore. Ou plutôt, je sais que cet artiste est comblé par la grâce de la couleur. Il a bien vite fait, croyez-moi, de réconcilier deux tons ennemis !

«Essayez de poser chez vous cette étoffe verte sur un divan rouge, sans faire hurler vos amis. Et dites-moi si jamais un peintre a jeté sur la toile une plus exquise tache de couleur que Matisse, lorsqu'il fit jaillir sous son pinceau ce bouquet de fleurs jaunes!» (*L'Art vivant*, 5 novembre 1927, n° 69, p. 869). La même année, le numéro 7/8 de *Cahiers d'Art* reproduisait avec l'*Odalisque à la culotte grise* la série des autres odalisques de la même inspiration, où reviennent systématiquement le brasero et la petite table Louis XV, de couleur verte. Certaines de ces œuvres figurent sur une photographie de l'atelier de Matisse à Nice, prise en 1928-1929 et reproduite dans le catalogue de l'exposition sur l'artiste, tenue en 1982-1983 à Zurich et Düsseldorf (ill. 38). Dans le même catalogue, une photographie inattendue de «Bonnard imitant la pose d'une odalisque chez Matisse», prise également en 1928-1929 (ill. 37), nous permet de reconnaître la petite table Louis XV et la tenture à lampas qui inspire le fond chamarré de l'*Odalisque à la culotte grise* et rend compte du milieu où s'élabore le travail de Matisse. Au premier plan, un divan ; derrière lui, la table Louis XV chargée d'un vase et, tendue entre deux poutres, la tenture à lampas que l'on retrouve aussi, avec le brasero, dans une nature morte à la mine de plomb, *Intérieur au brasero*, où divers objets remplacent l'odalisque habituelle sur le canapé rayé (exposition *Henri Matisse*, Galerie Dina Vierny, Paris, 1980, repr. p. 52). A l'arrière-plan, et se reflétant dans la glace d'une cheminée de vague style Louis XV, caractéristique de la fin du XIXe siècle, se distingue une autre tenture, décorée d'arcades et de motifs végétaux, et que l'on retrouve dans nombre d'œuvres de Matisse, dont le fameux *Paravent mauresque*.

L'artiste se fonde sur ces accessoires assez pauvres pour en dégager une vigueur qui, dans *Odalisque à la culotte grise*, rejoint celle de Matisse fauve. La puissance décorative est menée à son point extrême avec une très grande rigueur que sous-tend l'exigence du chromatisme percutant. Les bandes verticales du fond, diversement interprétées, s'articulent sur l'horizontale du divan, tandis que l'odalisque, rejetée hors du pittoresque anecdotique, rompt, avec l'aide des accessoires, la sécheresse assurée de cette seule disposition. A ce point, la figure féminine se dissout dans l'espace du tableau et dans ses différents éléments décoratifs auxquels elle est incorporée. H.G.

Historique :
P. Guillaume ; Mme J. Walter.

Expositions :
1927, Paris, *Salon d'Automne*, n° 1055 ; 1929, Paris ; 1931, Paris, Galerie Georges Petit, *Henri-Matisse*, n° 139 (repr.) ; 1966, Paris, n° 62 (repr.) ; 1978, Rome, Villa Medicis, *Henri Matisse*, n° 17 (repr.) ; 1981, Moscou, Musée des Beaux-Arts Pouchkine, *Moscou-Paris*.

Bibliographie :
L'Art Vivant, n° 69, 5 novembre 1927, p. 869 (repr. p. 884-885) ; *Cahiers d'Art*, n°s 7/8, 1927, p. 270 (repr.) ; *Les Arts à Paris*, n° 16, janvier 1929, p. 18 (repr.) ; W. George, s.d., p. 80 (repr.) ; A. Bertram, *Henri Matisse*, Londres, 1930 (pl. XXI) ; A. Barnes-V. de Mazia, *The art of Henri-Matisse*, New York-Londres, 1933, n° 174 ; G. Diehl, *Henri-Matisse*, Paris, 1954, p. 78, n° 100, p. 144 (repr.) ; R. Escholier, «Matisse et le Maroc», *Le Jardin des Arts*, n° 24, oct. 1956, p. 712 (repr.) ; *Tout l'œuvre peint*, n° 450 (repr.).

henri-matisse

Amedeo Modigliani

Livourne, 1884 - Paris, 1920

60

Fille rousse

Huile sur toile ; H. 0,405 ; L. 0,365
S.D.b.d. : *modigliani 1915*
RF 1960-46

Si le peintre chez Modigliani est imprégné du travail de sculpteur qu'il a accompli en compagnie de Brancusi, son inspiration n'est pour ainsi dire jamais marquée par les expériences de sa vie personnelle, souvent douloureuse, et ces figures anonymes qui se succèdent dans son œuvre sont des modèles qui servent de jalons à l'accomplissement de sa démarche esthétique.

Sans avoir appartenu au mouvement cubiste, Modigliani s'en rapproche ici par la géométrisation des volumes. Le cou réduit à une sorte de cylindre participe à cette simplification. Le visage oppose au fond minéral et rigide son début d'embonpoint, comme les sourcils, leur arrondi, la chevelure rousse, ses lignes ondulées, le menton, la bouche et le nez, leurs arabesques. Le regard est profond, mais il échappe au regard de l'artiste, conférant à ce visage une attitude dégagée et accomplie. La réduction des couleurs à un camaïeu gris et brun-rouge vient seulement rompre quelques éclats vert clair en haut à gauche.

Une légère dissymétrie dans l'éclairage et dans les traits, ainsi qu'une faible inclinaison de la tête atténuent la raideur et le hiératisme de la mise en page. La présentation du visage en gros plan, et le cadrage un peu court se retrouvent dans plusieurs portraits de 1914-1915. C'est à cette famille de tableaux que pensait Francis Carco, un des rares témoins du travail du peintre, quand il notait que Modigliani « arrachait à des fonds bitumeux et qui faisaient masse, le relief tourmenté d'un visage » (*L'éventail*, 15 juillet 1919). C.G.

Historique :
P. Guillaume ; Mme J. Walter.

Expositions :
1966, Paris, n° 119 (repr.) ; 1968, Tokyo, Grand magasin Seibu-Kyoto, Musée National d'Art Moderne, *Modigliani*, n° 14 (repr. coul.) ; 1981, Moscou, Musée Pouchkine, *Moscou-Paris, 1900-1930*, p. 309 ; 1983, Paris, Grand Palais, *Montmartre, les Ateliers du génie*, sans n°.

Bibliographie :
J. Lanthemann, 1970, n° 62 (repr. p. 175) ; *Tout l'œuvre peint*, n° 71 (repr.) ; «Notes d'André Derain», Manuscrit 6887 publié par G. Salomon, *Cahiers du Musée National d'Art Moderne, n° 5*, 1980, p. 351 ; J. Lassaigne, 1982, p. 24, fig. 71.

modigliani 1915.

61
Paul Guillaume, Novo Pilota

Huile sur carton collé sur contre-plaqué parqueté ; H. 1,05 ; L. 0,75
S.D.b.d. à la peinture noire : *MODIGLIANI ; 1915* (au-dessous)
I.h.g. sur deux lignes : *PAUL GUILLAUME*, h.d. : dessin de l'étoile de David et au-dessous *Stella MARIS*, b.g. rehaussée de deux lignes courbes entrecroisées, sur deux lignes, à la peinture verte mêlée d'une pointe de blanc : *NOVO PILOTA*, b.d. entre la signature et la date un dessin de svastika.

Modigliani et Paul Guillaume se sont connus en 1914 par l'entremise de Max Jacob (*Les Arts à Paris*, juin 1927, n° 13, p. 24). De l'avis de tous ses biographes, c'est une année importante pour l'artiste : il vient de rencontrer Béatrice Hastings, poétesse d'origine anglaise, qui, sous le nom d'Alice Morning tient la rubrique « Impressions of Paris » dans le périodique *The New Age* (Londres) et sert ainsi de témoin privilégié sur cette période. Cette liaison orageuse correspond à une étape très créatrice. Paul Guillaume installe le peintre dans un atelier à Montmartre non loin du Bateau-Lavoir. Le présent tableau a été, lui, réalisé chez Béatrice Hastings, rue Norvins, dans une maison qui avait été habitée autrefois par Émile Zola (*Les Arts à Paris*, n° 11, octobre 1925, p. 13). Il se rapproche, par le style et l'intention d'un autre portrait daté de 1916 où Paul Guillaume pose assis, buste de face, un bras accoudé à la chaise ; la même attitude pleine d'assurance se dégage du visage et du buste (Milan, Civica Galleria d'Arte Moderna). Deux portraits à l'huile de 1915 présentent dans le visage des déformations cubistes analogues : l'un à mi-buste sur un fond neutre (Gand, ancienne coll. Roland Leten) dans lequel le modèle pose nu-tête ; l'autre où le marchand, nu-tête également et en costume de ville, est peint dans sa bibliothèque, devant un piano droit qui limite l'arrière-plan (Toledo, Museum of Art). De nombreux dessins complètent cet ensemble.

Sur un fond à larges pans colorés, l'artiste fait l'éloge du grand collectionneur d'art africain qui a tout juste 23 ans et qu'il représente comme le jeune guide de la peinture contemporaine. Son nom en lettres capitales déborde des limites du cadre en haut à gauche ; en bas à gauche, « Novo Pilota », à droite, « Stella Maris » : autant d'inscriptions solennisantes que l'artiste intègre au portrait. La signature en petits caractères tracée avec application assez haut sur la droite permet d'imaginer le début d'une liste d'artistes susceptibles d'être pris en charge par le jeune marchand. Ses yeux sont à peine ouverts sur l'extérieur mais le regard est très sûr de lui. Le nez traité à la manière cubiste, la bouche mi-ouverte sur une moustache bien taillée et le menton qui pointe à l'avant sont autant de traits minutieux qui font contraste avec la forme polyédrique de la tête au front escamoté par le chapeau trop enfoncé. Les épaules tombantes estompent la présence du buste au profit du bras replié au geste quelque peu efféminé et de la main droite qui guide.

Ce portrait est révélateur de la démarche de l'artiste familier du cubisme, mais aussi d'une sorte de surenchère emphatique du marchand comme de l'artiste. Par son développement esthétique, il exprime la confrontation de deux personnalités opposées, mais ayant le même culte de l'art vivant.

C.G.

Historique :
P. Guillaume ; Mme J. Walter.

Expositions :
1926, Paris, n° 3102 ; 1929, Paris ; 1935, Paris, n° 59 ; 1937, Paris, n° 70 ; 1945, Paris, Galerie de France, n° 2 ; 1946, Paris, n° 61 ; 1958, Marseille, n° 8 ; 1958, Paris, n° 25 ; 1962, Paris, Galerie Charpentier, *Chefs-d'œuvre des Collections françaises*, n° 51 (repr.) ; 1966, Paris, n° 122 (repr.) ; 1978, Gand, Musée des Beaux-Arts, *« Bateau-Lavoir »*, n° 52 (repr.) ; 1981, Paris, n° 93 (repr.).

Bibliographie :
Les Arts à Paris, n° 11, oct. 1925, p. 13 (repr.) ; W. George, 1926, p. 94 ; W. George, 1929, p. 137 (repr. p. 139), p. 142, p. 152 ; W. George, 1929, *La Renaissance*, n° 4 (repr. p. 184) ; M. Georges-Michel, *Les Montparnos*, Paris, 1929, p. 53 ; A. Pfannstiel, 1929, Cat. prés. p. 7 ; M. Dale, 1929, pl. 28 ; *Les Cahiers de Belgique*, avril-mai 1931 (repr. p. 170) ; *Kunst und Dekoration*, août 1931 (repr.). ; A. Basler, 1931, pl. 6 ; J. Lassaigne, 1947, p. 123 ; G. di San Lazzaro, 1947, pl. coul. n° 1 ; A. Pfannstiel, 1956, p. 67, n° 40 ; A. Ceroni, *Amedeo Modigliani, peintre, suivi des « Souvenirs » de Lunia Czechowska*, Milan, 1958, n° 55 ; M. Hoog, *Peinture moderne*, Paris, 1959, p. 225 ; J.-P. Crespelle, *Modigliani. Les femmes, les amis, l'œuvre*, Paris, 1969, pp. 198-202, fig. H.T. ; J. Lanthemann, 1970, n° 110 ; *Tout l'œuvre peint*, n° 100 ; R.V. Gindertael, 1976, p. 38, pl. 12 ; C. Mann, 1981, pp. 117, 120, fig. 80 ; J. Lassaigne, 1982, p. 30, fig. 100.

GUILLAUME
MODIGLIANI

62

Antonia

Huile sur toile ; H. 0,82 ; L. 0,46
S.b.d. à la peinture noire : *modigliani*
I.h.g. : dans un rectangle d'empâtement beige, dans l'épaisseur de la pâte à la peinture noire : *Antonia* suivi du dessin d'un signe doublement cruciforme.
RF 1963-70

Ce portrait, dont on ne connaît du modèle que le prénom, est daté traditionnellement de 1915 et présente quelques analogies (cou allongé en forme de cylindre, lignes géométriques du fond, contour du visage arrondi) avec des figures féminines de cette période, *Madame Pompadour* (Chicago, Art Institute, Joseph Winterbotham Collection), *Fille rousse* (n° 60) ou *Portrait d'une femme rousse* (Turin, Galleria d'Arte Moderna).

Antonia révèle une utilisation très libre des procédés cubistes, Modigliani, n'ayant jamais véritablement appartenu au mouvement : la double ligne du nez, le dessin de l'oreille et de la chevelure suggèrent le rendu du profil du modèle. Les yeux sont réduits à deux taches ovales et pourtant la jeune femme est très présente, révélant une certaine complicité avec l'artiste. La robe sombre est rappelée par la tenture du fond. Dans cette harmonie de brun et de bleu foncé, la fenêtre n'apporte pas de lumière, mais l'axe de sa croisée est sur l'axe du visage et rappelle le signe doublement cruciforme qui suit l'écriture du prénom d'Antonia ; le graphisme du prénom, en lettres qui se détachent sur un fond semblable à celui du visage par la touche, ajoute une correspondance supplémentaire à l'évocation de la jeune femme.

Si Modigliani n'utilise pas les moyens habituels — regard, traits expressifs du visage — pour exprimer ses sentiments à l'égard du modèle, il possède son langage pictural propre et riche de signes suggestifs. C.G.

Modigliani, *Madame Pompadour*, Chicago, Art Institute

Historique :
P. Guillaume ; Mme J. Walter.

Expositions :
1923, Prague, *Vystava francouzskèho unémi XIX. a XX stoleti*, n° 275 ; 1958, Paris, Galerie Charpentier, *Cent tableaux de Modigliani*, n° 27 ; 1966, Paris, n° 120 (repr.) ; 1978, Paris, n° 93 ; 1980, Athènes, n° 20 (repr. coul.) ; 1981, Paris, M.A.M., n° 91 (repr.).

Bibliographie :
A. Pfannstiel, 1929, Cat. prés. p. 8 ; A. Pfannstiel, 1956, n° 45, p. 69 ; J. Lanthemann, 1970, n° 75 ; *Tout l'œuvre peint*, n° 59 (repr.) ; R.V. Gindertael, 1976, p. 33, pl. coul. 7 ; D. Hall, *Modigliani*, Edimbourg, 1979 (pl. coul. 19) ; J. Lassaigne, 1982, p. 22, fig. 59.

ANTONIA

Amedeo Modigliani

63
Femme au ruban de velours

Huile sur papier collé sur carton ; H. 0,540 ; L. 0,455
S.b.g. : *modigliani*
RF 1960-45

Avec cette figure, se fait jour, dans sa variété, l'esprit de recherche de l'artiste. Elle se rattache aux portraits de ses débuts par les teintes sombres qui la composent. Elle laisse présager ce que sera le style de la fin de sa vie par la dominante de ses lignes sinueuses.

Femme au ruban de velours n'est pas une œuvre isolée. Une esquisse à la mine de plomb (Exp. Paris, 1981, *Tête de femme,* 0,42 × 0,25, repr. p. 194, n° 150, coll. part., Paris) présente le modèle en quelques traits de crayon. Un dessin plus proche du tableau met en place les lignes de l'arrière-plan qui donnent naissance au cadre forestier tout à fait inattendu chez l'artiste et souligne par les épaisseurs du trait les ombres qui isolent le visage du fond, rehaussant la pureté de ses courbes (*Tête de femme,* 0,48 × 0,36, vente New York, Parke-Bernet, 12 mai 1965, n° 43). S. Delbourgo et L. Faillant-Dumas (Exp. Paris, 1981, pp. 41, 44) rapprochent à l'aide des résultats radiographiques la facture du visage de ce modèle de celui de *Nu assis* (Exp. Paris, 1981, fig. 24, coll. part., Paris).

Le peintre procède avec une grande sobriété de moyens pour tracer le contour du visage d'une seule ligne fluide. Il démarque fortement la coiffure relevée à la teinte sombre, de même que le ruban de velours dans son austérité linéaire rompt la sinuosité des lignes du visage, des épaules et de l'habillement. Cette pureté de la ligne, liée à l'expression hiératique du visage sans regard, évoque les masques nègres dont Modigliani assimile certains éléments pour alimenter sa démarche esthétique.

C.G.

Historique :
P. Guillaume ; Mme J. Walter.

Expositions :
1929, Paris ; 1958, Paris, n° 26 ; 1966, Paris, n° 121 (repr.) ; 1968, Tokyo, Grand magasin Seibu-Kyoto, Musée National d'Art Moderne, *Modigliani,* n° 13 (repr. coul.) ; 1981, Tbilissi-Leningrad, n° 26 (repr. coul.).

Bibliographie :
W. George, s.d., p. 145 (repr.) ; A. Ceroni, *Amedeo Modigliani, peintre,* suivi des « *Souvenirs* » *de Lunia Czechowska,* Milan, 1958, n° 41 (repr. p. 47) ; *Tout l'œuvre peint,* n° 63 (repr.) ; J. Lanthemann et C. Parisot, 1978, p. 114, n° 103 ; J. Lassaigne, 1982, p. 24, fig. 63.

Modigliani

64

Le jeune apprenti

Huile sur toile ; H. 1,00 ; L. 0,65
S.h.g. à la peinture noire : *modigliani*
RF 1963-71

L'admiration que Modigliani professe pour l'œuvre de Cézanne apparaît dans une série de portraits où l'artiste s'intéresse aux recherches des rapports profonds entre la figure et son environnement. Ici, la chaise et la table semblent participer à la pose du modèle en libérant les tensions de la tête et du corps par leur rôle de soutien. Le rapport est analogue dans *Elvire assise, accoudée à une table* (Saint-Louis, City Art Museum, don J. Pulitzer Jr.) ainsi que dans une série de tableaux de jeunes garçons réalisés entre 1917 et 1919 : *Petit garçon roux* (Villeneuve-d'Ascq, Musée d'Art Moderne du Nord, donation Masurel), *Le garçon à la veste bleue* (Indianapolis, Museum of Art, don de Mrs. Julian Bobbs en mémoire de William Ray Adams), *Le jeune homme assis* (Paris, coll. part.) et surtout *Le paysan* (Londres, Tate Gallery). On peut les rapprocher des portraits de buveurs et de fumeurs de Cézanne (Venturi, n°s 679 et suivants) spécialement *le Fumeur*, du Musée Pouchkine (Moscou) : même attitude, même recherche d'une expression méditative, même unification de la surface picturale. Emprunt précis, ou rencontre ? L'œuvre n'en reste pas moins insérée dans la méthode de stylisation propre à Modigliani où la netteté des contours et l'aplatissement des formes viendraient plutôt d'une leçon reçue de Gauguin.

Les contours de la figure sont adoucis par des lignes sinueuses que des teintes plus claires que celles des œuvres précédentes contribuent à alléger. Le visage et les mains sont traités avec une économie de moyens surprenante qui rappelle l'expérience de sculpteur de l'artiste : des touches écrasées sur des mains à peine formées qui révèlent plus de force que d'adresse. C.G.

Cézanne, *Le fumeur*,
Moscou, Musée Pouchkine

Historique :
L. Zborowski, Paris ; P. Guillaume ; Mme J. Walter.

Expositions :
1929, Paris ; 1935, Paris, n° 427 ; 1945, Paris, Galerie de France, *Modigliani 1884-1920. Peintures,* n° 24 ; 1958, Paris, n° 54 (repr.) ; 1966, Paris, n° 123 (repr.) ; 1980, Athènes, n° 21 (repr. coul.) ; 1981, Paris, n° 96 (repr.).

Bibliographie :
Les Arts à Paris, mai 1928, (repr. p. 27) ; W. George, s.d. (repr. p. 141), p. 152 ; W. George, *La Renaissance,* n° 4, avril 1929, p. 182 ; A. Pfannstiel, 1929, cat. pré. p. 38, pl. p. 11 ; F. Neugass, « Modigliani », *L'Amour de l'Art,* mai 1931, p. 196 (fig. 32, 33), p. 197 ; A. Basler, 1931, pl. 21 ; F. Neugass, « Les sources de l'art d'Amedeo Modigliani », *L'Art et les Artistes,* 1934, n° 149, p. 333 (repr.) ; *Apollonio,* 1950, p. 170 ; G. Jelidka, *Modigliani, 1884-1920,* Erlenbach-Zurich, 1952, pl. 35 ; A. Pfannstiel, 1956, p. 134, n° 241 ; A. Ceroni, *Amedeo Modigliani, peintre, suivi des « Souvenirs » de Lunia Czechowska,* Milan,1958, n° 103 ; J. Lanthemann,, 1970, n° 372 ; *Tout l'œuvre peint,* 1972, n° 258 ; R.V. Gindertael, 1976, p. 55, pl. coul. 29 ; J. Lanthemann et C. Parisot, 1978, n° 372 (repr. p. 133) ; D. Hall, *Modigliani,* Edimbourg, 1979, pl. 40 ; B. Zurcher, *Modigliani,* Paris, 1980, pl. 48 ; J. Lassaigne, 1982, fig. 258, p. 74.

modigliani

Claude Monet

Paris, 1840-Giverny, 1926

65

Argenteuil

Huile sur toile, H. 0,56 ; L. 0,67
S.b.g. : *Claude Monet*
RF 1963-106

Vers 1875, les bords de rivière, et spécialement les bords de la Seine près d'Argenteuil, fournissent à Claude Monet le sujet de nombreux tableaux. Celui-ci appartient à une série datée de 1875 (Wildenstein, n°s 368 à 372) représentant le même site avec quelques variantes de cadrage et de disposition dans les bateaux. Si on y ajoute les toiles peintes au même lieu l'année précédente, dont le célèbre *Pont d'Argenteuil* (Jeu de Paume, legs Personnaz), on peut voir dans cette répétition l'annonce du travail par *séries* que Monet développa surtout après 1891.

Le grand ciel ponctué de quelques nuages, et surtout la surface même de l'eau permettent à Monet l'étude des reflets lumineux, dont il rend les nuances les plus fugitives grâce à un fractionnement de la touche très poussé. Les ombres sont légères et colorées. Autant d'éléments, avec l'absence d'anecdote, qui scandalisèrent les contemporains habitués à une peinture sombre et léchée, et qui se montrèrent longtemps insensibles à la poétique impressionniste. Quant à la composition, si elle n'est plus tout à fait fidèle aux règles traditionnelles, elle n'en est pas moins construite avec précision, grâce aux lignes des mâts.

Un récent nettoyage vient de rendre son éclat délicat à ce tableau qui a appartenu au peintre Romaine Brooks, l'amie de Natalie Clifford Barnay, l'amazone de R. de Gourmont, l'une et l'autre liées avec le tout-Paris littéraire et artistique de l'entre-deux-guerres. M.H.

Historique :
Romaine Brooks, Nice (vers 1921) ; Mme J. Walter (vers 1955).

Expositions :
1921, Biebrich, *Art français*, n° 377 ; 1931, Paris, Orangerie des Tuileries, *Monet*, n° 69 ; 1966, Paris, n° 18 (repr.) ; 1980, Athènes, n° 22 (repr. coul.) ; 1981, Tbilissi-Leningrad, n° 27 (repr. coul.).

Bibliographie :
J. Bouret, « L'éblouissante collection Walter », *Réalités*, n° 239, déc. 1965 (repr. coul.) ; Bortolatto, *Claude Monet*, Milan, 1972, n° 129, pp. 96-97 (repr.) ; D. Wildenstein, *Claude Monet, biographie et catalogue raisonné*, vol. 1, Paris, 1974, n° 370 (repr.) ; J. House, *Monet*, Oxford, 1977, p. 33, n° 17 (repr. coul.) ; M. Hoog, *Monet*, Paris, 1978, n° 35 (repr. coul.) ; J. Isaacson, Claude Monet. *Observation et réflexion*, Neuchâtel, 1978, p. 109, n° 48 (loc. erronée) (repr. coul.).

Monet, *Les bateaux rouges à Argenteuil*, Cambridge, Mass., Fogg Art Museum

Pablo Picasso

Malaga, 1881-Mougins, 1973

66

L'étreinte

1903
Pastel ; H. 1,00 : L. 0,60
S.h.d. au crayon bleu : *Picasso*
RF 1960-34

La majeure partie des œuvres anciennes de Picasso décrivent un monde imprégné de gravité, voire de tristesse. Ici, tout détail descriptif, sentimental ou larmoyant est supprimé au profit d'une présentation où la nudité totale, la simplicité du geste de tendresse, la réduction du lit et de l'alcôve à des surfaces quasi abstraites rendent problématique tout commentaire de caractère anecdotique ou littéraire. L'occultation des visages (très rare chez Picasso dont toute l'œuvre trahit une hantise de l'expression physiognomonique) contribue encore à refuser à ce tableau important et élaboré, une signification simpliste. On ne peut compter, pour préciser cette signification, sur le rapprochement, souvent fait, avec le couple de *La Vie* (Musée de Cleveland) où l'homme s'écarte de la femme et dont l'interprétation n'est pas claire.

Contrairement à l'habitude de Picasso à cette époque, les couleurs ne sont pas réduites à un camaïeu arbitraire ; on a ici des colorations simplifiées, certes, mais plausibles, et reproduisant curieusement le tricolore du drapeau français.

Le thème a tenté d'autres artistes vers 1900, mais ce qui était vérisme miséreux chez Steinlen, dramatisation intense chez Munch, somptuosité décorative chez Klimt, prend chez Picasso, une grandeur monumentale et intemporelle. Palau insiste sur le « romanisme » qui, ici, dit-il, « s'est substitué au « gothicisme » non seulement parce que le haut du corps des personnages enlacés forme un arc en plein cintre, mais aussi en raison du poids des volumes qui paraissent appeler la sculpture » *(loc. cit.)*.

Palau met en relation un certain nombre de dessins (n°s 849-855) avec ce pastel. Trois d'entre eux (849-851, Paris, Musée Picasso) sont de rapides croquis montrant un couple dont la femme est comme ici, visiblement enceinte, mais où les deux personnages s'affrontent et gesticulent. Deux autres (854, Musée Picasso n°s 474 et 855, coll. part.) sont plus proches du pastel.

Cette technique du pastel, sans être exceptionnelle chez Picasso, n'est pas cependant d'un emploi fréquent dans des œuvres d'aussi vaste dimension. M.H.

Historique :
A. Vollard, Paris ; P. Guillaume ; Mme J. Walter.

Expositions :
1918 : Paris, Galerie Paul Guillaume, *Œuvres de Matisse et de Picasso*, n° 25 ; 1931, New York, Galerie Demotte, *Picasso* ; 1932, Paris, Galerie Georges Petit, h.c. ; 1946, Paris, h.c. ; 1950, Paris, Galerie Charpentier, *Autour de 1900*, n° 135 ; 1960, Paris, MNAM, *Les sources du XXe siècle*, n° 551 ; 1966, Paris, n° 92 (repr.) ; 1966, Paris, Grand Palais, *Picasso, Peinture*, n° 16 (repr.) ; 1967, Amsterdam, Stedelijk Museum, *Picasso*, n° 5.

Bibliographie :
C. Zervos, « Picasso, œuvres inédites anciennes », *Les Cahiers d'Art*, n°s 5/6, 1928, P. 216 (repr.) ; *Les Arts à Paris*, n° 17, mai 1930, p. 6 (repr.) ; A. Jakovski, « Midis avec Picasso », *Art de France*, n° 6, 1946, p. 10 (repr.) ; J. Lassaigne, 1947, (pl. p. 147) ; J. Lassaigne, *Picasso*, Paris, 1949, n° 10 (repr.) ; A. Cirici-Pellicer, *Picassó avant Picasso*, Genève, 1950, n° 170 (repr.) ; F. Elgar, R. Maillard, *Picasso*, Paris, 1955 (repr.) ; D. Sutton, *Picasso Peintures/époques bleue et rose*, Paris, 1955, pl. VI ; C. Zervos, 3e éd. 1957, T. 1, n° 161, p. 76 ; A. Blunt, Ph. Pool, *Picasso, the formative years. A study of his sources*, Londres, 1962, n°s 85-90 (analogies) ; P. Cabanne, « Picasso », *La galerie des Arts*, mai 1966, n° 34 (repr. p. 16) ; P. Daix, G. Boudaille, 1966, IX. 12 (repr.) ; A. Fermigier, Paris, 1969, p. 36 (repr. p. 37) ; D. Porzio, M. Valsecchi, 1973, *Connaître Picasso*, p. 109 (repr. coul.) ; F. Elgar, *Picasso*, Paris, 1974, n° 12 (repr.) ; J. Palau i Fabre, « Les années de formation », *Pablo Picasso*, Paris, 1975 (Intr. J. Cassou), repr. p. 71 ; Th. Reff, « Temas de amor y muerte de las obras juveniles de Picasso », *Picasso 1881-1973*, Barcelone, 1974, pp. 21-24 (texte anglais dans *Picasso in retrospect*, New York, 1980, p. 24) ; P. Cabanne, *Le siècle de Picasso*, t. 1, Paris, 1975 (repr. p. 124), p. 127 ; T. Hilton, *Picasso*, New York, 1975, p. 40, n° 23 (repr.) ; *Tout l'œuvre peint*, n° 88 (repr.) ; J. Palau i Fabre, 1981, n° 856 (repr.).

67
Les adolescents

Huile sur toile ; H. 1,57 ; L. 1,17
S.h.d. dans le ton, au pinceau : *Picasso*
RF 1960-35

Ce tableau peu connu et rarement exposé (il n'a figuré à aucune des grandes rétrospectives européennes ou américaines de ces vingt dernières années, sans doute à cause de sa fragilité) est une des plus grandioses créations de la période de Gosol, le village d'Espagne où Picasso séjourne en 1906 (la date de 1905 donnée par Zervos est une erreur évidente corrigée partout depuis). On a souvent insisté sur le caractère sculptural et antiquisant de ces toiles d'un « classicisme rose » représentant des nus dont le dépouillement, la rigidité et l'absence d'accessoires modernes contrastent avec les œuvres de l'époque expressionniste précédente, où les personnages sont en général *situés.* Jean Cassou aime à souligner le caractère méditerranéen de cette phase passagère de l'art de Picasso et sa parenté avec l'art de Maillol.

A la différence des *Deux frères*, représentés l'un portant l'autre, proches par le style et la technique (deux versions : Bâle, Kunstmuseum, et Paris, Musée Picasso), ici aucun élément anecdotique ne vient provoquer le commentaire.

Une troisième version différente des *Deux frères*, l'un debout, l'autre assis (Washington, National Gallery, coll. Chester Dale) est plus proche ; apparemment isolées, les deux figures y sont comme ici reliées par des liens plastiques subtils. Mais, dans le présent tableau, le dépouillement est encore plus grand.

La figure de gauche a été préparée par deux esquisses (Palau, 1237, Galerie Berggruen, Paris et Palau, 1240, Worcester, Art museum), où le personnage est à chaque fois situé dans l'espace par des indications sommaires d'arcades et de sol, tandis que la présente version peinte atteint la monumentalité par absence d'accessoires. Il n'existe pas d'étude directe pour la figure de droite au corps d'adolescent androgyne. Il est d'ailleurs possible que Picasso ait fait poser le même modèle deux fois, en modifiant légèrement sa carrure. L'attitude qu'il a donnée à la figure de droite ne serait-elle pas inspirée de celle de la porteuse d'amphore de l'*Incendie du Borgo*, de Raphaël (Chambres du Vatican) dont la reproduction se trouvait partout ? En ce cas, selon un processus de dissociation fréquent chez Picasso, un autre groupe de la même fresque (l'homme portant un vieillard) aurait pu lui suggérer les *Deux frères* déjà cités et peints dans le même temps.

Des lignes ondulantes se devinent sous les jambes des deux personnages. Il s'agit de l'esquisse d'une autre composition en largeur, effacée par l'artiste. M.H.

Historique :
A. Vollard, Paris ; P. Guillaume ; Mme J. Walter.

Expositions :
1932, Paris, Georges Petit, n° 42 ; 1932, Zurich, Kunsthaus, *Picasso*, n° 33 ; 1936, New York, Jacques Seligmann, *Picasso « blue » and « rose » periods 1901-1906*, n° 30 (repr.) ; 1961, Vallauris, *Hommage à Pablo Picasso*, n° 1 ; 1966, Paris, n° 93 (repr.) ; 1980, Paris, Palais de Tokyo, Musée d'Art et d'Essai, *La grisaille*, sans n°.

Bibliographie :
Les Arts à Paris, n° 17, mai 1930, p. 19 (repr.) ; W. George, *Formes IV*, avril 1930 (repr. fig. 1) ; *Formes*, XII, février 1931, p. 1 (publicité) ; J. Merli, *Picasso, el artista y la obra de nuestro tiempo*, Buenos Aires, 1948, n° 137 ; D. Sutton, *Picasso, peintures/époques bleue et rose*, Paris, 1955, pl. XIV ; C. Zervos, 3e éd., 1957, t. 1, n° 324, p. 150 ; P. Daix, G. Boudaille, 1966, XV, n° 11 (repr.) ; J. Palau i Fabre, 1981, n° 1239 (repr.).

Picasso,
Garçon aux bras levés,
Paris, coll. Berggruen

68

Composition : Paysans

Gouache sur papier ; H. 0,70 ; L. 0,50
S.b.g. au crayon rouge : *Picasso*
RF 1963-76

Cette grande gouache est une étude pour une des œuvres les plus importantes (2,18 × 1,30, Merion, Fondation Barnes, Zervos, I, 384) et des plus complexes de Picasso avant les *Demoiselles d'Avignon*. Le 17 août 1906, Picasso écrit à son ami Leo Stein « je suis en train de faire un home avec une petite fille. Ils porten des fleur dans un panier à cote d'eux des bœufs et du blé quelqu chose comme ça » *(sic)* ; joint un croquis (Palau, p. 466).

La composition définitive est plus vivement colorée que cette esquisse ; les fleurs, ici légèrement suggérées, y mêlent le rouge, le jaune, le rose et le vert. La toile est encombrée ; la disproportion des personnages, la mise en page un peu chaotique et en déséquilibre, l'absence de profondeur ont conduit Alfred Barr à déceler une réminiscence de Greco. Il s'agit sans doute moins d'une source précise *(Saint Joseph et l'enfant Jésus)* comme le suggèrent plusieurs auteurs, que de procédés communs : allongement et stylisation des figures, disproportion des personnages, refus de la perspective, autant de caractères qui permettent d'avancer aussi le nom de Gauguin.

Au vrai, l'année 1906 représente pour Picasso une période de recherche intense mais non homogène, où, faisant son profit d'une culture visuelle déjà très étendue, il renonce peu à peu au naturalisme des périodes précédentes au profit d'une stylisation qui va le conduire quelques mois plus tard aux *Demoiselles d'Avignon*. Mais une telle recherche, cohérente dans sa ligne générale, n'exclut pas les tentatives divergentes ; les *Paysans* de Gosol en donnent l'exemple.

Le thème paysan, à la limite de la scène de genre, pourrait trouver sa référence dans la littérature ou la poésie de l'époque. On pense à une couverture de chanson de rues. Œuvres un peu marginales et déroutantes dans la production de Picasso, cette étude préparatoire, tout comme la version définitive (dont la présence dans la fondation Barnes n'a certes pas favorisé la diffusion) ont été très rarement exposées ou reproduites. Daix-Boudaille (XV, 58 à 61) et Palau (n°s 1323 à 1330) regroupent un certain nombre d'études préparatoires, qui montrent l'élaboration de la composition définitive ; pour Palau celle de la collection Walter-Guillaume est encore exécutée à Gosol, avant le retour à Paris, et serait la plus ancienne. En fait, ces études diffèrent par leur degré d'inachèvement, et par des détails de mise en place ; mais dès le croquis de la lettre citée plus haut, la composition est trouvée pour l'essentiel. Seule variante notable, dans le n° 1324 de Palau (coll. part.), apparaît à gauche une figure supplémentaire qui n'est peut-être qu'une « idée » pour une position différente du personnage féminin. M.H.

Historique :
New York, Galerie Valentine Dudensing ; P. Guillaume ; Mme J. Walter.

Expositions :
1948, Paris, Galerie Charpentier, *Danse et Divertissements*, n° 167 (repr. avec légende : « danseurs ») ; 1966, Paris, n° 94 (repr.).

Bibliographie :
C. Zervos, 1957, I, n° 312, p. 140 ; P. Daix et G. Boudaille, 1966, XV, n° 61 (repr.) ; *Tout l'œuvre peint*, n° 288 (repr.) ; J. Palau i Fabre, 1981, n° 1323 (repr.).

Picasso, Lettre à Léo Stein, 17 août 1906

Pablo Picasso

69
Femme au peigne

Gouache sur papier ; H. 1,39 ; L. 0,57
S.b.d. au crayon rouge : *Picasso*
RF 1963-75

En 1906, Picasso a représenté un certain nombre de fois une femme se coiffant. Les versions les plus proches de celle-ci comme attitude sont un bronze (Spies, 7, Baltimore, Museum of Art), un dessin, comportant plusieurs croquis dans des poses légèrement différentes (coll. part. Zervos, VI, 751), et un autre dessin, de facture plus soignée (Grande-Bretagne, Norwich University of East Anglia), que W. Rubin date respectivement du printemps, de l'été et de l'automne 1906 (catalogue New York, 1980, pp. 74-75). Toutes présentent la femme accroupie et le bras droit replié vers l'épaule gauche.

Le déséquilibre du corps, le raccourci du dessin, la disproportion de la tête donnent un caractère étrange à cette œuvre un peu atypique ; exécutée pour Daix-Boudaille à Paris et pour Rubin à Gosol (donc avant la mi-août 1906, cf. n° 68), elle contraste avec le caractère plus calme et plus statique des autres figures de l'été 1906 (cf. n° 67).

On peut se demander si l'apparent désaccord entre les deux parties du corps ne viendrait pas du mode d'exécution. Cette gouache a sans doute été exécutée à plat sur un carton qui porte en son centre la trace d'une forte pliure. Un changement de position du carton sur la table aurait entraîné une discontinuité à la manière d'un *cadavre exquis*, mais que Picasso a assumée. M.H.

Historique :
P. Guillaume ; Mme J. Walter.

Expositions :
1929, Paris ; 1966, Paris, n° 96 (repr.) ; 1980, New York, The Museum of Modern Art, *Pablo Picasso, a retrospective* (repr. coul. p. 71) ; 1981, Madrid, Museo español de Arte contemporáneo ; 1982, Barcelone, Museo Picasso, *Picasso, 1883-1973*, n° 42 (repr.).

Bibliographie :
W. George, s.d. (repr. p. 118) ; H. Mahaut, *Picasso*, Paris, 1930, pl. 10 ; C. Zervos, 3ᵉ éd. 1957, I, n° 337, pl. 158 ; P. Daix et C. Boudaille, 1966, n° XVI, 5 (repr.) ; Palau i Fabre, 1980, I, 368 ; *Tout l'œuvre peint*, n° 338 (repr.) ; J. Palau i Fabre, 1981, n° 1368 (repr.) ; P. Cabanne, « Picasso », *La Galerie des Arts*, n° 34, mai 1966, p. 18.

Pablo Picasso

70
Nu sur fond rouge

Huile sur toile ; H. 0,81 ; L. 0,54
S.h.d. : *Picasso*
RF 1963-74

Cette simple figure est une des plus significatives de la fin de 1906, moment essentiel dans la maturation si rapide de l'art de Picasso (la date de 1905, donnée par Zervos est évidemment fausse). C'est en 1906 que s'achèvent le naturalisme et les recherches expressives des périodes bleue et rose. Les couleurs se simplifient, le modelé se durcit et devient sculptural. C'est à cette époque que se place l'intervention des arts primitifs et notamment des masques nègres dans l'évolution de Picasso dont l'importance et le rôle ont été l'objet de tant de controverses (cf. J. Laude, *la Peinture française et « l'art nègre » (1905-1914),* Paris, 1962, et A. Fermigier, *op. cit.*). Ce visage de femme, aux traits durement déformés, aux méplats accentués, au regard vide, appelle évidemment la comparaison avec les sculptures africaines qu'il connaissait. *Les Demoiselles d'Avignon* ne sont que de quelques mois postérieures. Cependant, le geste de la main gauche, la sinuosité de l'épaule et des hanches, la retombée des cheveux, si gracieusement dissymétrique, et dont Picasso joue fréquemment, sont autant d'éléments qui maintiennent ici un sentiment de vie paisible, sans rapport avec l'âpreté des œuvres de la période suivante.

Le thème de la femme se coiffant ou tenant sa chevelure est fréquent chez Picasso en 1905-1906, soit comme figure isolée, soit insérée dans une composition complexe (*Le Harem*, Musée de Cleveland). Aucune n'est véritablement proche de celle-ci. M.H.

Historique :
A. Vollard, Paris ; P. Guillaume ; Mme J. Walter.

Expositions :
1929, Paris ; 1932, Paris, Galerie Georges Petit, *Picasso*, n° 30 ; 1932, Zurich, Kunsthaus, *Picasso*, n° 32 ; 1935, Springfield ; 1950, Paris, Galerie Charpentier, *Autour de 1900*, n° 136 (repr.) ; 1966, Paris, n° 95 (repr.) ; 1966, Paris, Grand Palais, *Picasso, Peinture*, n° 37 (repr.) ; 1980, Athènes, n° 23 (repr. coul.) ; 1981, Tbilissi-Leningrad, n° 29 (repr.) ; 1982, Rome, Villa Medicis, *Picasso e il Mediterraneo* n° 3 (repr.) ; 1983, Paris, Grand Palais, Salon des Indépendants, *Montmartre, les ateliers du génie*, p. 25 (repr.).

Bibliographie :
W. George, s.d., p. 119 (repr.) p. 122 ; W. George, *La Renaissance*, 1929, n° 4 (repr. p. 183) ; H. Mahaut, *Picasso*, Paris, 1930, pl. 11 ; W. George, « L'exposition Picasso chez Georges Petit », *Formes*, n° 25, mai 1932 (repr.) ; *Les Cahiers d'Art*, n°s 3/5, 1932, p. 15 (repr.) ; P. Eluard, *A Pablo Picasso*, Genève-Paris, 1944, p. 71 (repr.) ; J. Sabartès, *Picasso*, Paris, 1946, pl. 2 (repr.) ; C. Zervos, 3e éd. 1957, n° 328, p. 152 ; P. Daix, *Picasso*, Paris, 1964, p. 54 (repr.) ; J. Bouret, « L'éblouissante collection Walter », *Réalités*, n° 239, déc. 1965 (repr. coul.) ; P. Daix et G. Boudaille, 1966, p. 321, pl. XVI, 8 (repr. coul. p. 317) ; A. Fermigier, Paris, 1969 (repr. p. 74) ; F. Elgar, *Picasso*, Paris, 1974, n° 23 (repr.) ; J. Palau i Fabre, « Les années de formation », *Pablo Picasso*, Paris, 1975 (introduction J. Cassou), repr. coul.p. 81 ; *Tout l'œuvre peint* n° 341 (repr.) ; J. Palau i Fabre, 1981, n° 1359 (repr.).

Pablo Picasso

71
Grande nature morte

Huile sur toile ; H. 0,87 ; L. 1,16
S.b.d. à la peinture : *Picasso*
RF 1963-80

Après la stricte période cubiste, Picasso revient à un art plus détendu, où les objets reprennent une apparence plus lisible. Cependant un certain nombre de procédés ou de pratiques des années 1911-1913 sont encore présents dans cette nature morte de 1917 : ainsi, la table, selon un dispositif hérité de Cézanne, est vue à la fois de côté et de haut en bas. Il en est de même pour une partie des objets répartis dans un apparent désordre, comme le compotier, la bouteille et le verre à pied, accessoires habituels des natures mortes cubistes. Peu de couleurs ; le camaïeu brun, mis en valeur par le rectangle noir, est aussi celui de l'époque cubiste. Les contours sont soulignés d'un trait sombre.

Tous ces objets flottent au centre du tableau, au milieu d'un espace préservé, le pourtour de la toile ayant été laissé vierge par Picasso ; mais l'emplacement de la signature prouve bien que cet inachèvement est voulu.

Le dispositif général, la multiplicité des points de vue, le choix et la répartition des objets viennent évidemment de Cézanne. Mais il s'agit ici plus que d'une leçon diffuse : Picasso a repris, en les soumettant aux mêmes impératifs formels, les éléments de deux des plus célèbres natures mortes de Cézanne : celle (coll. part.) qui ayant appartenu à Gauguin, est reproduite au centre de l'*Hommage à Cézanne* de Maurice Denis (Musée d'Orsay, Palais de Tokyo) et la *Nature morte avec bouteille, verre et oignons* (Musée d'Orsay, Jeu de Paume). M.H.

Historique :
P. Guillaume ; Mme J. Walter.

Expositions :
1966, Paris, n° 97 (repr.) ; 1980, Athènes, n° 24 (repr. coul.) ; 1981, Tbilissi-Leningrad, n° 30 (repr.).

Bibliographie :
Ch. Zervos, 1949, vol. 3, n° 211, pl. 76.

Pablo Picasso

72

Femmes à la fontaine

Huile sur toile ; H. 0,50 ; L. 0,52
S.b.d. au crayon bleu : *Picasso*
RF 1963-78

73

Femmes à la fontaine

Huile sur toile ; H. 0,19 ; L. 0,24
S.D.b.d. à l'encre noire : *Picasso 21*
RF 1963-79

Pendant un séjour à Fontainebleau où il passe, avec sa famille, l'été de 1921, peut-être influencé par le nom même de la ville, peut-être aussi par le décor peint au château par Le Rosso pour François Ier, Picasso étudie une grande composition ayant pour thème *Trois femmes à la fontaine* ; la version définitive se trouve à New York au Museum of Modern Art.

Ces deux petits tableaux font partie de la série des esquisses préparatoires. W. Rubin dénombre au moins neuf dessins et peintures traitant ce sujet et sept études de détail, têtes ou mains. « Au fur et à mesure de l'avancement des esquisses, aussi bien la femme de droite (dont les mains sont nouées autour de ses jambes croisées dans les premières versions) que celle de gauche, s'inclinent de plus en plus vers le centre de la composition. » (W. Rubin, *Picasso in the collection of the Museum of Modern Art*, New York, 1972.)

Les deux esquisses de la collection Walter-Guillaume doivent donc être placées au tout début de la genèse de l'œuvre définitive. Si le personnage central et celui de gauche ne subissent pas de grands changements d'une version à l'autre, en revanche, celle de gauche marque une nette variante. Portant sa cruche sur la tête raide et hiératique à la façon d'une canéphore dans le n° 73, elle est accoudée au rocher dans une pose déjà plus souple et tient la cruche de son bras droit tendu dans le n° 72. L'origine des deux attitudes est peut-être à chercher dans l'*Eliezer et Rébecca* de Poussin (Louvre). Mais déjà apparaissent dans sa tunique les plis raides et verticaux de la version définitive, évidemment inspirés de la statuaire grecque antique. M.H.

Picasso, *Trois femmes à la fontaine*, New York, Museum of Modern Art

Historique :
P. Guillaume ; Mme J. Walter.

Exposition :
1966, Paris, n°s 98 et 99 (repr.).

Bibliographie :
Non mentionnés par Zervos.

72

73

74

Grande baigneuse

Huile sur toile ; H. 1,82 ; L. 1,015
S.D.b.d. : *Picasso 21*
RF 1963-77

Cette toile appartient à la période dite néo-classique de l'œuvre de Picasso, qui se développe au cours des années 1919-1924 parallèlement à d'autres peintures dont l'inspiration reste tributaire du cubisme. « ... Picasso a mené de front et avec la même incontestable maîtrise l'art qui prolonge pour lui l'ancienne tradition et celui qui pouvait être le fondement d'une tradition nouvelle. » (P. Reverdy, *Pablo Picasso*, 1924).

Ces souvenirs de l'art antique, grec ou romain, on les retrouve tout au long des années de formation de Picasso. Mais au cours de la période 1919-1924, « l'esprit seul (...) est antique, car en fait les compositions de cette époque représentent le plus souvent de jeunes et grosses femmes nues ou drapées, aux membres amplifiés jusqu'à l'énorme, aux yeux bovins et sans aucune vénusté. (...) Ce sont des formes naturelles, païennement divinisées. » (H. Mahaut, *Picasso*, 1930).

On peut rapprocher la *Grande baigneuse* de la collection Walter-Guillaume d'une tête de femme du Musée de Rennes (dépôt du Musée National d'Art Moderne) et d'un pastel (Zervos IV, n° 330) mais la femme qui s'essuie les pieds est située plus précisément dans l'espace, assise sur un cube, avec, au fond, une ligne évoquant l'horizon, alors que dans le présent tableau, le drapé aigu et accentué n'est là que pour mettre en valeur le nu massif aux formes estompées. Il est plus proche en fait d'un petit nu aux formes monumentales (Zervos IV, n° 309, New York, Museum of Modern Art) dont le regard rêveur est semblable. M.H.

Historique :
P. Guillaume ; Mme J. Walter.

Expositions :
1966, Paris, n° 100 (repr.) ; 1979, Paris, Centre Georges Pompidou, *Paris-Moscou, 1900-1930* (repr. p. 169) ; 1980, New York, The Museum of Modern Art, *Pablo Picasso, a retrospective* (repr. coul. p. 235) ; 1982, Rome, Villa Medicis, *Picasso e il Mediterraneo*, n° 10 (repr.) ; 1983, Athènes, n° 5 (pl. coul.).

Bibliographie :
F. Carco, *Le nu dans la peinture moderne 1863-1920*, Paris, 1924, pl. XIV ; P. Reverdy, *Pablo Picasso*, Paris, 1924, p. 61 (repr.) ; L. Deshairs, « Pablo Picasso », *Art et Décoration*, mars 1925 (repr. 79) ; E. d'Ors, *Pablo Picasso*, Paris, 1930, pl. 34 (coll. Rombey) ; J. Lassaigne, *Picasso*, Paris, 1949 (repr. n° 67) ; C. Zervos, 1949, IV, n° 329.

75

Femme au chapeau blanc

1921
Huile sur toile ; H. 1,18 : L. 0,91
S.b.d. : *Picasso*
RF 1963-72

Picasso, en perpétuel renouvellement, peint dans le même temps des figures schématisées prises en mouvement et d'autres qui contrastent avec les premières par leur statisme et leur type physique épais. Le choix de certains accessoires, ici le chapeau volumineux, est comme assorti à l'ampleur du corps du modèle, alors que les traits du visage sont assez fins.

Picasso a représenté un certain nombre de fois cette femme (dont le visage évoque vaguement celui de sa femme Olga) avec ce même chapeau, soit seule, soit avec une autre femme également chapeautée. La version la plus proche est un grand dessin (coll. Marina Picasso, Zervos XXX, 260, Exposition *Picasso,* Munich, 1981, n° 130), où la femme tient un livre dans la main gauche. Cet accessoire lui a valu le titre de *Femme au missel,* dont on ne sait s'il remonte à Picasso, mais qui en infléchit évidemment la signification. G. Metken (cat. *Picasso*, Munich 1981, n° 130) note une parenté avec les figures méditatives de Millet. L'expression grave et les formes sans véritable déformation caricaturale (sauf dans la main gauche) expliquent ce rapprochement qu'on peut étendre aussi à Corot, dont il s'est plus d'une fois inspiré, et qui a peint de nombreuses figures féminines accoudées. De Corot, Picasso possédait une *Italienne assise* (*Donation Picasso,* Paris, 1978, n° 8).

Le corsage bleu et le dossier du fauteuil créent avec le blanc de la robe et du chapeau, mais dans des teintes pastel, le même effet tricolore que dans *L'étreinte* (n° 66).

M.H.

Picasso, *Femme au missel*,
coll. Marina Picasso

Historique :
P. Guillaume ; Mme J. Walter.

Expositions :
1929, Paris ; 1932, Paris, n° 118 ; 1946, Paris, n° 67 ; 1966, Paris, n° 102 (repr. coul.).

Bibliographie :
W. George, s.d., p. 15 (repr.) ; W. George, *La Renaissance,* avril 1929, n° 4 (repr. p. 184) ; C. Zervos, 1951, vol. 4, n° 352, p. 140 ; J. Lassaigne, 1947 (pl. p. 151).

Picasso

Pablo Picasso

76
Grand nu à la draperie

1923
Huile sur toile ; H. 1,60 ; L. 0,95
S.h.g. : *Picasso*
RF 1960-33

Il ne s'agit pas ici, comme on l'a dit souvent d'un pendant du n° 74, dont la date, les dimensions et l'esprit sont différents.

Ils font partie cependant, l'un et l'autre, des grands nus de la période néo-classique où Picasso « échafaude plusieurs femmes-colosses, des "Junon aux yeux de vache" dont les grosses mains cassées retiennent un linge de pierre » (Jean Cocteau, *Picasso*, Paris, 1923).

On trouve ici, curieusement, des réminiscences de l'époque 1906-1907, notamment dans la schématisation des traits du visage, dans la lourdeur des formes féminines, et même dans le choix d'une attitude qui reprend ici, inversée, celle de la *Coiffure* de 1906 (New York, coll. part., Daix-Boudaille, XVI, 7). Les épaules lourdes et le mouvement de torsion du corps évoquent aussi les Sybilles et les Prophètes de Michel-Ange à la Sixtine.

« Les formes sont traitées et analysées de façon indépendante les unes par rapport aux autres ; elles apparaissent comme des solides géométriques tendant à se rassembler vers le plan de la toile. Les articulations sont occultées par la masse de chair ; ces failles figuratives permettent d'exprimer les volumes sans quitter le plan des deux dimensions. Les couleurs grises et roses des chairs caractéristiques de la période antique (et aussi de Gosol) atteignent ici une douceur, une luminosité exceptionnelle. » (M.-L. Bernadac, cat. *Picasso et la Méditerranée*, Rome-Athènes, 1982-1983).

« Inexpressives, figées jusqu'à la stupeur, les géantes de 1920 sont encore des idoles, des déesses mères dont l'archaïsme et la simplicité architecturale nous montrent que le « retour à l'antique » a joué dans l'œuvre de Picasso le même rôle que la musique médiévale dans celle de Stravinsky. » (A. Fermigier, *Picasso*, Paris, 1969, p. 160).

On sait que Picasso possédait de Renoir une *Baigneuse assise* à l'huile et une *Toilette de la baigneuse* à la sanguine dont la parenté avec les tableaux de 1921-1923 est évidente (*Donation Picasso*, Paris, n°s 28 et 51).

M.H.

Historique :
Paul Guillaume ; Mme J. Walter.

Expositions :
1929, Paris ; 1936, New York ; 1960, Paris, n° 83 (repr.) ; 1961, Vallauris, *Hommage à Pablo Picasso*, n° 6 ; 1962, Paris, Galerie Charpentier, *Chefs d'œuvre de Collections françaises (XIXe-XXe siècles)*, n° 62 ; 1966, Paris, n° 101 (repr.) ; 1981, Moscou, *Moscou-Paris*, 1900-1930 (repr. coul.).

Bibliographie :
Les Arts à Paris, n° 13, juin 1927 (repr.) ; W. George, s.d., p. 127 (repr.), pp. 128-130 ; W. George, *La Renaissance*, avril 1929, n° 4, p. 182 ; W. George, *Formes*, avril 1930 (repr. fig. 2) ; H. Mahaut, *Picasso*, Paris, 1930 (repr. couverture) ; A. Basler et Ch. Kunstler, *La peinture indépendante en France*, 1930 (repr. p. 251) ; *Cahiers de Belgique*, avril-mai 1931, (repr. p. 117) ; *Kunst und Dekoration*, août 1931 (repr.) ; *Art News*, 11 janv. 1936 (repr.) ; E. Joseph, Dictionnaire biographique des Artistes contemporains, Paris 1934, t. III, p. 134 (repr.) ; C. Zervos, 1951, t. IV, n° 308, pl. 113.

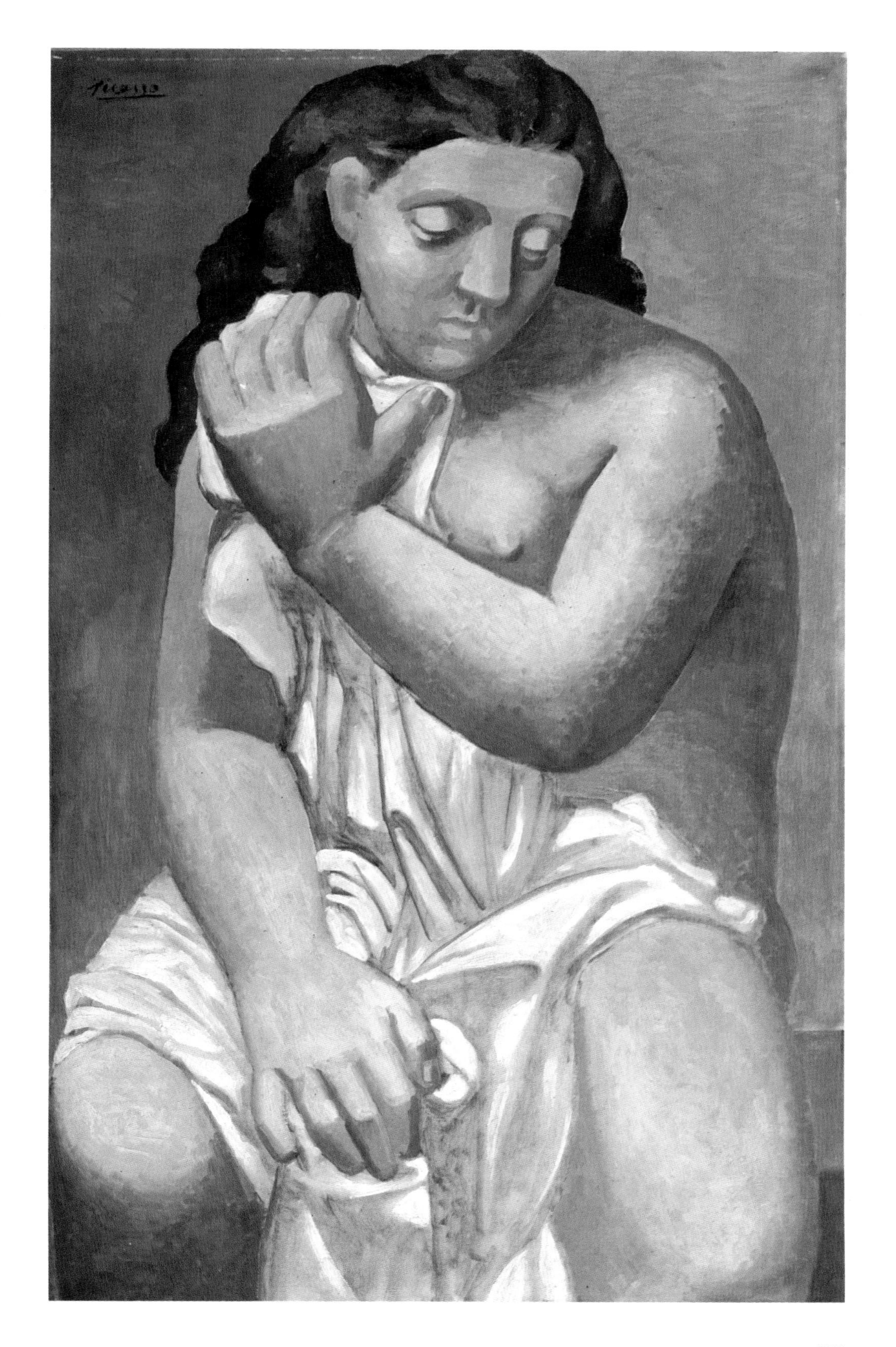
Picasso

77
Femme au tambourin

Huile sur toile ; H. 0,97 ; L. 1,30
S.D.b.d. : *Picasso 25*
RF 1963-73

Dans la production si diverse de Picasso, ce tableau est une belle démonstration de sa virtuosité de coloriste. Il associe ici les couleurs apparemment les plus désaccordées comme le bleu turquoise du lit, le violet du coussin, le grenat de la coiffure ou le tricolore de la jupe. Le fond noir à gauche, et les couleurs pâles ou éteintes du premier plan, viennent en quelque sorte harmoniser cette fanfare. La plupart des taches colorées sont posées par plaques dont les limites ne concordent pas avec le dessin des objets. Formes et couleurs sont aussi dissociées, par exemple dans le visage, où le profil du nez apparaît deux fois. Les contours sont souvent dessinés en creux, avec la pointe du manche du pinceau.

Cette œuvre appartient à une famille de tableaux aux formes planes et déchiquetées dont le plus célèbre est la grande *Danse* de la Tate Gallery (Londres), qui contraste avec les figures statiques aux modèles accentués qui en sont contemporaines. M.H.

Historique :
P. Guillaume ; Mme J. Walter.

Expositions :
1929, Paris ; 1932, Paris, Galerie Georges Petit, n° 167 ; 1946, Paris, n° 69 (repr.) ; 1957, Paris, Galerie Charpentier, *Cent chefs-d'œuvre de l'art français. 1750-1950,* n° 67 ; 1960, Paris, n° 84 ; 1966, Paris, n° 103 (repr.) ; 1966, Paris, Grand Palais, *Picasso, Peintures,* n° 138 ; 1980, Athènes, n° 25 (repr. coul.) ; 1981, Tbilissi-Leningrad, n° 31 (repr. coul.).

Bibliographie :
C. Zervos, « Picasso », *Les Cahiers d'Arts,* 1926, pl. 27 ; *Les arts à Paris,* n° 13, juin 1927 (repr. p. 15) ; W. George, s.d., p. 180 (repr.) ; E. Joseph, *Dictionnaire biographique des artistes contemporains,* Paris, 1934, t. III, p. 135 (repr.) ; M. Gieure, *Picasso,* Paris, 1951, n° 68 (repr.) ; C. Zervos, 1952, t. V., n° 415, pl. 167 ; F. Elgar, R. Maillard, *Picasso,* Paris, 1955 (repr.).

Pierre-Auguste Renoir

Limoges, 1841 - Cagnes-sur-mer, 1919

78

Paysage de neige

Huile sur toile ; H. 0,51 ; L. 0,66
S.b.d. : *Renoir*
RF 1960-21

A la différence des autres Impressionnistes, Renoir n'a guère représenté de paysages de neige. Le grand tableau *Les Patineurs au bois de Boulogne*, daté de 1868 (anc. coll. von Hirsch, vente Sotheby, 26-27 juin 1978, n° 717) constitue une notable exception à la répulsion éprouvée par l'artiste devant la neige, « cette lèpre de la nature », disait-il, qui inspirait ses amis impressionnistes. « Je n'ai jamais supporté le froid ; aussi, en fait de paysages d'hiver, il n'y a que cette toile... Je me rappelle aussi deux ou trois petites études », confiait-il à Ambroise Vollard (A. Vollard, *En écoutant Cézanne, Degas, Renoir*, Paris, 1938, p. 166). Parmi ces dernières, on peut placer un petit *Paysage de neige* (0,18 × 0,64) ayant figuré à l'exposition de l'Orangerie en 1933 (n° 3, coll. du comte Doria, « peint vers 1868 ») et le *Paysage de neige* de la collection Walter-Guillaume. Ce dernier, bien que non daté, est à rapprocher des œuvres de Renoir influencées par l'Impressionnisme et les séances de travail en plein air sur le motif en compagnie de ses amis Bazille, Monet et Sisley dont le *Paysage de neige*, avec ses petites touches serrées et nerveuses, rappelle la facture très lisible. Au demeurant, la neige n'est pas ici très présente, qui reflète le ciel bleuté et absorbe l'ombre portée par la haie des arbres vert-roux occupant une grande surface de l'œuvre, où apparaissent, en arrière-plan, les maisons de la ville toute proche.

Hormis ces rares paysages, Renoir a utilisé les effets procurés par la neige dans une nature morte : *Le faisan sur la neige* (vente Sotheby, 1er juillet 1959 ; coll. part., Genève, Exposition *Chefs-d'œuvre des collections suisses de Monet à Picasso*, Paris, 1967, n° 58), peint en 1879 chez son ami Bérard à Wargemont qui en a rapporté l'élaboration (retranscrit dans le catalogue de la *Centennial Loan Exhibition*, 1941, New York, n° 28). Conscient de l'impression fournie par un arrière-plan de neige, Renoir ajouta artificiellement cet élément, après coup, à sa nature morte, peinte à l'origine sur une nappe comme *Le faisan* de Claude Monet, peint dix ans avant (coll. part., Neuchâtel, Wildenstein, n° 141). H.G.

Historique :
A. Vollard (?) ; P. Guillaume (?) ; Mme J. Walter.

Expositions :
1943, Paris, Galerie Charpentier, *Jardins de France*, n° 114 (repr.) ; 1966, Paris, n° 19 (repr.) ; 1980, Athènes, n° 28 (repr. coul.).

Bibliographie :
A. Vollard, 1918, vol. II, p. 104 (repr.) ; M. Drucker, 1955, cité p. 148.

79
Portrait d'un jeune homme et d'une jeune fille

Huile sur toile ; H. 0,32 ; L. 0,46
S.b.g. en gris du monogramme : *AR*
RF 1963-24

François Daulte (*loc. cit.*, n° 198) reconnaît dans ce couple des modèles du *Moulin de la Galette.* On admet généralement que Georges Rivière, ami et défenseur de Renoir, est ici représenté alors que la jeune femme n'a pas été identifiée. Elle présente pourtant une similitude frappante avec le portrait de *Jeune Femme* (coll. part., F. Daulte, n° 204) que F. Daulte a rapprochée d'une des jeunes femmes assises au premier plan du *Moulin de la Galette,* et plus encore, peut-être, avec *Alphonsine Fournaise à la Grenouillère* (Musée d'Orsay, Jeu de Paume). Il est certain que ce double portrait, dont le vert du fond appelle immédiatement l'impression de plein air, fut exécuté lors de la période impressionniste de Renoir dont il manifeste les préoccupations. On y retrouve, en particulier, l'obsédante étude de la lumière qui conduit alors l'artiste à l'inesthétique déformation affectant le *Torse de femme au soleil* (1876, Musée d'Orsay, Jeu de Paume). Stylistiquement cependant, ce double portrait est bien plus proche du tableau *Au Café* (Otterlo, Musée Kroller-Müller) ou encore *Dans l'atelier de la rue Saint-Georges* (coll. part., F. Daulte, n° 188), où l'on reconnaît Georges Rivière, que du *Moulin de la Galette.* Il en présente les mêmes touches longues et nerveuses, une certaine indifférence pour la figuration précise de l'arrière-plan et n'est pas exempt d'une certaine sécheresse envers ses modèles. Dans ces œuvres, on sent que Renoir n'a pas souhaité «faire joli» mais a voulu capter un instant précis, quelles qu'en soient les conséquences purement esthétiques. H.G.

Historique :
Ambroise Vollard (?) ; P. Guillaume (?) ; Mme J. Walter.

Expositions :
1945, Paris, Galerie Charpentier, *Portraits français,* n° 86 ; 1966, Paris, n° 20 (repr.).

Bibliographie :
A. Vollard, 1918, vol. II, p. 56 (repr.) ; «Le legs fabuleux de Mme Walter», 1971, *Match,* 29 janvier 1966, p. 40 (repr.) ; F. Daulte, n° 198 (repr.) ; E. Fezzi, *l'Opera Completa di Renoir nel periodo impressionista 1869-1883,* Milan 1972, rééd. 1981, n° 24 (repr.).

80
Bouquet dans une loge

Huile sur toile ; H. 0,40 ; L. 0,51
S.b.d. en noir : *A. Renoir*
RF 1960-20

A l'opposé d'artistes comme Degas et Toulouse-Lautrec si fréquemment inspirés par la scène et ses artistes, Renoir se montre peu attiré par de tels sujets. Au contraire, il détourne son regard de la scène pour le poser sur le spectateur que l'intimité de la loge préserve tout en le désignant à l'attention d'autrui (*La loge*, 1874, Londres, coll. Courtauld). Le bouquet rond, enveloppé de papier blanc, accessoire de la spectatrice élégante y est fréquemment représenté (*La première sortie*, Londres, Tate Gallery). Eva Gonzalès avait aussi choisi de faire figurer un tel bouquet dans *Une loge aux Italiens*, peint la même année que *La loge* de Renoir. Dans *Deux dames dans une loge* (1880, Sterling et Francine Clark Art Institute, Williamstown ; F. Daulte n° 329), Renoir introduit un bouquet dont la perspective est très proche du *Bouquet dans une loge*. Ici l'artiste abolit tout autre contexte que la sombre ligne sinueuse de la cloison qui, avec l'opposition des deux fonds, clair et sombre, qu'elle délimite, situe le lieu. Il détruit l'effet de profondeur de l'arrière-plan — préoccupation cézannienne certes, mais que connut aussi Manet dans sa période influencée par le japonisme et rencontrée rarement chez Renoir —, tandis que le premier plan est entièrement occupé par le volume conique du bouquet. La masse des fleurs traitées en petites touches nerveuses s'oppose aux longs traits onctueux du papier de l'emballage et à ceux, plus déliés du reste de l'œuvre. Un autre contraste est fourni par l'éclairage artificiel qui modèle des bandes lumineuses, seule concession à l'effet de volume, suggéré plus que représenté. Il est possible de rapprocher *Le bouquet dans une loge* d'une *Nature morte aux fleurs*, datée de 1871 (Houston, Museum of Fine Arts, Robert Lee Blaffer Memorial Coll.) où Renoir agence divers éléments — dont un bouquet similaire ainsi qu'une gravure d'après *Les petits cavaliers* du Louvre alors attribués à Vélasquez et copiés par Manet — selon une disposition et un choix dans les objets, directement dérivés du *Portrait de Zola* de Manet qui, lui, date des années 67-68. Or, on connaît l'influence de Manet sur Renoir aux alentours de cette période. Coïncidence ou conjonction de deux inspirations, Manet avait lui-même placé entre les mains de la servante noire de l'*Olympia* (1863, Salon de 1865) un bouquet du même type dont le jeu de pliage du papier, dans sa partie gauche, se présente à l'identique de celui que Renoir choisit pour *Bouquet dans une loge*.

H.G.

Historique :
A. Vollard (?) ; P. Guillaume (?) ; Mme J. Walter.

Expositions :
1942, Paris, Galerie Charpentier, *Les fleurs et les fruits depuis le romantisme*, n° 156 ; 1966, Paris, n° 21 (repr.) ; 1981, Tbilissi-Leningrad, n° 36 (repr.) ; 1983, Paris, sans n°.

Bibliographie :
A. Vollard, 1918, vol. I, n° 499 (repr. p. 125) ; E. Fezzi, *L'Opera Completa di Renoir nel periodo impressionista 1869-1883*, Milan 1972, rééd. 1981, n° 402 (repr.).

A. Renoir

81

Pêches

Huile sur toile ; H. 0,38 ; L. 0,47
S.b.d. en bleu : *Renoir*
RF 1963-16

Pêches et pommes inspirèrent à plusieurs reprises Renoir pour ses natures mortes. Sous une apparente simplicité, il s'y montre souvent soucieux de la composition dans la disposition recherchée des éléments. Ici, la sphère lisse du fruit, à gauche, fait contrepoint à la masse du compotier en faïence godronnée que l'on retrouve dans plusieurs autres œuvres de Renoir (*Fraises*, n° 93). Il figure également dans une composition voisine de la nôtre mais de dimensions légèrement plus réduites (env. 23,5 × 38,5) et au cadrage plus resserré (en 1958 à *The Lefevre Gallery*, Londres, repr. in *The Connoisseur*, January 1958) où un fruit isolé sur la nappe mais, à droite, cette fois, contrebalance le compotier. Renoir oppose à la blancheur de la nappe et de la coupe bleutée par l'éclat de la lumière naturelle, la vivacité de couleur des fruits que rehaussent le vert de leur feuillage et le chatoiement multicolore du fond dont le rendu plastique et chromatique préfigure curieusement les recherches de l'*Abstraction lyrique* des années 1950.

H.G.

Historique :
A. Vollard (?) ; P. Guillaume (?) ; Mme J. Walter.

Expositions :
1942, Paris, Galerie Charpentier, *Les fleurs et les fruits depuis le romantisme*, n° 155 ; 1946, Paris, Galerie Charpentier, *La vie silencieuse*, n° 53 (repr.) ; 1966, Paris, n° 22 (repr.) ; 1980, Athènes, n° 29 (repr.) ; 1981, Tbilissi-Leningrad, n° 34 (repr.) ; 1983, Paris, sans n°.

Renoir.

Pierre-Auguste Renoir

82
Femme nue dans un paysage

Huile sur toile ; H. 0,65 ; L. 0,54
S.D.b.g. en noir : *Renoir 83*
RF 1963-13

« La *Diane au bain* de Boucher est le premier tableau qui m'ait empoigné et j'ai continué toute ma vie à l'aimer comme on aime ses premières amours », déclarait à la fin de sa vie Renoir qui renoue ici avec les « Nymphes s'essuyant » de Boucher et de Watteau, sujets de longues contemplations au Louvre, au début de sa carrière. Peint après son voyage en Italie où la découverte des grands maîtres classiques le confirma dans sa remise en question de l'impressionnisme, ce *Nu*, daté de 1883, manifeste encore les tendances du mouvement dont Renoir tendait à se détacher. Le paysage, en effet, relève encore de l'Impressionnisme, alors que le nu, plus linéaire, est traité différemment et laisse présager l'évolution « ingresque » de l'artiste qui atteindra son apogée avec les *Grandes baigneuses* de Philadelphie.

Le modèle représenté serait, selon Marie-Thérèse Lemoyne de Forges (Paris, 1966, n° 23), Suzanne Valadon que Renoir a souvent représentée à l'époque. On retrouve la même jeune femme dans *Buste de femme se coiffant* (repr. par Georges Rivière, 1921, p. 73) et la *Baigneuse assise au linge* (F. Daulte, n° 445) si proche, par son thème et ses analogies picturales de notre *Nu.* H.G.

Historique :
Bernheim-Jeune ; Gillou ; P. Guillaume ; Mme J. Walter.

Expositions :
1954, Paris, Galerie des Beaux-Arts, n° 29 (repr.) ; 1966, Paris, n° 23 (repr.) ; 1982, Prague - 1983, Berlin, n° 74 (repr. coul.)

Bibliographie :
L'Art moderne, tome II, Paris, 1919 (pl. 122) ; H. de Régnier, *Renoir, peintre du Nu*, Paris, 1923 (pl. 11) ; G. Grappe, « Renoir, sa Vie et son Œuvre », *L'Art vivant*, Paris, 1933, p. 282 (repr.) ; H. Dauberville, *La bataille de l'Impressionnisme*, Paris, 1967, p. 572 (repr.) ; F. Daulte, n° 434 (repr.) ; M.P. Fouchet, *Les nus de Renoir*, Lausanne, 1974 (repr. p. 127) ; J. Leymarie, 1978 (repr. coul. fig. 47) ; D. Wildenstein, *Renoir*, Paris, 1980 (repr. coul. p. 30) ; E. Fezzi, *L'Opera Completa di Renoir nel periodo impressionista 1869-1883*, Milan 1972, rééd. 1981, n° 590 (repr. coul.).

83
Femme à la lettre

Huile sur toile ; H. 0,65 ; L. 0,54
S.b.d. en gris foncé : *Renoir*
RF 1960-24

Ce genre de figure, posant de façon quelque peu artificielle, est assez inhabituel chez Renoir qui, à l'exception des portraits de commande, préfère saisir ses modèles dans des poses plus naturelles. Ici, la lettre n'est qu'un prétexte. Michel Hoog voit dans cette œuvre le renouveau du « type traditionnel de la figure de fantaisie qu'on rencontre au XVIIIe siècle, ainsi que chez Corot » (M. Hoog, 1980, n° 30). Il est vrai qu'il est difficile de ne pas associer cette jeune femme songeuse, à la série des Figures de fantaisie de Fragonard dont, en dehors des nus, on a peut-être sous-estimé l'influence sur Renoir.

Vêtue d'un costume identique, la même jeune fille a posé, en pied, tenant un panier d'oranges. Cette composition qui fait pendant à une jeune fille tenant une corbeille garnie de poissons, fut peinte en 1889 pour Durand-Ruel. Renoir exécuta ces deux œuvres deux fois. Les deux ensembles se trouvent respectivement à la National Gallery de Washington et à la Fondation Barnes, à Merion. La même *Vendeuse d'oranges*, assise, de profil, tenant un fruit dans sa main droite et posant sa main gauche sur l'anse de son panier laissé à terre, se retrouve dans une sanguine passée récemment en vente (Sotheby, 1978, n° 828) et étudiée par John Rewald (*Renoir drawings*, 1946) qui la datait de 1885-1890. Au verso de ce dessin, est peinte une aquarelle, *La Liseuse*, pour laquelle il est probable que le même modèle ait posé. Elle est très proche de la *Jeune fille lisant* et de *La lecture* (F. Daulte, nos 529-530, datées 1888 par l'auteur) dont on peut rapprocher les traits de *La femme à la lettre.* Pour sa part, A. Vollard date celle-ci de 1895 (A. Vollard, 1918, vol. I, n° 48) alors qu'à l'exposition Durand-Ruel de 1920 était proposée la date de 1896.

Enfin, le même modèle a posé pour une autre peinture, *Jeune bretonne* (coll. part., Berne, repr. dans M. Robida, p. 33) pour laquelle l'auteur avance la date de 1890-1895. Vue de trois quarts droit, en buste, la jeune fille, vêtue du même costume, semble perdue dans ses pensées. Le traitement, aussi bien que le modèle, suggèrent un lien très étroit avec *La Femme à la lettre.* S'y retrouve en particulier la dominante bleue, couleur choisie aussi pour l'arrière-plan de l'œuvre, très inhabituelle chez Renoir.

H.G.

Renoir, *Jeune bretonne*, Suisse, coll. part.

Renoir, *La vendeuse d'oranges*, Washington, Nat. Gall.

Historique :
A. Vollard ; P. Guillaume ; Mme J. Walter.

Expositions :
1920, Paris, Galerie Durand-Ruel, *Renoir*, n° 63 ; 1929, Paris ; 1939, Genève, Galerie Moos, *Exposition d'Art français*, n° 55 ; 1945, Paris, Galerie Charpentier, *Portraits français*, n° 87 ; 1966, Paris, n° 27 (repr.) ; 1980, Athènes, n° 30 (repr. coul.) ; 1981, Tbilissi-Leningrad, n° 40 (repr.).

Bibliographie :
A. Vollard, 1918, vol. I, n° 48 (repr. p. 12) ; *Les Arts à Paris*, n° 10, nov. 1924 (repr. p. 5) ; W. George, s.d., p. 37 (repr. p. 42) ; J. Meier-Graefe, 1929 (repr. n° 215, p. 223).

Pierre-Auguste Renoir

84
Portrait de deux fillettes

Huile sur toile ; H. 0,465 ; L. 0,550
S.h.g. en rouge foncé : *Renoir*
RF 1963-25

Dans les années 1890, Renoir aima beaucoup représenter deux jeunes filles réunies dans une même occupation. Parfois, il alla même jusqu'à répéter le sujet. Ce fut le cas pour *La lecture* (F. Daulte, nos 599-601), *Les deux sœurs* (F. Daulte, nos 600-602) et bien entendu, *Les jeunes filles au piano* (n° 85). Et sans doute, peut-on reconnaître dans ces deux jeunes filles les modèles qui reviennent alors si fréquemment sous son pinceau, soit seules (F. Daulte, nos 603 à 608), soit ensemble (F. Daulte, nos 599 à 602). Ce sont encore elles, semble-t-il, que Renoir a peintes dans *La dormeuse* (F. Daulte, n° 611), *Jeune Fille à la tresse* (F. Daulte, n° 612) et dans deux *Nus*, en buste, vus de dos (F. Daulte, nos 613 et 614). On les trouve encore dans *Jeunes filles cueillant des fleurs* (F. Daulte, n° 609) et *La prairie* (F. Daulte, n° 610) où l'artiste, comme ici, comme dans *Les jeunes filles au piano*, se plaît à opposer la couleur des robes et les nuances des chevelures. La jeune fille de gauche, que Renoir a souvent représentée de profil, se retrouve dans une attitude semblable, menton légèrement relevé, dans les deux œuvres qui ont aussi en commun le rideau de l'arrière-plan. La fillette de droite, aux yeux en amande, au nez court et aux joues pleines, est caractéristique d'un certain type féminin aimé de Renoir, celui de la jeune fille à la rondeur encore enfantine. Cette œuvre, contemporaine des *Jeunes filles au piano* et qu'il est possible de dater des années 1890-92, relève encore par certains aspects, comme la netteté du modelé du visage, de la période ingresque de l'artiste. H.G.

Historique :
Abbé Gauguin ; vente de M. G., Hôtel Drouot, Paris, 6 mai 1901, n° 12 ; M. Léclanché ; Henri Canonne ; vente Henri Canonne, Galerie Charpentier, Paris, 18 février 1939, n° 43, adjugé à Mme Paul Guillaume ; Mme Paul Guillaume.

Expositions :
1949, Paris, Galerie Charpentier, *L'enfance*, n° 167 ; 1966, Paris, n° 25 (repr.) ; 1980, Helsinki, Ateneumin Taidemuseo, *Impressionnisme*, (repr. coul.).

Bibliographie :
A. Alexandre, *La Collection Canonne*, Paris, 1930 (repr. H.T. face à la p. 60) ; « Le legs fabuleux de Mme Walter », *Match*, 29 janvier 1966, p. 40 (repr.) ; F. Daulte, 1971, n° 637 (repr.) ; F. Daulte, *Auguste Renoir*, Milan, 1972 (repr. p. 84) ; J. Leymarie, *Renoir*, Paris, 1978 (repr. coul. nos 41 et 43) ; catal. de l'exposition, *Renoir : un quadro per un movimento*, Trente, 1982.

85

Jeunes filles au piano

Huile sur toile ; H. 1,16 ; L. 0,81
S.b.d. en rouge foncé : *Renoir*
R.F. 1960-16

Amateur de musique, comme la plupart des impressionnistes, Renoir a souvent représenté deux jeunes filles au piano. Il s'agit tantôt de portraits d'après des filles d'amis, comme le poète Catulle Mendes ou les Lerolle (cf. n° 90), tantôt de modèles professionnels qui ne sont pas autrement connus ; c'est, semble-t-il, le cas ici. Renoir s'est-il souvenu des assemblées de musiciens du XVIIe ou du XVIIIe siècle ou, plus proche de lui, de l'*Ouverture de Tannhauser* de Cézanne (Leningrad, Hermitage, vers 1868) ou bien des portraits de Mme Manet par son mari ou par Degas ? C'est possible. Il n'a, en revanche, pas pu voir le *Portrait de Mlle Gachet au piano* de Van Gogh (Bâle, Kunstmuseum).

Reprenant un thème traditionnel, qui permet d'associer les lignes rigides de l'instrument aux gestes gracieux des exécutants, Renoir évite, comme Cézanne, tout détail anecdotique qui aurait pu faire glisser le tableau vers la scène de genre. Une des jeunes filles déchiffre apparemment, tenant la partition de la main gauche, tandis que l'autre, des yeux, suit la musique. Le décor est sommairement suggéré ; le tableau a peut-être été peint au domicile même de Renoir, qui avait offert à sa femme, bonne musicienne, un piano au moment de leur mariage (1890).

Renoir a dû être satisfait de l'équilibre de masses et de lignes, décrivant une croix de Saint-André, ainsi que de l'accord de couleurs auquel il était parvenu. Il existe de cette composition au moins six versions très voisines les unes des autres ; et l'une d'entre elles est le tableau qu'il peignit en exécution de la première commande officielle reçue de l'État. Il est très difficile d'établir l'antériorité (ou la supériorité) de telle ou telle version. Meier-Graefe, qui reste, après plus d'un demi-siècle, l'un des meilleurs analystes de l'œuvre de Renoir, l'a cependant tenté, donnant la préférence à la présente version, considérée comme une esquisse (*Renoir*, Leipzig, 1929, p. 250). Il

Renoir, *Jeunes filles au piano*,
anc. coll. Durand-Ruel

Renoir, *Jeunes filles au piano*,
Paris, Musée d'Orsay,
Galerie du Jeu de Paume

Pierre-Auguste Renoir

existe aussi, en rapport avec cette composition, des têtes isolées, dans des attitudes proches, comme celle de la Fondation Barnes qui a probablement appartenu aussi à Paul Guillaume (A. Barnes - V. de Mazia, p. 306). Quant aux dessins, il est difficile de préciser s'il s'agit d'études préparatoires, comme celui reproduit par J. Leymarie, *Renoir* (Paris, s.d., non paginé) où les deux jeunes filles sont vues de trois quarts arrière, ou plutôt de souvenirs comme celui, très linéaire d'une collection privée (vente Sotheby, Londres, 2 février 1970, n° 28).

Sont actuellement repérées six versions :

1. Le présent tableau qui a la fraîcheur et la rapidité d'exécution d'une esquisse, mais qui est signé, ce qui indique que Renoir le considérait comme achevé.

2. Ancienne coll. Durand-Ruel, daté 1892. 1,18 × 0,78 (repr. J. Meier-Graefe, 1929, fig. 226).

3. Galerie du Jeu de Paume, exécuté en 1892 à la suite d'une commande de l'État. 1,16 × 0,90. La présentation côte à côte de ce tableau et de la version Walter-Guillaume au Musée d'Art et d'Essai en 1982, dans l'exposition *Figures et portraits de Manet à Matisse* a fait ressortir les profondes différences existant entre les deux œuvres ; cette version est peinte dans des tons aigres, considérés en général comme caractéristiques de la période précédente.

4. New York, Metropolitan Museum, coll. Lehman, daté 1892. 1,12 × 0,86. Le tableau le plus «fini» de la série, mais dont la gamme colorée est plus proche de la version Walter-Guillaume, que de l'autre version poussée, celle du Jeu de Paume.

5. Paris, coll. particulière. 1,15 × 0,90. Exposition *Renoir, dans les collections particulières françaises*, Paris, Galerie des Beaux-Arts, 1954, n° 37, repr.

6. New York, ancienne coll. Cynthya Foy Rupp (en dépôt temporaire au Metropolitan Museum) précédemment collection Mendelsohn-Bartholdi, Berlin, et Lewisohn, Chicago.

Un tel nombre de versions, toutes d'assez grand format et qui ne diffèrent que par le degré d'achèvement et surtout par la gamme colorée, est tout à fait exceptionnel chez Renoir. Faut-il y voir l'équivalent des séries de son ami Claude Monet? La série de Renoir est contemporaine des *Cathédrales de Rouen* et légèrement postérieure aux *Meules*. Bien qu'il s'agisse d'une scène d'intérieur à l'éclairage indistinct, Renoir s'y montre fidèle aux habitudes de travail (choix de teintes claires, ombres colorées) caractéristiques du travail en plein air des impressionnistes, et il a pu vouloir poursuivre ses recherches dans la même direction que son ami Monet, tout en restant fidèle à sa thématique originale, réservant une grande place à la figure humaine. M.H.

Historique :
Déposé par l'artiste chez Durand-Ruel du 1er septembre 1914 au 27 juillet 1917 ; dans l'atelier de Renoir à sa mort ; A. Vollard (?) ; P. Guillaume ; Mme J. Walter.

Expositions :
1929, Paris ; 1933, Paris, Orangerie, *Renoir*, n° 96 ; 1966, Paris, n° 24 (repr.) ; 1980, Athènes, n° 31 (repr. coul. et affiche de l'exposition) ; 1981, Paris, sans n° (affiche de l'exposition).

Bibliographie :
Les Arts à Paris, n° 15, mai 1928, p. 9 (repr.) ; W. George, s.d., p. 37 (repr. p. 36) ; J. Meier-Graefe, 1929, p. 252 (repr. n° 225, p. 255) ; *The Arts*, mai 1929 (repr.) ; *L'Atelier de Renoir*, tome I, n° 36 (repr. pl. 16) ; *L'Art vivant*, janvier 1933 (repr. en couverture) ; R. Huyghe, «Les origines de la peinture contemporaine», *L'Amour de l'Art*, n° 1, janvier 1933, p. 9, fig. 7 ; *Centennial Loan Exhibition*, New York, Duveen Galleries, 1941, n° 63 ; A. Barnes et V. de Mazia, n° 205 (repr. p. 461) ; F. Daulte, *Les Impressionnistes*, Milan, 1972, p. 56 (repr. coul. n° 3).

Renoir, *Jeunes filles au piano*, ▸
New York, Metropolitan Museum,
coll. Lehman

86

Pommes et poires

Huile sur toile ; H. 0,32 : L. 0,41
S.h.g. en rouge : *Renoir*
RF 1963-19

Par son agencement sur une nappe dont les plis savamment froissés permettent des effets de volume, et par l'abolition de la profondeur que suggère le fond abstrait, cette nature morte rappelle Cézanne. Cette référence est toutefois corrigée par le traitement des fruits et la gamme chromatique heurtée. Pourtant, si Renoir, amoureux de la nature et de ses productions, s'est plu à représenter de nombreuses natures mortes, rares sont celles dont l'agencement semble refléter avec tant d'évidence une telle préoccupation consciente de mise en page.

Le modelé vigoureux, la précision du contour des fruits tout autant que l'accentuation de la cassure des plis se ressentent encore de la période « ingresque » de l'artiste.

Très proche de cette nature morte, une autre, de dimensions voisines (0,35 × 0,46) et sans doute contemporaine, propose aussi, sur une nappe aux plis fortement marqués, trois pommes en équilibre sur une assiette accompagnées d'un citron (J. Meier-Graefe, 1929, fig. 206). On peut aussi la rapprocher du n° 72 de la vente M. Gangnat, 1925 et d'une *Nature morte* passée en vente chez Christie's en novembre 1963. H.G.

Historique :
Dans l'atelier de Renoir à sa mort ; A. Vollard (?) ; P. Guillaume (?) ; Mme J. Walter.

Exposition :
1966, Paris, n° 28 (repr.).

Bibliographie :
Atelier de Renoir, vol. I, n° 54 (repr. pl. 21).

87
Baigneuse aux cheveux longs

Huile sur toile ; H. 0,82 ; L. 0,65
S.b.d. en rouge foncé : *Renoir*
RF 1963-23

« ....peint Monsieur Renoir
Qui devant une épaule nue
Broie autre chose que du noir. »
(S. Mallarmé, Vers de circonstance, *Les loisirs de la poste*, quatrain XXXIX, éd. La Pléiade, Paris, 1979, p. 88).

Jeu de mots de Mallarmé particulièrement adapté à cette *Baigneuse* qui exprime si bien le naturalisme primaire de Renoir, sa sensualité simple d'un édénique âge d'or et les irisations lumineuses qui baignent à la fois le corps et le paysage imprécis qui l'enveloppe. Michel Hoog a fait remarquer cette particularité propre à Renoir qui, « seul du groupe Impressionniste, a aimé représenter des nus féminins en plein air, en les plaçant dans un cadre assez indéterminé » (M. Hoog, 1980, n° 32).

Cette baigneuse est sans doute contemporaine de celle de la Fondation Barnes dont elle ne diffère que par d'infimes détails (plis de la draperie à l'extrême droite, longs cheveux entièrement déployés dans le dos) et la transcription du paysage, plus lisible : ainsi le tronc d'un arbre s'élève-t-il à l'arrière-plan. Cette œuvre est datée 95 (repr. dans A. Barnes et V. de Mazia, 1944, p. 310). Plus proche, peut-être encore, par le traitement du fond et la dissolution du paysage, apparaît la *Baigneuse debout*, datée 96 (vente Christie's, 30 mars 1981, n° 40). Pour sa part, J. Meier-Graefe, en proposant « vers 1900 », avance une date fort basse, semble-t-il (J. Meier-Graefe, 1929, p. 322). Dans le catalogue de l'exposition *Renoir, un quadro per un movimento*, Trente, 1982, Michelangelo Lupo recense quatorze nus de Renoir contemporains de la *Baigneuse aux cheveux longs.*

Celle-ci est caractéristique de la maturité de Renoir, de sa « période nacrée » lorsque, à l'expérience de l'Impressionnisme non plus reniée, mais dépassée, il combine l'enseignement des musées italiens et des écrits théoriques de Cennini auxquels il associe la leçon d'Ingres assimilée et transcendée.

Dans *La Coiffure* dite aussi *La Toilette de la Baigneuse*, grande sanguine et craie blanche sur toile (1,450 × 1,035, donation Picasso, RF 35.793), préparation pour une peinture reproduite dans A. Barnes et V. de Mazia, 1944, n° 218, il semble que la même jeune fille, qui ramène d'un geste identique la draperie sur sa poitrine, ait servi de modèle. Quelques années plus tard, Renoir, s'essayant à la sculpture, devait reprendre pour une de ses principales œuvres, le même mouvement de la baigneuse, ramenant la draperie devant elle. H.G.

Historique :
Durand-Ruel (achat à Renoir le 18 novembre 1896) ; O. Schmitz (achat le 17 novembre 1911) ; P. Guillaume (?) ; Mme J. Walter.

Expositions :
1926, Dresde, *Internationale Kunstausstellung* ; 1932, Zurich, Kunsthaus, *La collection d'O. Schmitz*, n° 49 ; 1966, Paris, n° 26 (repr.) ; 1980, Athènes, n° 32 (repr. coul.). ; 1980, Marcq-en-Barœul, Galerie Septentrion, *Impressionnisme*, n° 34 (repr. coul.) ; 1981, Tbilissi-Leningrad, n° 39 (repr. coul.) ; 1982, Trente, Palazzo delle Albere, *Renoir, Un quadro per un movimento* (repr. coul., cat. non paginé et couverture du cat.).

Bibliographie :
P. Fechter, *Kunst und Künstler*, 1910, p. 21 ; K. Scheffler, *Kunst und Künstler*, 1920-21, p. 186 (repr. p. 181) ; W. Grohmann, « Die Kunst der Gegenwart auf der Internationalen Kunstausstellung », *Der Cicerone*, 1926 (repr. n° 17) ; M. Dormoy, *L'Amour de l'Art*, 1926, p. 342 (repr. p. 341) ; E. Waldmann, *Die Kunst des Realismus und des Impressionismus in 19. Jahrhundert*, Berlin, 1927, p. 94 (repr. H.T. face à la p. 450) ; J. Meier-Graefe, 1929, p. 322 (repr. n° 276) ; *The Oscar Schmitz Collection*, Wildenstein, 1936, n° 54 ; J. Leymarie, 1978 (pl. coul. n° 69).

Renoir, *Baigneuse aux cheveux longs*, Mérion, Fondation Barnes

88
Gabrielle et Jean

Huile sur toile ; H. 0,65 ; L. 0,54
S.b.g. en marron : *Renoir*
RF 1960-18

« Quand j'étais encore tout petit, trois, quatre ou cinq ans, mon père ne choisissait pas lui-même la pose, mais profitait d'une occupation qui semblait me faire tenir tranquille. C'est ainsi que les *Jean* s'amusant avec des soldats, mangeant sa soupe, poussant des cubes ou regardant des images se fixaient sur la toile », se souvient Jean Renoir (J. Renoir, *Pierre-Auguste Renoir, mon père*, Paris, 1981, p. 433). Renoir, en père de famille attentif, constitue avec joie un véritable album de l'enfance de ses fils, seuls, en compagnie de leur mère, ou encore d'une des servantes, le plus souvent, comme ici, la fidèle Gabrielle. Gabrielle Renard (1879-1959), parente des Charigot, belle-famille de l'artiste, entra au service des Renoir quand Mme Renoir attendait son deuxième enfant — qui allait être Jean, le futur cinéaste —. En 1914, elle quitta la famille de Renoir pour épouser le peintre américain Conrad Hersler Slade et mourut à San Francisco en 1959.

Gabrielle et Jean peut être rattaché à un vaste ensemble d'œuvres contemporaines, de toutes techniques, sans doute de 1895-1896 si l'on se réfère à l'âge de l'enfant né en septembre 1894, où Renoir réunit Jean et Gabrielle. Peuvent lui être directement associées plusieurs feuilles de dessins. Celui à la pierre noire et à la sanguine, reproduit par Jean Leymarie (1978, n° 60, coll. part. ; déjà reproduit dans le *Burlington Magazine*, mars 1920) en est la préparation la plus fidèle. Quelques menus détails le différencient de celui de la Galerie Nationale du Canada à Ottawa, traité à la pierre noire (n° 63 de la XLIIIe exposition du Cabinet des Dessins, Musée du Louvre, *De Raphaël à Picasso - Dessins de la Galerie nationale du Canada (Ottawa)*, Paris, 1969-1970, repr. ; A. Vollard, 1918, n° 594). Agnès Mongan dans *Great Drawings of all Time*, New York, 1962, vol. III, n° 806, rapproche à juste titre ce dessin des œuvres reproduites par Vollard (*op. cit.*, n°s 154 et 159) ainsi que d'un dessin de la collection de Mme Murray S. Danforth, de Providence, Rhode Island (Mongan, A., *One hundred Master Drawings*, Cambridge, Harvard University Press, 1949, repr. p. 194). Dans ce dessin, Renoir a tracé deux études de la tête de l'enfant plus une où il joue avec Gabrielle tenant un coq à la main. Il s'agit donc là d'une étude pour la version légèrement différente de *Gabrielle et Jean* de la collection Walter-Guillaume où, dans une mise en page en largeur, plus resserrée autour des modèles, Renoir a représenté une scène identique en la variant par quelques détails : les figurines sont plus nettes et plus nombreuses, un coq a été substitué à la vache dans la main droite de Gabrielle, tandis que la mèche qui lui tombe sur l'œil dans la version de l'Orangerie, lui barre la tempe (anc. coll. Durand-Ruel, repr. n° 111 dans M. Drucker, 1944, où il est indiqué par erreur que Jean est né en 1893).

Nous retrouvons les mêmes protagonistes attablés dans le même décor, dans un tableau de la collection de Mme H. Harris Jonas de New York (W. Pach, *Renoir, Leben und Werk*, Cologne, 1980, repr. n° 61). Gabrielle se penche sur le petit Jean qui avance le bras droit vers un fruit que lui tend une fillette, assise sur la gauche. C'est une petite voisine qui habitait le même immeuble que les Renoir et appelait celui-ci le « beau petit Dan » alors qu'il lui souriait et lui tendait ses bras, comme le rappelait plus tard Gabrielle à Jean.

Renoir, *Gabrielle et Jean*, coll. part.

Pierre-Auguste Renoir

Cette œuvre dont un dessin à la sanguine, de sujet identique, est passé en vente récemment sous le titre erroné de *Enfant jouant avec Claude Renoir assis sur les genoux de Gabrielle* (Enghien, *Tableaux modernes*, 13 décembre 1981, n° 128) est elle-même très proche d'estampes (Delteil, L., *Le peintre graveur illustré*, vol. XVII, Paris, 1923, n°s 50 et 54, et J. Leymarie et M. Melot, *Gravures impressionnistes*, Paris, 1971, repr. 54) et particulièrement d'une eau-forte de 1896 (Delteil n° 10 ; Leymarie - Melot, n° 10).

Peuvent en être rapprochés un grand pastel (0,56 × 0,76) où la petite fille présente une pose différente (Exposition *Renoir*, 1970, Aux Collettes, Domaine Renoir, Cagnes-sur-Mer, repr. n° 8) et un autre pastel, plus sommairement esquissé, réunissant à nouveau les seuls Gabrielle et Jean, vus en buste (vente Sotheby, 31 mars 1982, n° 62, sous le titre *Suzanne et Jean*) ; sur cette œuvre, qui rappelle la gravure (Delteil, n° 10 ; Leymarie-Melot, n° 10), Jean, qui porte toujours la même robe blanche relevée d'un nœud rose sur l'épaule, a les cheveux plus longs. Le pastel, *Portrait de Jean Renoir*, passé en vente chez Sotheby's le 1er décembre 1982, n° 14 (53,5 × 40,5) est à ajouter à la série.

Un autre portrait, sur toile, réunissant Gabrielle et Jean, parfois donné par erreur comme *Gabrielle et Coco* (coll. part. Bührle, Zurich), peut être rattaché à ce vaste ensemble dont fait partie l'œuvre de l'Orangerie.

A la servante brune, à la peau mate, vêtue de bleu foncé, s'oppose le bébé aux cheveux blond vénitien, dont la robe blanche fait une vaste tache lumineuse. Leurs bras gauches s'emmêlent en une affectueuse attitude tandis que le geste de la main droite de l'enfant tente d'imiter celui de Gabrielle, en se saisissant d'une des figurines. Celles-ci, à peine esquissées, s'estompent et assurent sans heurts la continuité avec la table, au premier plan, traitée non comme une matière dure, inerte, mais souple et ondoyante. La surface variée et le plan horizontal qu'elle délimite, finalement assez indéterminé, répondent aux deux grandes barres verticales de l'arrière-plan traitées en flou. Ces deux pans de murs, par leurs contrastes — matière, aspect, dimension, couleur neutre à gauche, multicolore à droite — ménagent une sorte d'aération au tableau, tout en assurant, avec la surface triangulaire de la table, des plans géométriques qui cernent la réalité plastique des deux personnages. H.G.

Historique :
A. Vollard (?) ; P. Guillaume ; Mme J. Walter.

Expositions :
1944, Paris, Galerie Charpentier, *La vie familiale, Scènes et portraits*, n° 116 (repr.) ; 1966, Paris, n° 29 (repr.) ; 1967, Paris, Orangerie, *Vingt ans d'acquisitions du Musée du Louvre (1947-1967)*, n° 425 (repr.) ; 1980, Marcq-en-Barœul, Fondation Septentrion, *Impressionnisme*, n° 33 ; 1981, Paris, sans n°.

Bibliographie :
A. Vollard, 1918, vol. I, n° 104 (repr. p. 26) ; A. Vollard, *La vie et l'œuvre de P.-A. Renoir*, Paris 1919, p. 184 (pl. 37) ; J. Leymarie, 1978 (repr. coul. n° 61).

Renoir, *Gabrielle et Jean*, ▸
Ottawa, Galerie nationale du Canada

Pierre-Auguste Renoir

89
Fleurs dans un vase

Huile sur toile ; H. 0,55 ; L. 0,46
S.b.d. en rouge : *Renoir*
RF 1963-14

Pour ce bouquet, Renoir s'est plu à rassembler de nombreuses espèces végétales dont la variété, l'aspect, la couleur permettent un agencement recherché, confinant même à la préciosité. Le guéridon qui supporte le vase est suggéré par un arc de cercle coloré traité en aplat qui abolit l'effet de profondeur et prouve que l'artiste n'était pas indifférent aux recherches de certains contemporains concernant la perspective. Il est vrai que cette hardiesse est tempérée par le halo coloré enveloppant les fleurs qui rétablit par ailleurs l'effet de profondeur. Datée de 1898 dans *L'Atelier de Renoir* (vol. I, n° 194), cette nature morte est très proche d'un autre bouquet de dimensions presque similaires (0,40 × 0,35), disposé dans le même vase posé sur un guéridon, évoqué comme ici, par une bande colorée et qui présente la même mise en page et la même répartition des masses colorées (repr. dans *La Renaissance de l'Art français et des Industries de luxe*, 1930, n° 1, coll. Josse Hessel). Sans doute, cette œuvre moins élaborée dans le choix des fleurs mais si proche du bouquet de la collection Walter-Guillaume, l'a-t-elle précédé ou, tout au moins, a-t-elle été peinte conjointement?

H.G.

Historique :
Dans l'atelier de Renoir à sa mort ; P. Guillaume (?) ; Mme J. Walter.

Expositions :
1966, Paris, n° 30 (repr.) ; 1983, Paris, sans n°.

Bibliographie :
L'atelier de Renoir, vol. I, n° 194 (repr. pl. 63) ; J. Bouret, « L'éblouissante collection Walter », *Réalités*, n° 239, déc. 1965.

Pierre-Auguste Renoir

90
Yvonne et Christine Lerolle au piano

Huile sur toile ; H. 0,73 ; L. 0,92
S.b.d. en rouge : *Renoir*
RF 1960-19

Précédé par toute une série de dessins préparatoires jouant sur des techniques diverses, fusain, sanguine, crayon, ce tableau représente les filles aînées du peintre Henry Lerolle (1848-1929). Les diverses feuilles (dont une fut reproduite par J. Rewald dans *Renoir drawings,* New York, 1946, n° 66, et certaines passées en vente au cours des vingt dernières années : ventes Sotheby's, 14 avril 1962 ; Galliéra 10 et 11 décembre 1962 ; Sotheby's, 23 juin 1965 ; Parke Bernet, 21 octobre 1971) témoignent par leur nombre et leur diversité du soin employé par Renoir dans la composition de son tableau. Les têtes des jeunes filles y sont, en effet, plus ou moins rapprochées, plus ou moins penchées. L'une d'elles est très proche de la disposition définitive (vente Christie's, 30 juin 1970, n° 51 ; déjà passée en vente chez Sotheby's en 1962). Exposée à l'Orangerie en 1958-1959, *De Clouet à Matisse, dessins français des collections américaines,* n° 182, elle était alors datée « vers 1890 ». Toutefois, cette datation, pas plus que celle avancée par Meier-Graefe : 1886, ne peut être retenue, en raison de l'âge des deux sœurs, l'aînée, Yvonne étant née en 1877 et sa sœur Christine, de deux ans sa cadette, en 1879. Les deux sœurs épousèrent les deux frères Eugène et Louis Rouart.

Le thème du piano, fréquent dans la peinture de la seconde moitié du XIXe siècle, quand l'instrument eut envahi les salons bourgeois, et plusieurs fois représenté par Renoir, est particulièrement justifié pour les enfants Lerolle. Au-delà du sujet à la mode, il évoque, comme les deux œuvres de Degas du mur du fond, le milieu artistique dans lequel évoluaient les jeunes filles. Leur père, le peintre Henry Lerolle, membre fondateur de la Société Nationale des Beaux-Arts, et leur mère, que représenta en particulier Fantin-Latour (l'œuvre est au Musée de Cleveland), tenaient un salon fréquenté par des peintres, poètes et musiciens tels Maurice Denis, Mallarmé, Octave Maus, Debussy, Ernest Chausson — qui avait épousé la sœur de Madame Lerolle —. Une photographie, reproduite dans le *Bulletin of the Cleveland Museum of Art,* décembre 1977, p. 341, les montre toutes deux en compagnie de Degas. Henry Lerolle était aussi collectionneur et avait acquis les deux pastels de Degas représentés par Renoir, *Les Danseuses* et *Avant la course (Jockeys)* (P.A. Lemoisne, *Degas et son œuvre,* 1946-1949, n°s 486 et 702 ; *Les Danseuses* y sont signalées comme représentées dans le tableau de Renoir alors que *Avant la course* est omis). Degas, dans une lettre à Madame Bartholomé relate l'acquisition de cette œuvre qu'avait faite Henry Lerolle chez Durand-Ruel, en 1884 : « De concert avec sa femme qui passe pour le diriger, il vient, d'acheter un petit tableau de chevaux de moi à Durand-Ruel. Et il m'en écrit d'admiration (style Saint-Simon), veut me festoyer avec ses amis... Laissez-moi m'enivrer des parfums de la gloire, de l'autre côté de l'eau, derrière les Invalides, Avenue Duquesne. » (M. Guérin, *Lettres de Degas,* 1931, XXXVIII et note p. 61.) Les Lerolle habitaient au n° 20 de l'avenue Duquesne. Renoir choisit également d'évoquer cet aspect de la personnalité d'Henry Lerolle, lorsqu'il peignit à l'arrière-plan de *Christine Lerolle brodant* (Suisse, coll. part.), à peu près contemporain de *Yvonne et Christine Lerolle au piano,* leur père en train d'examiner sa collection de tableaux en compagnie du sculpteur Louis-Henry Devillez, collectionneur lui aussi et à qui le Louvre doit une grande partie de sa collection d'E. Carrière.

Outre ces deux œuvres, Renoir qui, semble-t-il, n'a jamais peint Guillaume et Jacques, les frères cadets des jeunes filles, représenta encore celles-ci. En témoignent le *Portrait de Christine Lerolle* (repr. dans *Apollo,* novembre 1965, pl. 1), le dessin *Christine Lerolle de profil cousant* (exposition *Renoir,* Durand-Ruel, avril 1921, n° 119) ou encore un autre portrait de Christine (vente Christie's, 28 juin 1968, n° 95), préparé par un dessin au crayon noir (ancienne collection Bernheim, vente galerie Charpentier, 7 juin 1935, n° 22). Ce portrait, daté « 97 » permet une datation similaire pour les autres œuvres, visiblement contemporaines ; à quelques mois près éventuellement.

Cette date est confirmée par des recoupements. Jeanne Baudot raconte que Renoir avait pensé rassembler dans une même œuvre les enfants Gobillard, leur cousine Julie Manet — qui allait épouser Ernest, frère d'Eugène et Louis — Yvonne et Christine Lerolle ; il renonça finalement à son projet et « se contenta d'exécuter de petits tableaux » (J. Baudot, *Renoir et ses amis, ses modèles,* Paris, 1949, p. 48). Un peu plus loin, elle

Pierre-Auguste Renoir

évoque « Renoir — qui — faisait chez les Lerolle le portrait d'Yvonne et de Christine au piano » alors que les Renoir habitaient rue de La Rochefoucauld (*id,* p. 67). Or, cette installation se fit en 1897.

D'autres peintres, fréquentant le salon de leurs parents, représentèrent alors les « deux jeunes filles délicieuses », selon le mot de Maurice Denis. Celui-ci, reprenant la formule déjà utilisée en 1892 pour le *Triple portrait de Marthe fiancée* (Saint-Germain-en-Laye, Musée) peignit en 1897 le superbe portrait de *Mlle Yvonne Lerolle en trois aspects* (anc. coll. O. Rouart).

Le parti pris de Renoir qui évoque l'atmosphère cultivée de la maison Lerolle est bien différent. Par la présence des deux sœurs, il renoue avec les années 1890 où il aimait représenter deux jeunes filles réunies par une même occupation. Le procédé sera repris un peu plus tard dans *La lettre* (Sterling and Francine Clark Art Institute, Williamstown, Massachusetts) où la pose des modèles, l'opposition des robes claire et sombre, le format en largeur, rappellent *Yvonne et Christine Lerolle au piano.*

H.G.

Historique :
Déposé par l'artiste chez Durand-Ruel du 1er septembre 1914 au 27 juillet 1917 ; dans l'atelier de Renoir à sa mort ; Knoedler-Bernheim-Jeune en compte à demi ; part Knoedler vendue à Bernheim-Jeune le 18 mai 1926 ; Suisse, Galerie *L'Art Moderne*, 22 octobre 1928 ; coll. Rochecouste ; vente anonyme [Rochecouste], Hôtel Drouot, 10 juin 1937, n° 53 (repr.) ; acheté à cette vente en compte à demi par Mme P. Guillaume et Durand-Ruel, Paris, puis New York ; part Durand-Ruel vendue à Knoedler le 11 juillet 1947 puis à Mme J. Walter.

Expositions :
1944, San Francisco, California Palace of the Legion of Honor ; 1966, Paris, n° 31 (repr.) ; 1981, Paris, sans n°.

Bibliographie :
Meier-Graefe, 1929, n° 188, p. 253 (repr.) ; *L'atelier de Renoir*, tome I (repr. coul. en couverture), n° 201 (repr. pl. 65) ; *Cahiers d'Art*, 1936, nos VIII-X, p. 276 (repr.) ; S. Alexandrian, *La Peinture impressionniste de A à Z*, n° 5, janvier-février 1974, p. 59 (repr. coul.).

Yvonne et Christine Lerolle,
photographie, coll. part.

Renoir, *Yvonne et Christine Lerolle au piano*, coll. part.

Pierre-Auguste Renoir

91
Gabrielle au jardin

Huile sur toile ; H. 0,55 ; L. 0,46
S.b.g. en brun : *Renoir*
RF 1963-18

Même après son détachement de l'Impressionnisme, Renoir resta toujours très sensible aux jeux de la lumière et affectionna les sujets peints en plein air, comme ses *Baigneuses* évoluant dans une véritable osmose avec la nature. Ce portrait de personnage en pied, debout au milieu des arbres, est davantage prétexte à l'expression du jeu lumineux sur la végétation et le modèle, que véritable description individualisée. Le sujet — est-ce vraiment Gabrielle qui a posé ? — est très proche, par son attitude, de *La femme au panier* (A. Vollard, *La vie et l'œuvre de P.A. Renoir,* Paris, 1919, repr. p. 176) et rappelle, par la relation entre la figure et le fond du paysage, outre cette œuvre, *La femme marchant dans l'herbe* (vente M. Gangnat, 1925, n° 13). La technique, frottis léger et vaporeux effleurant la toile, le rendu de la végétation, feuillage mousseux et tronc doucement sinueux, la mollesse de la figure féminine tout en rondeur, annoncent certaines productions des années 1910 et plus particulièrement *Idylle à Cagnes* (J. Meier-Graefe, 1929, n° 356). H.G.

Historique :
A. Vollard (?) ; P. Guillaume (?) ; Mme J. Walter.

Exposition :
1966, Paris, n° 33 (repr.).

Pierre-Auguste Renoir

92

Bouquet

Huile sur toile ; H. 0,40 ; L. 0,33
S.b.g. en rouge foncé : *Renoir*
RF 1963-15

Renoir a toujours aimé capter la lumière qui fait vibrer les couleurs des fleurs. A Cagnes, il éprouvait une véritable jubilation à retranscrire sur la toile le témoignage de la vitalité de la nature. « Ainsi — Mme Renoir — avait-elle toujours à la maison des fleurs dans ces pots à quatorze sous, d'un si joli vert, que Renoir aimait tant regarder aux étalages », comme nous le rapporte Vollard (A. Vollard, *En écoutant Cézanne, Degas, Renoir,* Paris, 1938, p. 234). De cette période date un ensemble d'œuvres où figure souvent le vase vernissé chéri par Renoir, qui reçoit notre bouquet composé de coquelicots, de roses et de fleurs variées. On le reconnaît particulièrement dans une œuvre presque semblable à celle-ci par ses dimensions (0,41 × 0,33), sa technique, sa mise en page et le fond bleu uni identique : *Anémones dans un vase sur fond bleu* (coll. part., New York ; repr. coul. dans le catalogue de l'exposition *Renoir,* Japon, octobre 1971 - février 1972, n° 36). Elle en diffère seulement par le choix des fleurs, les anémones étant substituées au bouquet composé. H.G.

Historique :
A. Vollard (?) ; P. Guillaume ; Mme J. Walter.

Expositions :
1929, Paris ; 1966, Paris, n° 32 (repr.) ; 1981, Tbilissi-Leningrad, n° 37 (repr.).

Bibliographie :
W. George, s.d., p. 47 (repr. p. 41) ; *La Renaissance*, avril 1929, n° 4 (repr. p. 180).

Pierre-Auguste Renoir

93
Fraises

Huile sur toile ; H. 0,28 ; L. 0,46
S.h.d. en brun : *Renoir*
RF 1963-17

A Cagnes, Renoir peignit de nombreuses natures mortes où il privilégie le format en longueur. Il construit celle-ci en distribuant objets et fruits de texture et de forme différentes alors que, de plus en plus, il aura tendance à délaisser la composition au profit d'une simple disposition des éléments à même la nappe. On retrouve dans cette œuvre, datée vers 1905 par J. Meier-Graefe (*Auguste Renoir,* 1912, p. 187) des accessoires utilisés par ailleurs. Ainsi, le compotier godronné apparaît dans une autre nature morte de la collection Walter-Guillaume : *Pêches* — (n° 81) — (voir aussi *The Connoisseur,* January 1958) ; la même boîte à thé se trouve dans une petite nature morte aux pommes, également en longueur, repr. in *L'Œil,* septembre 1978. En revanche, le couteau, seul élément rigide de la composition, avec le manche de la cuillère dépassant de la boîte à thé, n'est pas un accessoire très fréquent chez Renoir (un couteau figure également dans une œuvre de l'ancienne collection Maurice Gangnat — vente M. Gangnat, juin 1925, n° 24 — où il contrebalance aussi la rectitude du manche d'une cuillère) qui, contrairement à Cézanne, a rarement introduit des objets inertes dans ses natures mortes. H.G.

Historique :
A. Vollard (?) ; P. Guillaume (?) ; Mme J. Walter.

Expositions :
1942, Paris, Galerie Charpentier, *Les fleurs et les fruits depuis le romantisme,* n° 159 ; 1966, Paris, n° 34 (repr.).

Bibliographie :
J. Meier-Graefe, *Auguste Renoir,* Paris, 1912, p. 187 (repr.) ; J. Meier-Graefe, 1929, p. 381 (repr. n° 304).

94

Femme nue couchée (Gabrielle)

Huile sur toile ; H. 0,67 ; L. 1,60
N.s.
RF 1960-22

Si Renoir, exprimant la pleine harmonie entre le corps féminin et la nature, a peint tout au long de sa vie de nombreuses baigneuses, il a rarement représenté ses nus dans un intérieur. Au-delà de Manet et son *Olympia,* d'Ingres et ses *Odalisques,* de Goya et sa *Maja desnuda,* on ne peut s'empêcher d'établir la relation entre la *Femme nue couchée* et les nus de Rubens et du Titien, — dont Renoir admirait tant la *Vénus et l'Organiste* —, aussi sensuels que les siens.

Dès 1912, Meier-Graefe comparait trois « grands tableaux en format large qui représentent des femmes nues » (p. 176). Un, daté 1903, appartenait à Durand-Ruel. Le deuxième, daté 1907, était à Mademoiselle Dieterle. Le troisième, enfin, se trouvait chez l'artiste. Deux d'entre eux figurent aujourd'hui dans les collections nationales : le *Nu couché* de la collection Walter-Guillaume (dans l'atelier de Renoir à sa mort) et le *Grand nu,* donné en 1975 par M. et Mme Robert Kahn-Sriber (ancienne collection Dieterle, RF 1975-18). Celui de 1903 (ancienne collection Durand-Ruel) après être passé entre plusieurs mains, a figuré naguère en vente publique (Christie's, 16 mai 1977). Bien que quatre années séparent l'œuvre de l'ancienne collection Durand-Ruel, de celle reçue par les Musées Nationaux en 1975, une indéniable parenté s'impose, même si l'on peut douter de l'identité du modèle (Gabrielle a-t-elle posé pour l'œuvre de 1907 ?). Des trois grands nus désignés par Meier-Graefe, seul, celui de la collection Walter-Guillaume n'est ni daté, ni même signé. Une comparaison avec le *Nu* de l'ancienne collection Durand-Ruel, de dimensions quasi semblables (0,655 × 1,55), fait apparaître une analogie frappante entre les deux œuvres. Le capitonnage du canapé de notre œuvre est traité avec moins de soin, un rideau apparaît sur la droite (l'œuvre est légèrement plus longue), la draperie qui couvre Gabrielle est un peu moins étalée et la jambe gauche est ramenée sous la droite. Un examen détaillé est toutefois nécessaire afin de distinguer les deux œuvres.

Sans éléments objectifs, il est donc difficile d'établir la datation du tableau de la collection Walter-Guillaume. L'*Atelier de Renoir* le date de 1906, (vol. I, n° 339), Vollard de 1908 (vol. I, n° 363). Certains, se fondant sur la gravure à l'eau-forte de 1906 (Delteil, L., *Le peintre graveur illustré,* tome XVII, Paris, 1923, n°s 13 à 15) ont avancé cette date. Mais la gravure, qui s'inspire de la version Durand-Ruel et non de celle de Walter-Guillaume, ne peut constituer un élément de référence. Il est impossible, en tout cas, d'envisager une date postérieure à 1907, année où Renoir mit cette œuvre en dépôt chez Durand-Ruel (opération qu'il devait renouveler en 1914 comme l'attestent les archives de la galerie). Par ailleurs, il est tout aussi impossible de préciser l'ordre des tableaux et l'on peut aussi bien concevoir que *Le Nu* Durand-Ruel a précédé *Le Nu* Walter-Guillaume que l'inverse. Signalons enfin, un grand dessin marouflé sur toile, rehaussé à la sanguine, apparu en 1958 et passé en vente il y a quelques années (Galliéra, 5 juin 1970). Cette œuvre très linéaire, fait songer à une sorte de décalque d'après le *Nu* Durand-Ruel dont elle présente les dimensions, et ne saurait nous éclairer sur l'élaboration de l'œuvre qui nous occupe, à moins qu'il s'agisse d'un poncif.

Historique :
Déposé par l'artiste chez Durand-Ruel du 18 juillet 1907 au 14 novembre 1907 et du 1er septembre 1914 au 27 juillet 1917 ; dans l'atelier de Renoir à sa mort ; A. Vollard (?) ; P. Guillaume (?) ; Mme J. Walter.

Expositions :
1927, Paris, Galerie Bernheim-Jeune, *Renoir* ; 1939, Belgrade, Musée du Prince Paul, *La peinture française au XIXe siècle,* n° 100 (repr.) ; 1940, Montevideo, *Pintura francesa de los siglos XIX y XX, de David a nuestros días,* n° 5 ; 1940, Rio de Janeiro, Musée National des Beaux-Arts, *Pintura francesa,* n° 88 ; 1941, Los Angeles, Los Angeles County Museum, *The Painting of France since the French Revolution,* n° 112 ; 1950, Paris, Galerie Charpentier, *Autour de 1900,* n° 147 ; 1966, Paris, n° 37 (repr.).

Bibliographie :
J. Meier-Graefe, *Auguste Renoir,* Paris, 1912, note p. 176 ; A. Vollard, 1918, vol. I, n° 363 (repr. p. 91) ; *L'Atelier de Renoir,* tome I, n° 339 (repr. pl. 106) ; A. Vollard, « Renoir intime, ses modèles et ses bonnes », *La Renaissance de l'Art français,* n° 3, mars 1920 (repr. p. 109) ; M. P. Fouchet, *Les nus de Renoir,* Lausanne, 1974, p. 71 (repr.).

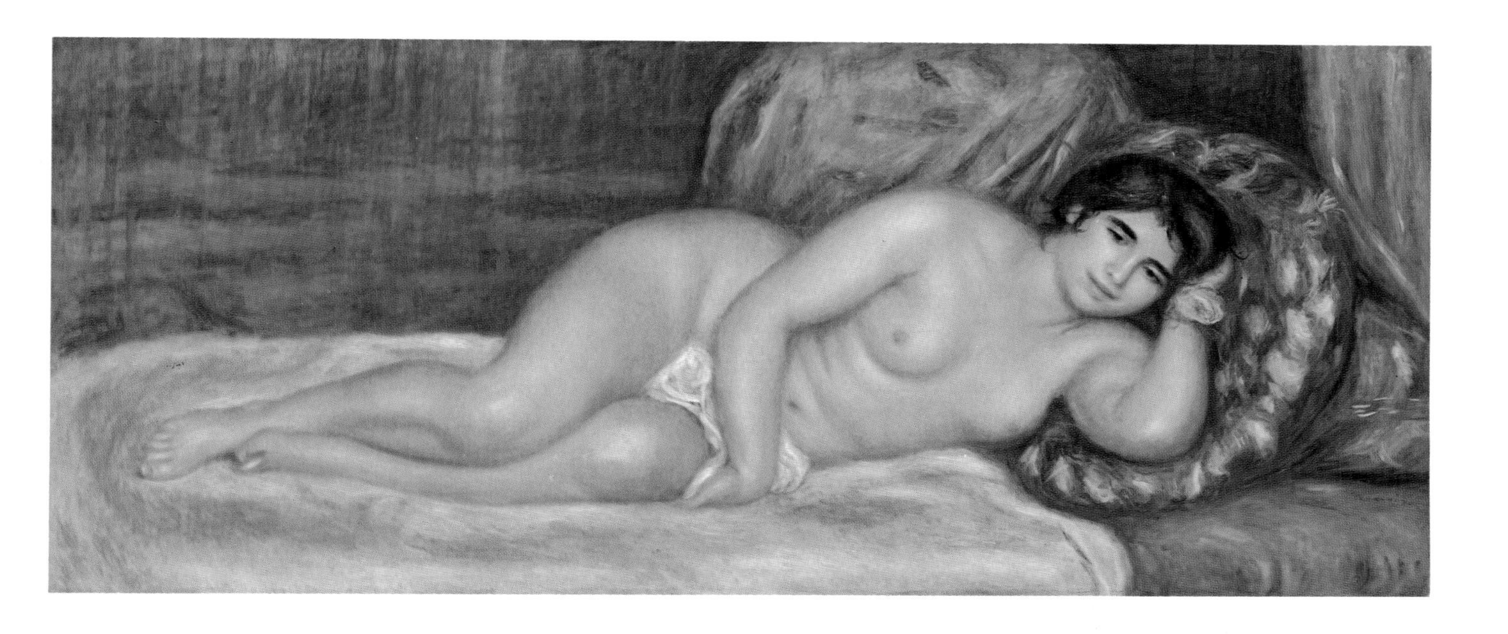

Une autre imprécision se rattache à cette œuvre ; celle des modalités de son achat. Si l'on en croit le catalogue de la *Centennial Loan exhibition,* Duveen Galleries, New York, 1941, qui exposait sous le n° 72 la version Durand-Ruel, une seconde version était alors en possession de Pierre Renoir. Or, il est attesté qu'en 1939, l'œuvre appartenait à Mme Paul Guillaume. En admettant que les renseignements des Duveen Galleries n'étaient pas actualisés en 1941, on peut, semble-t-il, envisager un achat de Paul Guillaume relativement tardif, tout au moins aux héritiers de Renoir puisque l'œuvre se trouvait dans l'atelier de l'artiste à sa mort (*L'Atelier de Renoir,* tome I, n° 339).
H.G.

Renoir, *Femme nue couchée*, anc. coll. Durand-Ruel

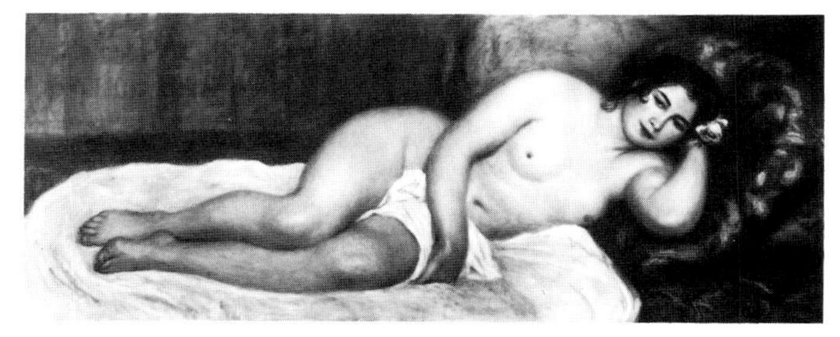

Renoir, *Grand nu*, Paris, Musée d'Orsay

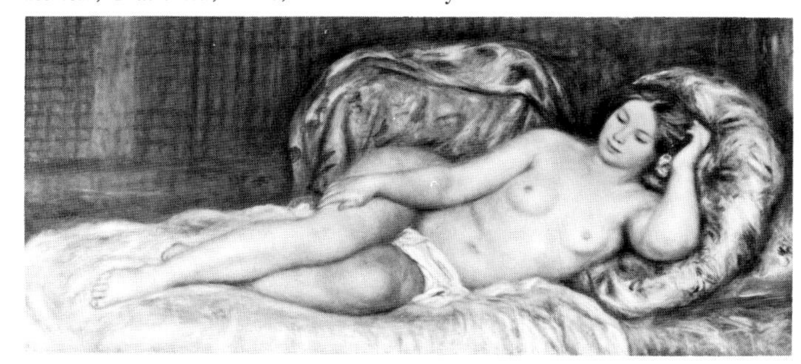

95
Claude Renoir, jouant

Huile sur toile ; H. 0,46 ; L. 0,55
S.b.d. en brun : *Renoir*
RF 1963-22

De ses trois fils, Claude, né en 1901, fut le plus fréquemment représenté par Renoir. Comme l'expliqua Jean pour lui-même, Renoir captait ses enfants en pleine occupation. C'est ce qu'il fit aussi pour Claude absorbé par son jeu de petits soldats, ces petits soldats de plomb qu'Ambroise Vollard nous montre traîner à terre dans l'atelier du peintre, et que la « mère Machin », qui s'occupait du ménage chez les Renoir, s'efforçait de ramasser, à quatre pattes sur le sol (A. Vollard, *En écoutant Cézanne, Degas, Renoir,* Paris, 1938).

Contemporaine de *Claude jouant,* s'échelonne toute une série de tableaux où Claude est croqué dans ses activités familières. Les plus apparentés au portrait de la collection Walter-Guillaume sont sans doute *La Petite Tête de Coco* (vente M. Gangnat, n° 157), *Coco écrivant* (coll. part. Paris, repr. dans J. Leymarie, 1978, n° 74) où Claude, en robe rouge comme dans l'œuvre de la collection Walter-Guillaume, est décrit sur un fond indéterminé. Plus proche encore, malgré l'introduction d'un second personnage, se trouve être *Femme et enfant (Coco) jouant aux dominos* ("given in memory of Governor Alvan T. Fuller by the Fuller Foundation"). Le fond neutre, l'angle de vision de la table et de l'enfant, observés d'un peu haut, comme par un adulte debout, sont tout à fait identiques.

La date que fournit *Coco écrivant,* 1905, peut être retenue pour *Claude Renoir jouant.* C'est sans doute par erreur que cette œuvre est reproduite dans *L'Atelier de Renoir* sous le titre *Claude Renoir en bleu, jouant.* L'enfant est, en effet, vêtu d'une robe rouge. De plus, la date indiquée : 1910, est manifestement erronée puisque Claude, que Renoir a peint en 1909 (*Claude Renoir en clown,* n° 97), ne peut avoir neuf ans sur cette œuvre. H.G.

Historique :
Dans l'atelier de Renoir à sa mort ; P. Guillaume (?) ; Mme J. Walter.

Expositions :
1927, Berlin, Galerie A. Flechtheim, *Renoir,* n° 19 ; 1928, Berlin, Galerie A. Flechtheim, *Renoir,* n° 53 ; 1966, Paris, n° 35 (repr.).

Bibliographie :
L'Atelier de Renoir, vol. I, n° 334 (repr. pl. 104) ; F. Daulte, *Auguste Renoir,* Milan, 1972, p. 64 (repr. coul. n° 1).

96
Bouquet de tulipes

Huile sur toile ; H. 0,44 ; L. 0,37
S.b.d. en noir : *Renoir*
RF 1963-20

« Cela me repose la cervelle de peindre des fleurs. Je n'y apporte pas la même tension d'esprit que lorsque je suis en face d'un modèle. Quand je peins des fleurs, je pose des tons, j'essaye des valeurs hardiment », confiait Renoir à son ami Georges Rivière (G. Rivière, *Renoir et ses amis,* Paris, 1921, p. 81). C'est bien ce que fait Renoir dans cette œuvre éclatante de couleurs, datée de 1905 dans *L'Atelier de Renoir,* où se détachent sur le rouge du fond, le vert du vase à demi représenté et la courbure des fleurs multicolores.

H.G.

Historique :
Dans l'atelier de Renoir à sa mort ; A. Vollard (?) ; P. Guillaume ; Mme J. Walter.

Expositions :
1929, Paris ; 1942, Paris, Galerie Charpentier, *Les fleurs et les fruits depuis le romantisme ;* n° 154 ; 1966, Paris, n° 36 (repr.) ; 1981, Tbilissi-Leningrad, n° 38 (repr.).

Bibliographie :
W. George, s.d. (repr. p. 40) ; *L'Atelier de Renoir,* tome I, n° 312 (repr. pl. 96).

97

Claude Renoir en clown

Huile sur toile ; H. 1,20 ; L. 0,77
S.D.b.d. en gris : *Renoir 09*
RF 1960-17

Saisis souvent dans leurs activités, à leur propre insu, les enfants de Renoir furent pour leur père des modèles involontaires qu'il peignait avec beaucoup de tendresse. Ce n'est que très rarement qu'il leur demanda de poser comme le fit ici son dernier fils, Claude ou encore Jean, en 1910, pour *Jean en costume de chasse.* Longtemps après, Claude évoquait ses séances de pose, revêtu de l'habit de soie rouge, déjà endossé pour une matinée costumée et des bas de laine qui lui grattaient les jambes et qu'il avait troqués contre des bas de fil après interruption de la pose (M. Robida, p. 44). Toutefois, le jeune Claude, né en 1901, alors âgé d'une huitaine d'années, ne s'impatientait guère, car il manquait ainsi l'école !

Isolé dans un discret décor de colonnes, sans doute inventé, et dans un costume intemporel, l'enfant, en pied, fait songer aux portraits des jeunes princes et aristocrates de Vélasquez et de Goya ; tout particulièrement à Don Manuel Osorio Manrique de Zuñiga (New York, Metropolitan Museum of Art) au regard comme absent, et dont le costume rouge à grand col blanc tranche sur le fond neutre. Le portrait en pied de Claude en clown, daté de 1909, que Renoir peignit aussi en s'arrêtant à la collerette (*La Collerette,* vente Galliéra, 10 décembre 1964, n° 156), est bien différent des nombreux portraits d'enfants, œuvres de commande des années 1875-1890. « Pierrot rouge » plutôt que « clown », l'enfant tire sa somptuosité des accords rutilants de son costume indatable, aux couleurs chaudes qui se reflètent et s'amalgament au fond neutre du tableau, fréquentes chez le Renoir de cette époque dite « vénitienne » et que l'on retrouve par exemple dans *Gabrielle en blouse rouge* (New York, coll. Maurice Wertheim).

De la même époque sans doute, date le *Portrait de Claude* (Musée de São Paulo), assis et de trois quarts gauche cette fois, où se reconnaît le visage plein, souligné par la masse des cheveux et la lourde frange sur le front de l'enfant.

Quelques années plus tôt, Jean avait posé pour son père, lui aussi dans un costume de fantaisie : *Le Pierrot blanc* (vers 1902, Detroit Institute of Arts, The Robert Hudson Tonnehil Bequest). Cette œuvre, de dimensions plus réduites (0,81 × 0,61) que *Claude Renoir en clown* et où s'étale avec autant de magnificence le costume du modèle sur un fond neutre, fut également propriété de Paul Guillaume après être resté dans l'atelier de l'artiste et passé dans la collection de Claude Renoir. En fut-il de même pour *Claude Renoir en clown* qui semble lui aussi être resté dans l'atelier de Renoir ? H.G.

Historique :
Déposé par l'artiste chez Durand-Ruel du 1er septembre 1914 au 27 juillet 1917 ; dans l'atelier de Renoir à sa mort ; Claude Renoir (?) ; A. Vollard (?) ; P. Guillaume (?) ; Mme J. Walter.

Expositions :
1928, Berlin, Galerie Flechtheim, *Renoir,* n° 56 (?) ; 1938, Paris, Galerie Bernheim-Jeune, *Renoir,* n° 32 ; 1966, Paris, n° 38 (repr.).

Bibliographie :
A. Vollard, 1918, vol. I, n° 584 (repr. p. 147) ; *L'Atelier de Renoir,* tome II, n° 374 (repr. pl. 120) ; A. Vollard, « Renoir intime, ses modèles et ses bonnes », *La Renaissance de l'Art français,* n° 3, mars 1920 (repr. p. 111) ; G. Rivière, *Renoir et ses amis,* Paris, 1921, p. 241 (repr.) ; M. Robida, *Renoir. Portraits d'enfants,* Paris, 1959, p. 44 ; F. Daulte, « Renoir, son œuvre regardé sous l'angle d'un album de famille », *Connaissance des Arts,* n° 153 (repr. pl. 27) ; *La peinture impressionniste de A à Z,* coll. « Le monde des grands musées », n° 5, janvier-février 1974, p. 61 (repr. coul.) ; H. Leppien, *Der zerbrochene Kopf,* Hambourg, Kunsthalle, 1981 (repr.).

Renoir, *La collerette,* coll. part.

98

Baigneuse assise s'essuyant une jambe

Huile sur toile ; H. 0,51 ; L. 0,41
S.b.d. en rouge : *Renoir*
RF 1963-26

Dernier des nus de la collection Walter-Guillaume, cette *Baigneuse* rejoint, par son attitude, le plus ancien, daté de 1883. Mais au-delà du geste commun, nulle similitude. La préhension du nu, de ses volumes, des miroitements de la lumière sur la peau sont bien différents. Les longues touches juxtaposées ont remplacé l'onctuosité de la matière et l'arrière-plan se dissout dans un désordre de touches multicolores dont le linge blanc et rouge se fait l'écho.

Daté de 1914 par J. Meier-Graefe (1929, p. 413), l'œuvre est très proche des *Baigneuses* de la Fondation Barnes (repr. dans M. Drucker, 1955, n° 138).

Trois autres œuvres, de dimensions légèrement plus réduites, publiées dans *l'Atelier de Renoir* (tome II, pl. 171, n°s 542, 543, 544) peuvent être comparées à la fois par le sujet et le traitement à *Baigneuse assise s'essuyant une jambe. L'Atelier de Renoir* les date respectivement de « 1916-18 », « 1915-19 », « 1918 ». H.G.

Historique :
Paul Rosenberg ; A. Barnes ; Paul Rosenberg ; P. Guillaume ; Mme J. Walter.

Expositions :
1929, Paris ; 1966, Paris, n° 40 (repr.).

Bibliographie :
Les Arts à Paris, n° 9, avril 1924, p. 9 (repr.) ; W. George, s.d., pp. 44-45 (repr. p. 39) ; J. Meier-Graefe, 1929, p. 413 (repr. n° 383).

99
Blonde à la rose

Huile sur toile ; H. 0,64 ; L. 0,54
S.b.d. en noir : *Renoir*
RF 1963-27

Ce portrait est typique de la dernière manière de Renoir par ses tonalités où domine la violence du rouge que ne parviennent pas à tempérer les touches d'autres couleurs, par le flou général qui affecte la figure, par la pâte épaisse mais qui laisse apparaître, par endroits, le grain de la toile.

On reconnaît dans la jeune femme, Andrée-Madeleine Heuschling (1900-1979), surnommée « Dédée », le dernier modèle de Renoir, dont il disait : « Qu'elle est belle ! J'ai usé mes vieux yeux sur sa jeune peau et j'ai vu que je n'étais pas un maître, mais un enfant. » Comédienne et connue au théâtre sous le nom de Catherine Hessling, elle épousa Jean Renoir en 1920 et fut l'interprète de plusieurs de ses films dont *Nana,* dans l'adaptation que fit le cinéaste du roman de Zola en 1927. Ce portrait est assez proche de celui du Petit Palais (J. Laffon, *Catalogue sommaire illustré des peintures,* Paris, 1982, n° 708) où Dédée, en buste de trois quarts gauche, porte la même robe largement échancrée et arbore aussi une rose. Plus semblable encore, apparaît *Andrée de face en rose sur fond bleu,* reproduite dans *L'Atelier de Renoir* et datée, dans cet ouvrage, de 1915 (tome II, pl. 154, n° 482). La jeune femme, en buste, présente exactement la même attitude que dans l'œuvre de la collection Walter-Guillaume, au point que l'on pourrait penser que ce dernier tableau fut le développement ultérieur de ce portrait.

Datée de 1918 dans *L'Atelier de Renoir,* l'œuvre est donnée comme étant de 1915 par Meier-Graefe, date reprise par Marie-Thérèse Lemoyne de Forges (Paris, 1966) par comparaison avec le portrait de *Tilla Durieux* (New York, Metropolitan Museum) de 1914. Effectivement, l'analogie des attitudes est étonnante ; toutefois dans *Tilla Durieux,* domine le rouge sans être agressif et la forme est plus clairement cernée. Si la pose de la *Blonde à la rose* rappelle *Tilla Durieux,* son traitement est plus proche de la *Femme au bouquet* (vente M. Gangnat 1925, n° 149), de la *Femme à la mandoline* (New York, coll. Hillman) ou du *Concert* (New York, coll. P. Rosenberg) que l'on s'accorde à dater des toutes dernières années de la vie de Renoir. Cependant, cette œuvre, qui apparaît clairement sur une photographie de l'atelier de Renoir prise par George Besson en 1917 ne peut être postérieure à cette date. Restée dans l'atelier après la mort de l'artiste, elle fut ensuite propriété de son fils Claude.

H.G.

Historique :
Dans l'atelier de Renoir à sa mort ; Cl. Renoir ; P. Guillaume ; Mme J. Walter.

Expositions :
1928, Berlin, Galerie Flechtheim, *Renoir,* n° 58 (repr. p. 7) ; 1929, Paris ; 1963, Marseille, Musée Cantini, *Renoir,* n° 48 ; 1966, Paris, n° 41 (repr.) ; 1980, Athènes, n° 33 (repr. coul.) ; 1980, Paris, Conservatoire National des Arts et Métiers, *Image et magie du cinéma français,* n° F 2 (repr.) ; 1981, Tbilissi-Leningrad, n° 41 (repr.).

Bibliographie :
G. Rivière, *Renoir et ses amis,* 1921, Paris (repr. coul. H.T., face à la p. 116) ; W. George, s.d., p. 23 (repr.) ; J. Meier-Graefe, 1929, p. 414 (repr. n° 278) ; *L'Atelier de Renoir,* tome II, n° 675 (repr. pl. 212).

Renoir, *Tilla Durieux,* New York Metropolitan Museum

Pierre-Auguste Renoir

100

Femme au chapeau

Huile sur toile ; H. 0,26 ; L. 0,26
S.h.d. en brun : *Renoir*
RF 1963-21

Innombrables sont les portraits féminins peints par Renoir et parmi eux, multiples sont les *Femmes au chapeau.* L'artiste a souvent joué de cet accessoire dans la composition et les effets chromatiques de ses œuvres. Ce tout petit tableau peut être rapproché d'autres *Femme au chapeau* aussi réduits (*Jeune fille au chapeau de paille* - 0,20 × 0,17 - vente Sotheby, 1er déc. 1965, n° 19 ; *Femme au menton appuyé sur ses mains* - 0,25 × 0,23 - vente Galliéra, 16 juin 1964, n° 152 ; *Tête de femme* - 0,285 × 0,22 - vente Sotheby, 2 déc. 1981, n° 33). On y distingue, comme dans *La femme au chapeau* (0,51 × 0,41 - vente Christie's, 30 mars 1981) et *Le buste de femme* (0,32 × 0,38 - vente Christie's, 29 mars 1982) les mêmes touches larges, légèrement appuyées et même un peu inconsistantes, et les glacis laissant apparaître l'épiderme de la toile, caractéristiques des dernières œuvres de Renoir et qui laissent présumer la période 1915-1919 pour notre portrait. En 1910, Renoir avait déjà retenu un chapeau au long bord et à la calotte profonde pour coiffer la femme du premier plan de la composition, *Claude Renoir et les deux servantes* (M. Drucker, 1945, n° 127).

Paul Guillaume a possédé un autre portrait de femme, *L'épaule nue* (0,33 × 0,30 - vente Galerie Georges Giroux, Bruxelles, 11 mars 1949), présentant les mêmes particularités stylistiques, ainsi que le visage rond assez mou, le regard noyé et les lèvres charnues du modèle de la *Femme au chapeau.* H.G.

Historique :
A. Vollard (?) ; P. Guillaume (?) ; Mme J. Walter.

Exposition :
1966, Paris, n° 39 (repr.).

Pierre-Auguste Renoir

101
Femme accoudée

Huile sur toile ; H. 0,23 ; L. 0,32
S.b.d. en brun : *Renoir*
RF 1963-28

Cette *Femme accoudée* apparaît en bas, à droite d'une toile groupant plusieurs motifs, reproduite dans *L'Atelier de Renoir* (t. II, pl. 134, n° 413, « Têtes de femmes et paysages », 0,52 × 0,56). Au-dessus, le même modèle se retrouve vu de profil, en buste, la main droite tendue vers le spectateur. La toile a donc été découpée selon les différents motifs après la mort de l'artiste.

Par ses caractéristiques stylistiques, touches longues, légères, à la pression irrégulière laissant apparaître la toile, flou du modelé, traitement du visage et identité du rendu des yeux, du nez, de la bouche, par la modestie de ses dimensions, cette *Femme accoudée* se rapproche de la *Femme au chapeau* de la collection Walter-Guillaume (n° 100) et comme elle, peut être datée des dernières années de Renoir. Dans *L'Atelier de Renoir,* est reproduite une figure très proche de celle-ci (*Femme en chemise grecque appuyée sur son coude droit,* repr. n° 620) datée par l'auteur de 1917 alors que la collection M. Gangnat renfermait une *Femme accoudée,* vêtue de rouge, de dimensions très réduites (0,18 × 0,20), datée de 1911 dans le catalogue de vente (Vente M. Gangnat, 1925, n° 50). L'attitude de la femme accoudée apparaît également dans une composition de la fin de la vie de Renoir, *Le concert* (Galerie d'Art de l'Ontario à Toronto, Gift of Reuben Wells Leonard Estate) où une jeune femme, le coude droit posé sur un guéridon et la tête sur la main, écoute, d'un air rêveur, une joueuse de mandoline assise à ses pieds. H.G.

Historique :
Dans l'atelier de Renoir à sa mort ; P. Guillaume ; Mme J. Walter.

Expositions :
1929, Paris ; 1966, Paris, n° 42 (repr.) ; 1969, Troyes, Musée des Beaux-Arts, *Renoir et ses amis,* n° 23.

Bibliographie :
W. George, s.d., p. 16 (repr.) ; *L'Atelier de Renoir,* tome II, n° 413 (pl. 134).

Henri Rousseau dit Le Douanier

Laval, 1844 - Paris, 1910

102

Le navire dans la tempête

Huile sur toile ; H. 0,54 ; L. 0,65
S.b.g. en jaune au pinceau : *Henri Rousseau*
RF 1960-27

Ce tableau est d'un type assez rare dans la production connue de Rousseau. Celui-ci laissait croire (et Apollinaire fut encore le dupe et le propagateur de cette fable) qu'il avait participé à l'expédition de l'armée française au Mexique (1862-1867), alors qu'il n'a guère voyagé et n'est probablement jamais monté sur un bateau. Une grande partie de l'œuvre de ce citadin, très enraciné dans son faubourg parisien, est, par une sorte de compensation, un appel au voyage et à l'évasion.

Un stand de fête foraine représentant un bateau articulé dans la tempête, ou un diorama de l'Exposition universelle de 1889, ont sans doute fourni au Douanier Rousseau des éléments de cette curieuse composition. Ainsi peut s'expliquer l'aspect de tôle découpée qu'il donne à la mer, dont le dessin des vagues rappelle un peu la célèbre gravure d'Hokusai. Pour le bateau lui-même, la source est plus probablement une image de journal illustré. Y. Le Pichon (p. 123) a reconnu dans le bateau la silhouette caractéristique du croiseur *d'Entrecasteaux*, avec sa troisième cheminée décalée ; il fut lancé en 1896.

Quels que soient les modèles utilisés, Rousseau, une fois encore, les interprète avec liberté. On a, de plus, ici, un exemple de l'intérêt qu'il portait aux nouveautés de son temps. Ainsi, fut-il longtemps le seul peintre à avoir osé représenter la tour Eiffel (si l'on excepte Seurat, dans un croqueton récemment entré au California Palace of the Legion of Honour, San Francisco), des dirigeables et des avions. En peignant un navire moderne, pavillon haut, résistant à la tempête, Rousseau renouvelle sa thématique en exaltant une réalisation de prestige de l'industrie nationale et de l'armée française. M.H.

Historique :
A. Vollard, Paris ; P. Guillaume ; Mme J. Walter.

Expositions :
1933, Bâle, n° 34 ; 1935, Paris, Petit Palais n° 414 ; 1935, Paris, Exp. G.B.A. n° 123 ; 1951, New York, n° 1 ; 1961, Paris, n° 20 ; 1964, Rotterdam, Paris, n° 9 (repr.) ; 1966, Paris, n° 43 (repr.) ; 1981, Tbilissi-Leningrad, n° 42 (repr.) ; 1982, Paris, Salon des Indépendants (repr.).

Bibliographie :
A. Basler, 1927, pl. 35 ; C. Zervos, Paris, 1927, pl. 29 ; W. George, « Le miracle de Rousseau », *Les Arts à Paris,* n° 18, juil. 1931, fig. p. 11 ; R. Grey, 1943, pl. 61 ; J. Bouret, 1961, pp. 10, 256, fig. 110, p. 200 ; D. Vallier, 1961, pp. 42, 43, 132, fig. 54 p. 307 ; D. Vallier, 1970 rééd. 1981, fig. et notice 57, pl. XXIII ; L. und O. Bihalji-Merin, Dresde, 1971, fig. 9, p. 44 ; A. Jakovsky « Le Douanier Rousseau savait-il peindre ? », *Médecine de France,* janvier 1971, (repr.) ; V. Nezval, *Insita 4,* Bratislava, 1972, p. 79 ; C. Keay, 1976, p. 128 (repr.) ; F. Elgar, Paris, 1980, pl. 22 ; Y. Le Pichon, 1981, fig. p. 123.

Henri Rousseau

103
La fabrique de chaises à Alfortville

Huile sur toile ; H. 0,73 ; L. 0,92
S.b.d. : *Henri Rousseau*
RF 1963-32

104
La fabrique de chaises

Huile sur toile ; H. 0,38 ; L. 0,46
S.b.d. : *Henri Rousseau*
RF 1960-28

Chez le Douanier Rousseau, les paysages des environs de Paris partent en général de l'observation directe et attentive d'un site apparemment insignifiant ; ici, c'est une fabrique de chaises d'Alfortville, dans la banlieue Sud-Est de Paris, à laquelle il confère la poésie sévère d'un décor de théâtre pour une pièce d'esprit naturaliste, contrastant avec le charme exotique de ses paysages tropicaux. C'est un des rares tableaux d'assez grandes dimensions peint d'après un paysage urbain. L'exécution en est particulièrement soignée, notamment dans le ciel où Rousseau fait preuve d'un beau métier traditionnel. Le dessin des nuages, le rapport de tons entre leur couleur et le bleu du ciel sont à peu près les mêmes que dans les ciels de Poussin (une présentation côte à côte l'a confirmé à l'évidence), et, comme pour Poussin, un récent nettoyage a beaucoup atténué le jaunissement de l'ensemble.

Les bâtiments aux lignes rigides sont représentés avec une application un peu scolaire, sans que les principes de la perspective linéaire soient toujours exactement respectés. Cependant, les axes principaux sont disposés selon la Section d'Or. Le bord curviligne du trottoir et de la berge de la Seine viennent seuls assouplir et animer la composition ; les rares personnages sont quelques promeneurs et un pêcheur.

Il est tentant de voir dans la petite version (n° 104) l'esquisse préparatoire pour le grand tableau (n° 103) que sa facture soignée et ses dimensions importantes permettent d'identifier de façon presque certaine avec l'œuvre présentée au Salon des Indépendants de 1897. Cependant, la taille de cette petite version est nettement plus grande que celle des autres esquisses connues comme telles. Aussi, il est plus vraisemblable d'y voir une répétition exécutée plusieurs années après, alors que le succès le pousse à reprendre des compositions anciennes.

Elle diffère de la grande version sur plusieurs points : abaissement de la ligne d'horizon, modifications dans le tracé des chemins et de la berge, implantation différente des personnages ; tous ces détails permettent à Rousseau de mieux suggérer la perspective. M.H.

103

Historique :
P. Guillaume ; Mme J. Walter.

Expositions :
1897, Paris, Petit Palais, n° 417 d, Salon des Indépendants ; 1931, New York ; 1933, Bâle, n° 16 ; 1935, Paris ; 1935, Paris, Exp. G.B.A., n° 122 ; 1937, Paris, n° 3 ; 1937, Zurich, n° 3 ; 1950, Paris, Galerie Charpentier, *Autour de 1900*, n° 153 (repr.) ; 1961, Paris, n° 77 (repr.) ; 1964, Rotterdam, Paris, n° 8 ; 1966, Paris, n° 45 (repr.) ; 1980, Athènes, n° 34 (repr. p. 180) ; 1981, Tbilissi-Leningrad, n° 43 (repr.) ; 1982, Tokyo, Musée de Bridgestone-Hiroshima, Musée Municipal, *Figurations révolutionnaires : de Cézanne à aujourd'hui,* n° 3 (repr. coul.).

Bibliographie :
H. Kolle, 1922, p. 17 ; F. Fels, « En marge de l'exposition : Rousseau à la Mary Harriman Gallery, New York. Exposition de toiles réunies par Paul Guillaume et Mary Harriman », *Formes*, n° 11, janvier 1931 ; W. George, « Le miracle de Rousseau », *Les Arts à Paris*, n° 18, juillet 1931 (repr. p. 5) ; P. Courthion, *Henri Rousseau dit Le Douanier*, Genève, 1944, pl. 37 ; D. Vallier, 1961, fig. 146 (repr.) ; J. Bouret, 1961, fig. 106, p. 198 ; H. Certigny, 1961, p. 17 ; D. Vallier, 1970, rééd. 1981, pl. XX, fig. et notice n° 103 ; A. Jakovski, « Le Douanier Rousseau savait-il peindre ? », *Médecine de France*, n° 218, 1971, repr. ; P. Descargues, 1972, p. 37 (repr.), p. 86 (repr.) ; D. Larkin, 1975, pl. 14 ; C. Keay, 1976, 1976, p. 128 (repr.) ; F. Elgar, 1980, fig. 18 ; Y. Le Pichon, 1981 (repr. p. 120).

103

104

104

Historique :
P. Guillaume ; Mme J. Walter.

Expositions :
1933, Bâle, n° 20 ; 1935, Paris, Exp. G.B.A., n° 124 ; 1951, New York ; 1960, Paris, M.N.A.M., *Les sources du XXe siècle. Les Arts en Europe de 1884 à 1914*, n° 621 ; 1961, Paris, n° 21 ; 1964, Salzbourg ; 1966, Paris, n° 44 (repr.) ; 1982, Paris, Salon des Indépendants, sans n°.

Bibliographie :
W. George, « Le miracle de Rousseau », *Les Arts à Paris*, n° 18, juillet 1931, fig. p. 7 ; R. Grey, 1943, pl. 82 ; J. Bouret, 1961, fig. 11, p. 81 ; D. Vallier, 1961, p. 141, fig. 147 ; J. Cassou, E. Langui, N. Pevsner, *Les sources du XXe siècle*, Paris, 1961, fig. 115 ; D. Vallier, 1970, rééd. 1981, fig. et notice 103 B ; C. Keay, 1976, pl. coul. H.T.

105

La falaise

Huile sur toile ; H. 0,21 ; L. 0,35
S.b.g. : *Henri Rousseau*
RF 1960-29

Ce petit tableau, traité dans une pâte légère et mince, est une des rares « marines » de Rousseau. M.-T. Lemoyne de Forges suggère (cat. 1966, n° 46) que Rousseau a pu s'inspirer de Claude Monet qui exposa précisément une série de *Falaises à Pourville*, chez Georges Petit en 1898. Catton Rich (1946, p. 49) et Y. Le Pichon (1981, p. 122) pensent à Courbet. Ce dernier reproduit le détail d'une falaise avec bateaux (*Bord de mer, falaise d'Etretat*, Fernier II, n° 879) de Courbet dont le présent tableau reprend, inversé, presque exactement le schéma de composition. Les falaises de la côte normande ont inspiré tant de peintres dans la seconde moitié du XIXe siècle que Rousseau, soucieux de varier sa thématique, n'a pas eu besoin de démarquer un prédécesseur déterminé pour traiter ce motif.

D. Vallier (V4) exclut ce tableau de l'œuvre de Rousseau. Malgré une certaine faiblesse d'exécution, en particulier dans les personnages, nous pensons pouvoir l'y maintenir, avec les autres auteurs. L'œuvre a d'ailleurs une sorte de dignité monumentale qui ne concorde pas avec son petit format. Le peu de tableaux de sujet analogue et d'authenticité attestée rend la décision difficile et l'examen au laboratoire n'a pas apporté de renseignements déterminants. M.H.

Historique :
P. Guillaume ; Mme J. Walter.

Expositions :
1931, New York ; 1933, Bâle, n° 12 ; 1936, Paris, n° 128 ; 1950, Venise, n° 21 ; 1951, New York ; 1961, Paris, n° 17 ; 1964, Rotterdam-Paris, n° 7 (repr.) ; 1966, Paris, n° 46 (repr.).

Bibliographie :
Les Arts à Paris, janvier 1929, n° 16, fig. p. 23 ; C. Roger-Marx, « La maison d'un collectionneur », *L'Art vivant*, 1935, fig. p. 191 ; D. Catton-Rich, New York, 1946, p. 49 ; J. Bouret, 1961, fig. 92, p. 192 ; D. Vallier, 1970, rééd. 1981, fig. et notice V4 ; H. Certigny, 1971, pp. 92, 93 ; A. Jakovsky, « Le Douanier Rousseau savait-il peindre ? », *Médecine de France*, janvier 1971 (repr.) ; C. Keay, 1976, p. 123 (repr.) ; F. Elgar, Paris, 1980 (fig. coul. 21) ; Y. Le Pichon, 1981, p. 122 (repr.).

Henri Rousseau

106
Les pêcheurs à la ligne

Huile sur toile ; H. 0,46 ; L. 0,55
S.b.g. : *H. Rousseau*
RF 1963-31

Rousseau, à la fois très soucieux de se fournir en modèles ou en garants dans l'art du passé, et très attentif aux découvertes techniques de son temps, a représenté plusieurs fois des dirigeables et des avions. Il avait vu « une reproduction du *Ballon* de Goya, lu le récit de *Cinq semaines en ballon* de Jules Verne dans le *Musée des Familles* et tourné autour du *Monument à la mémoire des aéronautes du siège de Paris* de Bartholdi. Le grand prix de l'aéronautique en 1900, les essais de Santos Dumont... en 1901, les envols du dirigeable *Lebaudy* et du *Patrie* sur Meudon en 1906, les exploits de Blériot, Voisin, Farman et Delagrange passionnent la presse » (Le Pichon, pp. 98-99). En revanche, il ne connaissait probablement pas le *Ballon* de Puvis de Chavannes. Imité seulement par son grand admirateur Robert Delaunay et par R. de la Fresnaye, Rousseau va hardiment introduire dans sa peinture les « machines volantes », ainsi que la tour Eiffel, symboles d'évasion mais aussi de communication entre les hommes.

Le biplan est l'avion de W. Wright, présenté en France en 1908 ; il se retrouve dans plusieurs autres œuvres, et notamment deux fois en compagnie du dirigeable *Patrie* représenté tel qu'il navigua seulement en 1907 (D. Vallier, 1951, n° 118). Le présent tableau est donc d'une date proche de 1908, peut-être légèrement postérieur. Le paysage proprement dit est constitué par une sorte d'assemblage d'éléments que Rousseau utilise un peu à la manière des pièces d'un puzzle et dont le choix et la position varient d'un tableau à l'autre : maisons aux fenêtres soigneusement alignées, cheminée d'usine, arbres, pêcheurs à la ligne dont la silhouette sombre se détache à contre-jour. Le second plan est occupé par une plage curieusement incurvée dont la forme caractéristique se retrouve dans plusieurs toiles. Elle sert à Rousseau, avec l'étagement des maisons à droite, à suggérer la profondeur. M.H.

Historique :
A. Vollard, Paris ; P. Guillaume ; Mme J. Walter.

Expositions :
1931, New York ; 1933, Bâle, n° 48 ; 1935, Paris, Petit Palais, n° 416 ; 1936, Paris, n° 125 ; 1937, Paris, n° 14 ; 1937, Zurich, n° 13 ; 1945, Paris, Galerie Charpentier, *Paysages d'eau douce*, n° 131 (repr.) ; 1950, Venise, n° 22 ; 1951, New York ; 1960, Paris, Maison de la Pensée française, *La peinture naïve française du Douanier Rousseau à nos jours*, n° 52 (repr.) ; 1961, Paris, n° 49 (repr.) ; 1964, Salzbourg, n° 4 (repr.) ; 1966, Paris, n° 49 (repr.) ; 1978, Gand, Musée des Beaux-Arts, *Tentoonstelling Bateau-Lavoir* (repr. p. 58), notice 63 p. 59 ; 1980, Laval, Vieux-château, *Peinture naïve*, sans cat. ; 1983, Paris, Grand Palais, Salon d'Automne, *De Cézanne à Matisse*, n° 53 (repr. coul.).

Bibliographie :
A. Basler, Paris, 1927, pl. 22 ; C. Zervos, *Rousseau*, 1927, pl. 28 ; W. George, « Le miracle de Rousseau », *Les Arts à Paris*, n° 18, juillet 1931, p. 9 (repr.) ; R. Grey, 1943, pl. 80 ; J. Bouret, 1961, fig. 33 p. 125 ; D. Vallier, 1961, n° 120 ; D. Vallier, 1970, rééd. 1981, n° 208 (repr.) ; V. Nezval, *Insita 4*, Bratislava, 1972, p. 79 ; C. Keay, 1976, pl. coul. H.T. ; B. Dorival, « Robert Delaunay et l'œuvre du Douanier Rousseau », *L'Œil*, n° 267, octobre 1977, pp. 19, 20, note 8 ; F. Elgar, 1980, fig. 44 ; H. Certigny, « Le Douanier Rousseau et la source du centenaire de l'Indépendance », *L'Œil*, n° 309, avril 1981, fig. n° 4 p. 64.

« La grande semaine d'aviation »,
supplément du *Petit Journal*, 5 sept. 1909

Henri Rousseau

107
Promeneurs dans un parc

Huile sur toile ; H. 0,46 ; L. 0,55
S.b.g. en blanc au pinceau : *H. Rousseau*
RF 1963-30

Ce tableau est à rapprocher, par son sujet et ses dimensions, d'un petit groupe de paysages urbains associant des maisons et un rideau de végétation. Quelques promeneurs animent la scène sans toutefois suggérer d'anecdote précise. Les divers titres donnés au tableau sont vagues, à l'exception de celui dû à A. Basler (1927, *Coin de Viroflay*), que rien ne vient confirmer ni infirmer.

D. Vallier (n° 204) pense qu'il s'agit d'un « travail hâtif, provoqué certainement par la demande ». Rousseau, à qui le succès est tardivement venu, se laisse sans doute aller à peindre des tableaux où ses qualités d'invention n'apparaissent pas toujours. Il reste cependant toujours capable d'imposer sa marque, et une signification personnelle, inconsciente peut-être, mais lisible, au spectacle le plus banal et le plus dépourvu de pittoresque. Ici, cet espace clos aux limites opaques n'est pas cependant une cour de prison à la Van Gogh. Rousseau, il est vrai, n'y a pas figuré, comme souvent, un dirigeable, un avion ou la silhouette lointaine de la tour Eiffel, trois symboles d'une évasion vers le ciel. Mais une porte ouverte à droite, et la trouée de verdure derrière le porche ou tunnel, la variété de types et l'indépendance des personnages suggèrent assez une interprétation paisible et non carcérale.

M.H.

Historique :
A. Vollard, Paris ; P. Guillaume ; Mme J. Walter.

Expositions :
1923, Prague, *Vystava Francouszského umění XIX. a XX Stoleti*, n° 230 ; 1931, New York ; 1933, Bâle, n° 33 ; 1935, Paris, Petit Palais, n° 418 ; 1937, Paris, n° 19 ; 1937, Zurich, n° 14 ; 1944, Paris, n° 15 ; 1950, Venise, n° 8 ; 1951, New York, n° 8 ; 1957, Paris, Galerie Charpentier, *Cent Chefs-d'œuvre de l'art français, 1750-1950*, n° 84 ; 1960, Paris, Maison de la Pensée française, *La peinture naïve française du Douanier Rousseau à nos jours*, n° 53 (repr.) ; 1961, Paris, n° 19 (repr.) ; 1964, Rotterdam-Paris, n° 19 (repr.) ; 1966, Paris, n° 50 (repr.) ; 1979, Paris, Palais de Tokyo, *Le paysage de Corot à Bonnard*, sans n°.

Bibliographie :
A. Basler, 1927, pl. 25 ; C. Zervos, Paris, 1927, pl. 32 ; W. George, « Le miracle de Rousseau », *Les Arts à Paris*, n° 18, juillet 1931, fig. p. 8 ; R. Grey, 1943, pl. 51 ; P. Courthion, Genève, 1944, pl. 44 ; J. Bouret, 1961, fig. 40 p. 139 ; D. Vallier, 1961, fig. 117 ; D. Vallier, 1970, rééd. 1981, fig. 204, pl. 38 ; A. Jakovsky, « Le Douanier Rousseau savait-il peindre ? », *Médecine de France*, janvier 1971 (repr.) ; D. Larkin, 1975, fig. 22 ; C. Keay, 1976, p. 154 (repr.) ; F. Elgar, Paris, 1980, fig. 41 ; Y. Le Pichon, 1981, p. 96 (repr.).

H. Rousseau

Henri Rousseau

108
L'enfant à la poupée

Huile sur toile ; H. 0,67 ; L. 0,52
S.b.d. à la peinture noire : *H.J. Rousseau*
RF 1963-29

Comme beaucoup de personnages de Rousseau, cet enfant est représenté le visage et le buste bien de face. La même frontalité, la même réduction au plan (Rousseau a-t-il regardé Gauguin ?) s'observent dans le visage, la collerette, la poupée ou la marguerite que tient l'enfant. La régularité du semis de points blancs sur la blouse abolit tout modelé, comme dans les figures de Bonnard à la pleine époque nabie (*Le corsage à carreaux*, 1892, Paris, Musée d'Orsay, Palais de Tokyo).

Rousseau a toujours éprouvé beaucoup de difficultés à « poser » ses personnages sur le sol. D. Vallier remarque cependant ici un « progrès » par rapport à *L'enfant aux rochers* (Washington, National Gallery). Les jambes de l'enfant paraissent s'enfoncer dans un tapis d'herbes, semé de fleurettes, dont l'aspect rappelle les tapisseries de la fin du Moyen Age, que Rousseau connaissait. La taille décroissante de ces fleurs blanches, rouges et noires, ainsi que le dégradé du vert de plus en plus foncé, suggèrent l'éloignement perspectif. L'emploi important de la couleur rouge est rare chez Rousseau. Elle est même totalement absente de beaucoup de ses toiles.

Le visage est traité avec une application non exempte de gaucherie. Nous proposons d'y reconnaître, un peu plus âgé, le même modèle que *L'enfant au polichinelle* (DV 145, Winterthur, Kunstverein), que D. Vallier pense pouvoir identifier avec un tableau exposé au Salon des Indépendants de 1903 sous le titre *Pour fêter Bébé*. En ce cas, le présent tableau pourrait se placer vers 1904-1905. On ne connaît que quatre portraits d'enfants de Rousseau. En plus de ceux déjà cités, il a représenté un bébé assis (DV 177, 0,60 × 0,49, Vente Sotheby, New York, 18 février 1982, n° 15). Rousseau, semble-t-il, accordait de l'importance à cette œuvre. Il en offrit une photographie à son ami le peintre Max Weber, au moment du départ de celui-ci de Paris, à la fin de 1908 (cf. S. Leonard, *Rousseau and Max Weber*, New York, 1970, p. 20, note 31).

M.H.

Historique :
W. Uhde, Paris ; J. Quinn, New York ; P. Guillaume ; Mme J. Walter.

Expositions :
1933, Bâle, n° 35 ; 1935, Paris, Exp. G.B.A., n° 129 ; 1936, New York, Museum of Modern Art, n° 248 ; 1937, Paris, n° 5 (repr.) ; 1944, Paris, n° 13 (repr.) ; 1949, Paris, Galerie Charpentier, *L'Enfance*, n° 184 (repr.) ; 1950, Venise, n° 7 ; 1951, New York, n° 12 ; 1960, Paris, Galerie Charpentier, n° 90 (repr.) ; 1961, Paris, n° 13 (repr.) ; 1964, Rotterdam, Paris, n° 13 (repr.) ; 1966, Paris, n° 48 (repr.) ; 1981, Tbilissi-Leningrad, n° 44 (repr.) ; 1982, Paris, sans n° ; 1983, Paris, Centre Georges Pompidou, M.N.A.M., *Hommage à Wilhelm Uhde*, sans cat.

Bibliographie :
W. Uhde, Paris, 1911, p. 47, W. Uhde, *Rousseau*, Paris, 1914, pl. 6 ; H. Kolle, 1922, pl. 4 ; C. Zervos, Paris, 1927, pl. 19 ; A. Basler, 1927, pl. 11 ; W. George, s.d., p. 55, fig. p. 58 ; R. Grey, 1943, pl. 11 ; C. Ferraton, « Laurier et topinambours, une fort simple explication de l'art exotique du Douanier Rousseau », *Arts*, 9 sept. 1949, p. 1, fig. p. 5 ; J. Bouret, 1961, fig. 169 p. 222 ; D. Vallier, 1961, pl. 105 ; C. Roger-Marx, « Les enchantements du Douanier Henri Rousseau à la Galerie Charpentier, un ensemble jamais réuni », *Le Figaro littéraire*, 11 nov. 1961 (repr.), S. Léonard, *Rousseau and Max Weber*, New York, 1970, note 31, p. 20 ; D. Vallier, 1970, rééd. 1981, fig. et notice 207, pl. XLII ; L. und O. Bihalji-Merin, Dresde, 1971, p. 22, fig. 29 ; D. Larkin, 1975, pl. 26 ; C. Keay, 1976, p. 147 (repr.) ; F. Elgar, Paris, 1980, fig. 42 ; Y. Le Pichon, 1981, p. 62 (repr.).

Le Douanier Rousseau, *Pour fêter Bébé*, Winterthur, Kunstverein

H. J. Rousseau

Henri Rousseau

109

La noce

Huile sur toile ; H. 1,63 ; L. 1,14
S.b.d. en noir au pinceau : *Henri Julien Rousseau*
RF 1960-25

Dans l'abondante littérature sur les sources et les méthodes de travail de Rousseau, ce tableau, cependant l'un des plus célèbres de son œuvre, n'est presque jamais mentionné. Ni l'identité des personnages, des portraits évidemment, ni la photographie dont, selon toute vraisemblance, Rousseau s'est inspiré, n'ont été retrouvées.

Historique :
Jastrebzoff (Serge Férat), Paris ; Galerie Percier, Paris ; P. Guillaume ; Mme J. Walter.

Expositions :
1905, Paris, Salon des Indépendants, n° 3589 ; 1911, Paris, Salon des Indépendants, n° 1 ; 1923, Paris, Galerie Paul Rosenberg, *Henri Rousseau*, n° 5 ; 1926, Paris, n° 3188 ; 1931, New York ; 1933, Bâle, n° 31 (repr.) ; 1935, Paris, Petit Palais, n° 411 ; 1935, Paris, Exp. G.B.A., n° 121 (repr.) ; 1937, Paris, n° 6 (repr.) ; 1944, Paris, n° 3 (repr.) ; 1950, Venise, n° 9 ; 1951, New York, n° 13 ; 1961, Paris, n° 75 (repr.) ; 1966, Paris, n° 47 (repr. coul.) ; 1978, Paris, Centre Georges Pompidou, M.N.A.M., *Paris-Berlin, 1900-1930*, n° 320 (repr.).

Bibliographie :
F. Lepeseur, *La Rénovation esthétique*, juin 1905 ; W. Uhde, *Henri Rousseau*, Paris, 1911, pl. 8 ; G. Apollinaire, « Les Indépendants », *L'Intransigeant*, 20 avril 1911 ; W. Kandinsky, « Ueber die Formfrage », *Der Blaue Reiter*, Munich, 1912, p. 231 ; W. Uhde, *Rousseau*, 1914, pl. 8 ; H. Kolle, 1922, pl. 5 ; R. Grey, 1924 (repr.) ; A. Basler, 1927, pl. 3 ; A. Salmon, Paris, 1927, pl. p. 20 ; Ph. Soupault, Paris, 1927, fig. 17 ; C. Zervos, Paris, 1927, pl. 93 ; A. Basler, Paris, 1929, pl. 41 ; *Les Arts à Paris*, n° 16, janvier 1929 (repr.) ; F. Fels, « En marge de l'exposition : Rousseau à la Mary Harriman Gallery, New York. Exposition de toiles réunies par Paul Guillaume et Mary Harriman », *Formes*, n° 11, janvier 1932, n° 21 ; R. Huyghe, « La peinture d'instinct, introduction », *L'Amour de l'Art*, n° 8, oct. 1933, p. 188, fig. 236 ; R. Grey, 1943, pp. 48-49, pl. 3 ; P. Courthion, Genève, 1944, pl. 20 ; W. Uhde, *Cinq maîtres primitifs*, Paris, 1949, repr. p. 32 ; H. Perruchot, *Le Douanier Rousseau*, Paris, 1957, pl. VII ; H. Certigny, *La vérité sur le Douanier Rousseau*, Paris, 1961, repr. face p. 246, pp. 455, 456 ; J. Bouret, 1961, p. 50, p. 113, fig. 27 ; D. Vallier, 1961, pl. 98 ; S. Leonard, *Rousseau and Max Weber*, New York, 1970, p. 40, pl. 9, p. 75 ; D. Vallier, 1970, rééd. 1981, n° 167 ; L. und O. Bihalji-Merin, Dresde, 1971, p. 93 fig. 35 ; A. Jakovski, « Le Douanier Rousseau savait-il peindre ? » *Médecine de France*, n° 218, 1971, repr. ; R. Nacenta, *Les Naïfs*, Paris, 1973, pl. et notice n° 2 ; D. Larkin, 1975, repr. coul. n° 19 ; I. Niggli, *Naive Art Yesterday and Today*, Niederteufen, 1976, fig. 74 p. 47 ; C. Keay, 1976, pp. 28, 29, 35, pl. coul. H.T. ; F. Elgar, Paris, 1980 (repr. coul. n° 36) ; Y. Le Pichon, 1981, pp. 38-39 (repr. coul.).

La composition est une des plus ambitieuses de Rousseau, constituant un portrait collectif de grande taille où les visages sont bien individualisés, les espèces des arbres bien différenciées. Comme dans *La carriole*, un chien à la silhouette découpée, occupe le premier plan. Les lignes de force de la composition suivent une croix de Saint-André dont le centre se situe exactement sur le nœud de la ceinture de la mariée. C'est à peu près le même schéma, mais statique, que celui des *Joueurs de Football* (New York, Musée Guggenheim). Les arbres suggèrent une certaine perspective par leur disposition et par la taille décroissante des troncs et des feuilles, comme si Rousseau avait voulu se démarquer des toiles peintes placées traditionnellement chez les photographes derrière les groupes. En revanche, les personnages immobiles sont présentés sur un même plan, silhouettes plates et sans épaisseur, dans une disposition qui n'est pas sans rappeler *Le Balcon* de Manet, accroché au Musée du Luxembourg depuis 1896 grâce au legs Caillebotte, et que Rousseau connaissait. Le chien, en avant plan, figure lui aussi dans le tableau de Manet. La radiographie a révélé plusieurs repentirs importants : la robe de la grand-mère, à droite, descendait jusqu'au niveau du chien, et le voile de la mariée a été peint par-dessus les autres personnages déjà terminés. Un tel procédé, qui néglige de réserver les éléments à venir du tableau, est typique des méthodes de travail d'un artiste peu expérimenté. M.H.

Henri Julien Rousseau

110

La carriole du Père Junier

Huile sur toile ; H. 0,97 ; L. 1,29
S.D.b.g. en blanc au pinceau : *Henri J. Rousseau 1908*
RF 1960-26

On a ici un témoignage de ces amitiés de voisinage dont on sait qu'elles jouèrent un grand rôle dans l'existence de Rousseau.

Claude Junier (et non Juniet) (1857-1932) tenait, avec sa femme, une épicerie, 74, rue Vercingétorix, à l'àngle de la rue Perrel, où habitait Rousseau. Les voisins se lièrent, et, en 1908, Rousseau exécuta leur portrait, sans doute à leur demande. Figurent ici sur le devant de la carriole Claude Junier et Rousseau lui-même et, à l'arrière, Mme Junier ayant à sa droite sa nièce Léa Junier et, sur les genoux, la fille de son neveu (Junier, resté sans enfant, avait recueilli les enfants de son frère décédé. C'est grâce au témoignage de son petit-neveu, A. Labrosse (1961), resté inutilisé jusqu'ici par les historiens de Rousseau, qu'ont pu être précisés l'historique du tableau et l'identification des personnages).

Claude Junier, qui exerçait aussi la profession de dresseur de chevaux, était particulièrement fier de sa jument blanche Rosa. On notera aussi la présence de trois chiens. Un tel rassemblement d'animaux domestiques est exceptionnel chez Rousseau.

Ce tableau est un de ceux pour lesquels les « sources » photographiques de Rousseau sont les mieux connues. Deux photographies ont souvent été reproduites (en dernier lieu, côte à côte, par Y. Le Pichon, p. 58). L'une d'elles, portant des traces de peinture, a appartenu à R. Delaunay ; l'autre se trouve dans la collection J.J. Sweeney ; une troisième n'a été divulguée que dans une publication confidentielle (A. Labrosse, 1961). Elles gardent le souvenir d'une promenade à Clamart. Ces trois photographies ont été prises sans que la carriole ni l'appareil ne soient déplacés. La jument n'a pas bougé ; en revanche, personnages et chiens ont, à chaque fois, changé de position.

Rousseau utilise ces photographies (D. Vallier pense qu'il s'est même servi du pantographe) qui lui fournissent un schéma qu'il meuble à sa façon. Ainsi, il supprime l'arbre existant derrière la tête du cheval et réinterprète l'ensemble de la végétation. Quant aux personnages, ils sont disposés d'une façon qui ne correspond à aucune des trois photographies connues. Y en eut-il d'autres ? Il est probable que Rousseau a arrangé la scène à son goût. Si les personnages sont soigneusement groupés, l'ensemble de la composition est exceptionnellement aéré. Les lignes de force les plus marquées suivent l'axe vertical et l'axe horizontal.

D'après le précieux témoignage de Max Weber (cité par Catton Rich, 1946, p. 52) qui a vu le tableau en cours d'exécution, Rousseau termina par l'emplacement où se trouve le chien noir sous la carriole. « A la question de Weber, s'il ne pensait pas que le chien, d'après la place laissée, serait trop grand, il avait répondu, en regardant d'un air pensif sa toile, qu'il fallait qu'il soit ainsi. »

D. Vallier observe aussi que Rousseau commet sa plus grosse faute de perspective (rayons et moyeu de la roue gauche mal placés) à l'emplacement qu'occupait le chien sur la photographie Delaunay et qu'il décida de laisser vide. Il est plusieurs autres détails où la perspective traditionnelle est malmenée, en particulier la caisse de la carriole, où les personnages sont disposés soigneusement de face, comme dans la *Noce* (n° 109). En revanche, Rousseau a tenté d'exprimer l'éloignement perspectif grâce au rebord du trottoir et au caniveau pavé qui traversent le bas de la composition. M.H.

Photographie prise par Anna Junier en 1908

Henri Rousseau

Historique :
M. Junier ; P. Rosenberg, Paris ; A. Villard, Paris ; P. Guillaume ; Mme J. Walter.

Expositions :
1911, Paris, Salon des Indépendants, n° 46 ; 1923, Prague, *Vystava Francouzského umëni XIX. a XX stoleti*, n° 226 (repr.) ; 1926, Paris, n° 3184 ; 1927, Londres, Lefevre Gallery, *Henri Rousseau*, n° 8 ; 1933, Bâle, n° 51 (repr.) ; 1935, Paris, Petit Palais, n° 412 ; 1936, New York ; 1937, Paris, n° 1 (repr.) ; 1937, Paris, n° 2 (repr.) ; 1944, Paris, n° 4 (repr.) ; 1950, Venise, n° 16 ; 1951, New York, n° 18 ; 1961, Paris, n° 76 (repr.) ; 1966, Paris, n° 51 (repr.) ; 1981, Paris, sans n°.

Bibliographie :
A. Soffici, La Voce, 15 sept. 1910, repris dans « La France jugée à l'étranger : Le peintre Henri Rousseau », *Mercure de France*, 16 oct. 1910 ; W. Uhde, 1914, pl. 14 ; G. Apollinaire, « Henri Rousseau, Le Douanier », *Les soirées de Paris*, 15 janvier 1914, fig. p. 63 ; H. Kolle, 1922, pl. 17, p. 17 ; R. Grey, 1924, (repr.) ; F. Lehel, *Notre art dément*, Paris, 1926, pl. 25 ; A. Salmon, Paris, 1927, fig. p. 34 ; A. Basler, Paris, 1927, pl. 13 ; C. Zervos, Paris, 1927, pl. 3 ; Ph. Soupault, Paris, 1927, p. 37, fig. 32 ; *Les Arts à Paris*, n° 13, juin 1927, pl. p. 7 ; A. Basler, 1929, pl. 37 ; W.George, s.d., p. 55, pl. p. 59 ; J. Combe, « Un Douanier Rousseau au XVIIe siècle », *L'Amour de l'Art*, n° 12, décembre 1931, p. 487 fig. 38 ; W. Uhde, « Henri Rousseau et les primitifs modernes », *L'Amour de l'Art*, n° 8, octobre 1933, p. 189, fig. 237 ; M. Morsel, « French Masters of XXth Century in Valentin Show, *Art News*, 11 janv. 1936 (repr. couverture) ; C.J. Bulliet, *The significant modernes*, New York, 1936, pl. 132 ; R. Huyghe, *Les Contemporains*, Paris, 1939, pl. 94 ; D. Catton Rich, New York, 1942, pp. 50, 52, fig. p. 53 ; R. Grey, 1943, pl. 6 ; M. Buzzichini, *Henri Rousseau*, Milan, 1944 (repr. coul.) ; J. Bouret, 1961, p. 43, fig. 42 p. 143 ; D. Vallier, 1961, pl. 136 ; H. Certigny, 1961, pp. 330-331, repr. face 327 ; A. Labrosse, *Montmartre*, s.d., n° 1 (repr.) ; T. Tzara, « Le rôle du temps et de l'espace dans l'œuvre du Douanier Rousseau », *Art de France*, 1962, n° 2, p. 326 ; P. Courthion, *Dictionnaire de la peinture moderne*, Paris, 1963, fig. pp. 320-321 ; L. Cheronnet, « La légende dorée du Douanier Rousseau », *Médecine, Peintures*, n° 74, octobre 1964, non paginé, pl. X ; M.T. de Forges et G. Allemand, *Revue du Louvre*, 1966, n° 1, p. 57, fig. p. 60 ; S. Leonard, *Henri Rousseau and Max Weber*, New York, 1970, p. 29 ; D. Vallier, « L'emploi du pantographe dans l'œuvre du Douanier Rousseau », *La Revue de l'Art*, 1970, n° 7, p. 96, fig. p. 97 ; D. Vallier, 1970, rééd. 1981, notice et fig. 212, pl. coul. XLVIII ; L. und O. Bihalji-Merin, Dresde, 1971, pp. 25, 66, fig. 34 ; P. Descargues, 1972 (pl. coul. p. 97) ; V. Nezval, *Insita 4*, Bratislava, 1972, p. 81 ; R. Nacenta, *Les Naïfs*, Paris, 1973, pl. coul. et notice 3 ; D. Larkin, 1975 (pl. coul. 25) ; I. Niggli, *Naive Art Yesterday and Today*, Niederteufen, 1976, fig. 78 p. 48 ; C. Keay ; 1976, p. 34, pl. coul. H.T. ; C. Lonzi, *Le Douanier Rousseau*, 1979 (pl. coul. IX) ; D. Vallier, *Henri Rousseau Le Douanier, Un dossier*, 1979, fig. p. 81 ; F. Elgar, 1980, fig. 50 ; Y. Le Pichon, 1981, pp. 57, 58 (pl. coul.)

Alfred Sisley

Paris, 1839 - Moret-sur-Loing, 1899

111

Le chemin de Montbuisson à Louveciennes

Huile sur toile ; H. 0,46 ; L. 0,61
S.D.b.d. : *Sisley 75*
RF 1960-47

Dans son compte rendu de l'Exposition de 1874, boulevard des Capucines, chez Nadar, un critique relevait combien Sisley innovait en parvenant à « l'absolue réalisation des ambitions de l'école dans le paysage ». Et il ajoutait : « Je ne sais pas de tableau dans le passé ni dans le présent qui donne d'une façon si complète, si parfaite la sensation physique de l'atmosphère, du " plein air ". Voilà donc une acquisition toute nouvelle en peinture, et dont il importe de prendre note. » (Ernest Cheneau, *Paris-Journal,* 7 mai 1874.) Sans relâche, Sisley allait traduire ces sensations nouvelles de « plein air » dans des paysages d'Ile-de-France, source inépuisable de son inspiration. Selon une formule qu'il affectionne (*Vue du canal Saint-Martin,* 1870, Musée d'Orsay, Galerie du Jeu de Paume ; *La route vue du chemin de Sèvres,* 1873, Musée d'Orsay, Galerie du Jeu de Paume, quasi contemporains du *Chemin de Montbuisson à Louveciennes*), l'artiste juxtapose dans cette œuvre presque contemporaine de l'Exposition de 1874 la perspective fuyante du premier plan et la présence très affirmée du ciel : « Le ciel ne peut pas n'être qu'un fond, précise-t-il. Il contribue, au contraire, non seulement à donner de la profondeur par ses plans..., il donne aussi le mouvement par sa forme, par son arrangement en rapport avec l'effet ou la composition du tableau... Je commence toujours une toile par le ciel. »

H.G.

Historique :
Georges Viau ; Knoedler, New York ; coll. part. ; Wildenstein ; Mme J. Walter.

Expositions :
1917, Paris, Galerie Georges Petit, *Alfred Sisley,* n° 59 ; 1966, Paris, n° 17 (repr.) ; 1980, Athènes, n° 36 (repr. coul.) ; 1981, Tbilissi-Leningrad, n° 45 (repr.).

Bibliographie :
F. Daulte, *Alfred Sisley, Catalogue raisonné de l'œuvre peint,* Paris, 1959, n° 165.

Chaïm Soutine

Smilovitchi, 1893 - Paris, 1943

112

Glaïeuls

Huile sur toile ; H. 0,56 ; L. 0,46
S.b.g. en rouge au pinceau : *Soutine*
RF 1963-95

Avant 1917, les premiers bouquets de fleurs peints à la Ruche ou à la Cité Falguière s'insèrent dans des natures mortes formées d'objets divers disposés sur une chaise ou un fauteuil : *Bouquet de fleurs en pot sur un fauteuil* (coll. part.), *Le pot de fleurs sur la chaise* (New York, coll. Josten), *Pommes, pot, chaise et bouquet* (New York, coll. Dr. Harry Austin Blutman) ; Soutine traite ce thème comme a pu le faire Van Gogh : *La chaise jaune* (Londres, National Gallery) ou *Le fauteuil de Gauguin* (Amsterdam, Musée Van Gogh) et en 1919, Matisse avec *La chaise aux pêches* (Soleure, coll. J. Muller).

D'autres compositions rappellent plutôt l'organisation générale de Cézanne : murs recouverts de papier peint, nappe repliée sur la table, fruits et fleurs. C'est *Le pot de fleurs aux pommes* (Paris, Henri Epstein) ou *La nature morte aux oranges* (Paris, Roger Bernheim) qu'on peut rapprocher des œuvres de Cézanne : *Les tulipes* (Chicago, Art Institute) ou *Fleurs et fruits* (n° 4).

Bientôt le thème narratif s'estompe ; la surface du tableau est occupée par le seul bouquet dont le mouvement et la matière colorée deviennent le centre d'intérêt ; bouquets de lilas, d'œillets mais surtout de glaïeuls dont il reste une quinzaine d'exemplaires. Le vase participe aux vibrations générales de la couleur de la nature morte sur un fond sombre beaucoup plus discret. Centré dans un premier temps et remplissant la hauteur du tableau (*Glaïeuls*, Brooklyn Museum), il est par la suite déporté sur la droite comme dans la plupart des œuvres de cette période et c'est le bouquet qui occupe ainsi une grande partie de la surface picturale.

Les premiers bouquets de glaïeuls présentent des tons sourds dus à une fine couche de peinture qui laisse parfois apparaître la toile. Puis, ses premiers voyages dans le Midi vont contribuer à renouveler sa vision et il modifie sa technique. Il épaissit la pâte pour traduire le jaillissement des fleurs comme ici, annonçant la technique des paysages de Céret, ce qui permet de les situer vers 1918-1919. Les empâtements autour des tiges font ressortir le caractère nerveux et anguleux de la touche.

Ce tableau fut rentoilé et subit un certain nombre de modifications. Le premier état, d'après une photo Giraudon de 1926, n'était pas signé ; après rentoilage, la signature apparaît en bas à gauche et le vase a été retouché ; la toile est agrandie vers le bas, de sorte que le vase ne semble plus reposer sur la base du tableau mais se trouve flotter dans le vide. Qui a fait procéder à la restauration ? Zborowski ou Henri Bing, le propriétaire suivant ? P. Courthion rapporte que, d'après Henri Bing, Soutine qui bien souvent ne signait pas ses tableaux, avait donné un droit de signature à Zborowski, Van Leer et Bing. De son côté, René Gimpel, évoquant le problème dans ses *Mémoires d'un Collectionneur*, laisse entendre qu'on hésitait souvent à rapporter un tableau à Soutine pour signature parce qu'il le modifiait, souvent à son désavantage et il y avait toujours le risque qu'il ne cherchât à le détruire.

C.G.

Historique :
L. Zborowski, Paris ; H. Bing, Paris ; P. Guillaume ; Mme J. Walter.

Expositions :
1935, Springfield ; 1952, Venise, n° 30 ; 1959, Paris, n° 13 ; 1965, Paris, Galerie Charpentier, *Les jardins et les fleurs de Breughel à Bonnard*, n° 122 ; 1966, Paris, n° 124 (repr.) ; 1973, Paris, n° 5 (repr.).

Bibliographie :
W. George, 1928 (pl. 8) ; W. George, s.d., p. 160 (repr.), p. 161 ; M. Wheeler, *Soutine*, New York, 1950, p. 46 (sur les glaïeuls en général) ; W. George, 1959 ; H. Serouya, Paris, 1967 (pl. 2) ; P. Courthion, 1972, p. 192, fig. B ; R. Cogniat, 1973, p. 56 ; E. Dunow, « Soutine's still lifes », *Chaïm Soutine, 1893-1943*, London, 1981, p. 73 (sur les glaïeuls en général).

Chaïm Soutine

113

Les maisons

Huile sur toile ; H. 0,58 ; L. 0,92
S.b.g., 4 lettres en rouge et 3 lettres en bleu au pinceau : *Soutine*
RF 1960-49

Les maisons représentent le dernier stade des paysages de Céret. On peut supposer que ce tableau a été réalisé devant le groupe de maisons que Maurice Tuchman a photographié à Céret en 1967 (Exp. *Soutine*, Los Angeles, 1968, p. 24, fig. 11), et que Soutine a utilisé un an avant dans *Vue à Céret*, d'une facture tellement plus tumultueuse.

Ici, la composition est horizontale, rythmée par un mouvement de toits vers la gauche et un fond de montagnes à droite. La touche est anguleuse, traitée avec moins de violence que dans les paysages de Céret des premières années. Les maisons sont serrées les unes contre les autres et opposent à la vue une muraille impénétrable. Elles offrent une vision anthropomorphique de blocs malléables qui dansent sur leur base et se déforment en s'allongeant démesurément vers le haut, dans un arrangement de toits rigoureux qui étirent leurs angles jusqu'à l'absorption presque complète du ciel. A droite, les formes se désagrègent jusqu'à devenir de simples taches de couleurs quasi abstraites.

Devant une déformation aussi irréaliste et arbitraire des éléments figurés, on pense évidemment à Van Gogh mais aussi aux peintres de la Brücke, Kirchner et Heckel en particulier.

C.G.

Historique :
P. Guillaume ; Mme J. Walter.

Expositions :
1959, Paris, n° 5 ; 1960, Paris, n° 94 ; 1966, Paris, n° 125 (repr.) ; 1980, Athènes, n° 38, repr. ; 1981, Tbilissi-Leningrad, n° 47 (repr.).

Bibliographie :
P. Courthion, 1972, p. 188, fig. B.

Chaïm Soutine

114
Paysage

Huile sur toile ; H. 0,92 ; L. 0,65
S.b.d. : en vert au pinceau : *Soutine*
RF 1963-84

Dans le *Paysage*, la palette s'illumine, l'arbre fait son apparition comme élément protecteur enserrant ici le petit groupe de maisons. Soutine est né dans une région de forêts où l'arbre était fêté dans les rites traditionnels et il en garde une image sécurisante. C'est un élément récurrent de ses paysages mais, d'apaisant et familier comme dans les paysages de Cagnes et de Vence où il est de la taille des maisons, dans les œuvres des dernières années, il devient majestueux et se présente en groupes — allées ou bouquets. L'arbre plus mince et élancé se différencie alors des autres éléments du paysage en les dominant de très loin : *Les escaliers de Chartres*, 1933 (New York, coll. Jack I. Poses), *La route des grands prés à Chartres, Les grands peupliers à Civry, L'automne à Champigny* (Paris, coll. Mme Castaing).

Auprès des arbres, les murs des maisons fixent la lumière dans de grandes taches jaunes qui font contraste avec les touches curvilignes et multicolores jetées nerveusement dans le plus grand désordre, lorsqu'il s'agit de la texture plus serrée de la végétation et du feuillage des arbres. Une route tortueuse monte vers le groupe de maisons et le ciel écrase l'ensemble de sa masse bleue qui pénètre dans les maisons par les fenêtres en créant ainsi un climat d'étrangeté. Celles-ci sont animées dans leurs parties basses, de mouvements d'ondulations et la perspective s'arrête au premier plan et à la route montante. L'ensemble de ces traits donne une impression de féerie mêlée de fantaisie qui permet d'évoquer d'autres paysages dans lesquels Soutine anime la surface de sa toile d'une masse colorée tout aussi palpitante : *La route folle à Cagnes* (Paris, Galerie Pétridès), *Le vieux moulin* (New York, Museum of Modern Art). C.G.

Historique :
P. Guillaume ; Mme J. Walter.

Expositions :
1945, Paris, Galerie Charpentier, *Paysages de France*, n° 97 (repr.) ; 1959, Paris, n° 25 ; 1966, Paris, n° 126 (repr.).

Bibliographie :
R. Negri, *L'Arte Moderna*, Milan, 1967, p. 206 (repr. coul.) ; M. Tuchman, *Chaïm Soutine, 1893-1943*, Los Angeles, 1968, p. 29 (sur les paysages de Cagnes en général) ; P. Courthion, 1972, p. 218, fig. A.

115
La fiancée

Huile sur toile ; H. 0,81 ; L. 0,46
S.b.d. verticalement en rouge au pinceau : *Soutine*
RF 1960-51

Le portrait de *La fiancée* reste entouré de beaucoup d'incertitudes dans son contenu anecdotique. Il a probablement été peint à Cagnes comme de nombreux portraits de femmes qui présentent la touche curviligne que Soutine pratiquait alors. Le blanc de la robe a suscité chez l'artiste la même fascination que la tunique des petits pâtissiers et rappelle plus précisément celle du *Pâtissier* de la collection Joseph H. Hazen (Exp. *Soutine*, Perls Gallery, 1969, n° 8 repr.). Les épaules montantes, le pâtissier se tient comme la jeune femme sur un fond de tenture vert foncé. De part et d'autre, le blanc est modulé de larges coups de pinceau en ovale qui insistent chez la fiancée sur l'aspect décharné du décolleté. Les deux visages en longueur paraissent d'autant plus étirés que la toile contient avec peine la coiffe du pâtissier et la chevelure de la jeune femme. La dissymétrie du visage se prolonge dans le corps : le côté gauche est traité en souplesse et remonte beaucoup plus que le côté droit dont le bras repose avec raideur sur le dossier de la chaise. Les arrondis de la touche se retrouvent dans le fond où, dans des mouvements verticaux, ils contribuent à allonger davantage la figure.

Une étude du buste de *La fiancée*, la nuque enfoncée dans un fauteuil bordeaux comme le *Pâtissier* de la collection J.H. Hazen, se détache sur un fond vert et atteste le long travail d'élaboration du visage parfaitement figé. En partant de cette étude, Soutine a préféré présenter le modèle debout, en appui sur une chaise comme dans *La femme à la chaise* (Courthion 212 E, vente Sotheby's, Londres, 2 décembre 1981, n° 52, repr. coul.) pour concentrer son attention sur le rendu de la robe en opposition à l'âpreté du personnage. C.G.

Historique :
P. Guillaume ; Mme J. Walter.

Expositions :
1952, Venise, n° 33 ; 1959, Paris, n° 36 ; 1966, Paris, n° 128 (repr.).

Bibliographie :
P. Courthion, 1972, p. 214, fig. E.

116
Arbre couché

Huile sur toile ; H. 0,60 ; L. 0,81
N.s.
RF 1963-91

Soutine a toujours répugné à exprimer la profondeur de champ par les moyens habituels. Ici, il superpose en quelque sorte deux plans sans épaisseur : un arbre au premier plan, comme déraciné par le vent et flottant dans l'espace et, en arrière, des maisons dans une disposition chaotique.

La composition s'organise latéralement par rapport à l'arbre couché qui envahit le paysage avec le vert acide de son feuillage. Sur la droite, une lumière vive découpe dans les nuances bleues les fenêtres des maisons et le personnage assis au pied de l'arbre. C.G.

Historique :
P. Guillaume ; Mme J. Walter.

Expositions :
1952, Venise, n° 25 ; 1959, Paris, n° 39 ; 1966, Paris, n° 129 (repr.) ; 1973, Paris, n° 13.

Bibliographie :
M. Castaing et J. Leymarie, Paris et Lausanne, 1963, p. 32 ; H. Serouya, Paris, 1967, pl. 18 ; P. Courthion, 1972, p. 220 fig. E ; R. Cogniat, 1973, fig. p. 13.

Chaïm Soutine

117
Portrait d'homme (Émile Lejeune)

Huile sur toile ; H. 0,550 ; L. 0,465
S.b.d. en bleu au pinceau : *Soutine*
RF 1963-94

Soutine a traité le portrait pendant toute sa carrière artistique, contrairement aux différents autres thèmes qu'il a entrepris et abandonnés à des dates déterminées. Nous n'avons pas connaissance de portraits de groupes dans son œuvre ; il s'agit toujours de portraits individuels, le modèle vu à tous les niveaux du corps, de face ou de profil, avec peu d'accessoires si ce n'est parfois une chaise. Soutine ne pratique guère, non plus, le portrait de commande. Il s'est plu à peindre des amis, des connaissances et de nombreuses anecdotes ont circulé sur l'obstination qu'il mettait à obtenir d'un modèle dont l'expression lui convenait, les nombreuses heures de pose qu'il allait lui imposer.

Dès les premiers portraits (celui d'un petit garçon datant de 1914-1915) se dégagent les traits qui vont marquer la maturité : gaucherie et lourdeur dans les bras et les mains, déformations du visage pour lui imprimer ce qui dans sa personnalité a attiré l'artiste, et travail minutieux de la matière du vêtement. Une évolution apparaît cependant plus tard, dans une certaine aération de l'espace autour de la figure ; les bras s'éloignent du corps et réservent ainsi un rapport plus naturel entre la figure et le fond.

Pour certains, on connaît le nom du modèle : Miestchaninoff, Richard, Kikoïne, tous artistes amis de Soutine, Madeleine Castaing, son mécène, Maria Lani, peut-être le seul portrait de commande, sans parler des autoportraits ; d'autres, pourtant aussi portraits d'amis, ont perdu leur identité. Soutine en effet ne s'attachait pas à réaliser une effigie fidèle mais choisissait un modèle pour l'intérêt d'une expression ou l'amitié qui le liait à lui. Ainsi le portrait d'Udo Einsild devenu *Le garçon à l'habit bleu* (coll. part.), ou bien le présent portrait, exposé et reproduit sous le titre de *Portrait d'homme* et qui représente, semble-t-il, le peintre Émile Lejeune.

Émile Lejeune, né à Genève en 1885 de père suisse et de mère française, vient s'installer à Montparnasse où il loue un grand atelier, 6, rue Huyghens, siège d'expositions multiples, dont une exposition d'art africain organisée par Paul Guillaume, de soirées poétiques avec Guillaume Apollinaire ou Jean Cocteau, sans oublier les soirées musicales où se rassemble le groupe des Six. Au cours d'un voyage en Provence, Émile Lejeune décide de s'installer à Cagnes avec sa famille. Les deux portraits que Soutine réalise d'Émile Lejeune datent soit de la fin de son séjour à Paris, soit des débuts de son installation à Cagnes (1922). Dans le premier portrait (Courthion, cat. 213 A, ancienne coll. Bing) le visage est traité en flou ; l'homme regarde l'artiste derrière ses lunettes, il porte un nœud papillon au lieu d'une cravate mais présente des déformations analogues à celles du présent portrait. Le cou est démesurément tendu et prolongé par un resserrement du haut de la veste accentué par la cravate qui ferme la chemise et par un resserrement du bas du visage au menton pointu. Une bouche fine sous la moustache soignée et deux petits yeux sont égayés par des touches vives et multicolores posées avec légèreté. Il y a un contraste entre le bas du visage très présent et bien cerné et les yeux arrondis à l'excès et dont la couleur bleue est à demi absorbée par la pigmentation des contours qui lui donne un regard lointain, provoquant une impression de fuite très fréquente chez les personnages soutiniens. C.G.

Historique :
P. Guillaume ; Mme J. Walter.

Expositions :
1959, Paris, n° 64 ; 1966, Paris, n° 138 (repr.).

Bibliographie :
P. Courthion, 1972, p. 213 fig. B ; R. Cogniat, 1973, p. 21 (repr.).

Chaïm Soutine

118
Le village

Huile sur toile ; H. 0,735 ; L. 0,920
N.s.
RF 1963-88

Le paysage de Cagnes a fini par lasser Soutine. Il écrit à Zborowski à la fin de 1923 ou au début de l'année suivante : « Je voudrais quitter Cagnes, ce paysage que je ne peux supporter... » Il lui demande de le faire revenir à Paris mais, pour patienter, il parcourt l'arrière-pays et il découvre les vignobles de la Gaude, un peu au-dessus de Vence où il retrouve le goût de peindre autour d'un arbre et d'une maison qu'une route montante dessert. Il installe son chevalet à diverses reprises sur la montée de la Gaude vers Saint-Jannet pour réaliser l'œuvre présente ainsi qu'un *Paysage* (Columbus, coll. du Dr. Howard Sinak), où la partie centrale des maisons entre l'arbre et la maison du haut est plus importante ; une vue à mi-pente (Avignon, ancienne coll. Mme Charles Pomaret) et un gros plan déporté sur la droite où surgit, le long du chemin une série de petites maisons (Paris, Galerie Katia Granoff) ou celui d'une collection particulière suisse. Dans ce tableau, le paysage intérieur de l'artiste superpose au motif une dimension affective intense dans laquelle la maison haute et l'arbre apportent une note d'apaisement.

De nombreux chemins donnent l'impression de pouvoir pénétrer dans ce village en colline, mais en fait, il n'y a aucune perspective ; l'arbre central pénètre dans tous les plans et ses hautes branches encadrent les maisons les plus lointaines. Une touche circulaire faite de pâte épaisse anime la végétation du premier plan et de l'arbre qui absorbe une grande partie du ciel. Les maisons sont déformées, non sur leur base mais comme si elles suivaient les contorsions des chemins rocailleux animés de silhouettes vives. Une palette d'une extrême richesse anime l'ensemble de la composition.

Ici Soutine ouvre directement la voie au groupe Cobra et à l'expressionnisme abstrait américain des années 50 (De Kooning en particulier). C.G.

Historique :
P. Guillaume ; Mme J. Walter.

Expositions :
1945, Paris, Galerie Charpentier, *Paysages de France*, n° 97 (repr.) ; 1966, Paris, n° 130 (repr.) ; 1981, Moscou, Musée Pouchkine, *Moscou-Paris, 1900-1930*, p. 310.

Bibliographie :
H. Serouya, Paris, 1967, pl. VI ; P. Courthion, 1972, p. 231 fig. A.

Chaim Soutine

119
Le petit pâtissier

Huile sur toile ; H. 0,73 ; L. 0,54
S.b.d. en rouge au pinceau : *Soutine*
RF 1963-98

C'est le portrait d'un pâtissier qui décida de la carrière de Soutine ; avec *Le petit pâtissier* la présente collection révèle une des œuvres les plus abouties de l'artiste.

Paul Guillaume, alors en quête d'œuvres de Modigliani, découvre une toile de Soutine grâce à Michel Georges-Michel (*op. cit.*), romancier et critique d'art qui avait déjà écrit un article sur l'artiste. Cette toile représentait « un pâtissier inouï, fascinant, réel, truculent, affligé d'une oreille immense et superbe, inattendue et juste ; un chef-d'œuvre. Je l'achetai, le Dr Barnes le vit chez moi, — Mais c'est une pêche, s'écria-t-il ! Le plaisir spontané qu'il éprouva devant cette toile devait décider de la brusque fortune de Soutine, faire de lui, du jour au lendemain, un peintre connu, recherché des amateurs, celui dont on ne souriait plus, à Montparnasse, un héros ». *(Les Arts à Paris, loc. cit.).* C'est aussi le début d'une collaboration fructueuse entre Paul Guillaume et le Dr Barnes qui s'étend sur plusieurs années. Il est de tradition de rapporter cette anecdote fameuse au tableau de la collection. Or, ce tableau était encore en 1928 dans la collection Zborowski sous le nom du *Marmiton* si on se réfère au petit ouvrage de W. George publié la même année. Paul Guillaume a possédé, venant de chez Zborowski, un des premiers pâtissiers de Cagnes (1921-1922, Courthion, cat. 214 B, Exp. 1973, n° 15, Paris, coll. J. Guérin), mais ce dernier est trop sévère pour correspondre à la description citée. Il s'agit plutôt du tableau acheté par le Dr Barnes, actuellement à la Fondation Barnes de Merion. Dans ce tableau, en effet, toutes les formes sont traitées en rondeurs ; à commencer par le personnage au visage rond, menton retroussé et en boule, bouche tombante en demi-cercle, les pommettes rebondies, au cou absent et à la veste blousante sur des épaules rondes qui exagèrent encore l'arrondi des coudes. Les boutons bien marqués rappellent les touches circulaires du fond dont le traitement ne diffère guère de celui de la figure. L'oreille droite est à sa place ; en revanche, l'oreille gauche se tend vers le haut du dossier ondulé de la chaise, appendice démesuré qui semble concentrer sur ce personnage toute la dérision que lui confère l'habit, à défaut de lui donner une personnalité.

Le présent pâtissier au contraire est un personnage anguleux. L'artiste a donné plus d'importance à la qualité de la pigmentation de la peau qu'à l'expression. En effet le visage avec ses déformations qui partent de la base du nez, les sourcils hauts et abondants sur un front bas, la bouche entrouverte, suivant le dessin des yeux au regard absent, marquent une intention de repli intérieur. Cette introversion de l'individu est soulignée par l'immobilité de la figure dans le fauteuil au dossier monumental et par le fond traité en drapé qui divise de ses obliques l'espace en divers tons chauds. Les mains, elles, surgissent de l'habit comme boursouflées. La composition pyramidale de la figure occupe toute la partie basse du tableau et lui assure une grande stabilité accentuée par la position des avant-bras bien campés sur les accoudoirs, ainsi que les épaulettes avantageuses de l'habit. La texture de l'étoffe

Soutine, *Le petit pâtissier de Cagnes*, Paris, coll. part.

est modulée par des aplats de blancs aux multiples nuances colorées rehaussées par le mouchoir rouge étroitement serré entre les deux mains dans le même geste que celui du portrait plus tardif de *La femme de chambre* (Lucerne, Kunstmuseum) : c'est un chef-d'œuvre de recherche de matière colorée.

Pierre Courthion l'a reproduit par erreur deux fois à cinq ans d'écart : la date à retenir est 1922 ; elle correspond à la technique du *Pâtissier de Cagnes* (Courthion, cat. 214 B) dont le visage révèle une grande tristesse sous le regard sournois. Un autre portrait de *Petit Pâtissier* (New York, coll. Joseph H. Hazen) rappelle la technique de *La Fiancée* avec des épaules montantes et des touches de couleurs en ovale. Chacun de ces visages, par une lourde tristesse : *Petit Pâtissier* (Courthion, cat. 255 I, New York, coll. Lee A. Ault), ou une gravité évocatrice, représente le mal de vivre qui a attiré l'artiste vers lui, même lorsqu'il est teinté d'humour ou de fantaisie comme c'est le cas pour le *Pâtissier* (Courthion, cat. 214 A, Meyron Fondation Barnes), ou *Le grand pâtissier* (Courthion, cat. 256 A, The Portland Art Museum) et qui révèle chez Soutine un aspect fondamental de son caractère. C.G.

Historique :
L. Zborowski, Paris ; P. Guillaume ; Mme J. Walter.

Expositions :
1945, Paris, nº 12 ; 1945, Paris, Galerie Charpentier, *Portraits français*, nº 162 ; 1946, Paris, nº 84 ; 1950, New York-Cleveland, p. 73, p. 77 (repr.) ; 1952, Venise, nº 9 (pl. 55) ; 1959, Paris, nº 38 (repr.) ; 1966, Paris, nº 127 (repr.) ; 1973, Paris, nº 12 (repr.) ; 1980, Athènes, p. 171 fig. 39, p. 172, p. 183 pl. 39 ; 1981, Tbilissi-Leningrad, nº 48 (repr.).

Bibliographie :
Les Arts à Paris, janv. 1923, nº 7, pp. 5-7 ; W. George, Paris, 1928, pl. 5 ; M. Wheeler, *Soutine*, New York, 1950, p. 73 (repr. p. 77) ; J. Lassaigne, 1954, Paris, pl. 7 ; M. Georges-Michel, 1954, pp. 172-175 ; W. George, 1959 (repr.) ; M. Castaing et J. Leymarie, Paris, 1963, p. 19 (repr.) ; pp. 20-21 ; H. Serouya, Paris, 1967, pl. 5 ; M. Tuchman, *Chaïm Soutine*, Los Angeles, 1968, pp. 35-36 ; P. Courthion, 1972, p. 255 fig. H et p. 223 fig. C (par erreur, reproduit deux fois) ; R. Cogniat, 1973, pl. p. 33 ; C. Constans, *Le XXᵉ s.*, vol. 2, Paris, 1982, nº 64 (repr.)

Soutine, *La femme de chambre*,
Lucerne, Kunstmuseum

120

Bœuf et tête de veau

Huile sur toile ; H. 0,92 ; L. 0,73
S.b.d. en rouge au pinceau : *C. Soutine*
RF 1963-86

Maurice Tuchman rapporte ce récit d'Emil Szittya, ami et biographe de Soutine : « Un jour, je vis le couteau du boucher trancher le cou d'un oiseau et le vider de son sang. Je voulus crier mais son expression de joie retint le cri au fond de ma gorge. » Soutine se frotta la gorge et continua : « Ce cri, je le sens toujours ici. Quand encore enfant je dessinais un portrait cruel de mon professeur, j'essayais de me débarrasser de ce cri, mais en vain. Quand je peignais la carcasse de bœuf, c'était encore ce cri que je voulais libérer. Je n'y suis pas encore arrivé. » A ces fantasmes de jeunesse, il faut évidemment ajouter le souvenir de Rembrandt pour lequel Soutine éprouvait la plus vive admiration.

Soutine a réalisé un certain nombre de bœufs écorchés et parmi eux figurent ses toiles de plus grande taille : ainsi, *Le bœuf* (2,02 × 1,14, Courthion cat. 241 C, Grenoble, Musée de Peinture et de Sculpture), *Le bœuf* (1,15 × 0,66, Courthion cat. 238 E, Amsterdam, Stedelijk Museum), *Le bœuf* (1,40 × 1,07, Courthion cat. 240 A, repr. coul., Buffalo, Albright-Knox Gallery), enfin *Carcasse de bœuf* (1,16 × 0,81, Courthion cat. 238 D, qu'il appelle *Le veau écorché,* The Minneapolis Institute of Arts, don de Mr. et Mrs. Donald Winstone et don anonyme) et *Le bœuf écorché* (0,82 × 0,75, Genève, Petit Palais).

Le présent tableau est d'une composition plus complexe que les précédents : une tête de veau pendue à un crochet de boucher et un quartier de bœuf dont le haut pendu à deux crochets laisse la patte terminer à droite la diagonale commencée à gauche par la tête de veau. Un souci de construction évident se dégage de cette composition dans laquelle la tête où le jaune domine, est traitée avec des touches en hachures plus petites mais plus régulières que celles du bœuf, ce qui a pour effet de l'allonger.

A la différence des autres bœufs écorchés, celui-ci se présente de profil, très étalé comme s'il avait été préalablement aplati pour occuper la toile. Les couleurs se détachent fermement, sur le fond sombre. Et à l'intérieur, sur toute la masse du quartier de bœuf, règne une profonde agitation de la touche faite de larges hachures vertes, jaunes et rouges qui se croisent et se coupent dans un effet de grand désordre. Elles ne sont pas là pour marquer le volume ; en effet, n'apparaît aucun effet de masse, mais un grand remous de couleurs qui fait contraste avec la tête.

Ces tableaux de bœufs écorchés ont été réalisés en 1925, lorsque l'artiste occupait son atelier de la rue du Saint-Gothard où il se faisait porter des carcasses qu'il arrosait de sang quand l'aspect commençait à se ternir.

C.G.

Historique :
P. Guillaume ; Mme J. Walter.

Expositions :
1952, Venise, n° 71 ; 1959, Paris, n° 45 ; 1963, Edimbourg-Londres, The Royal Academy, n° 28 (fig. 18) ; 1966, Paris, n° 131 (repr.) ; 1978, Paris, n° 125 ; 1981, Munster-Tubingen, n° 15 (repr.).

Bibliographie :
D. Sylvester, *Chaïm Soutine 1893-1943*, Londres, 1963, notice 28 ; W. George, « Présence et Primauté d'Eugène Delacroix », Exp. *L'héritage de Delacroix*, Paris, 1964, non paginé ; M. Tuchman, *Chaïm Soutine 1893-1943*, Los Angeles, 1968, p. 15 ; P. Courthion, 1972, p. 242 fig. A.

C. Soutine

Chaïm Soutine

121

Le poulet plumé

Huile sur toile ; H. 0,67 ; L. 0,40
S.b.d. : en bleu au pinceau : *Soutine*
RF 1963-93

Ce tableau daté par Courthion de 1925 fait partie de la série des volailles plumées et des lapins que Soutine a développée en même temps que ses portraits en uniforme. Ce thème appartient à la tradition artistique des XVIIe et XVIIIe siècles ; tantôt descriptif, il fait partie de natures mortes aux sujets complexes ; tantôt anecdotique, il est lié aux retours de chasse. Dans les premières natures mortes de Soutine nous trouvons des compositions de nourriture où la volaille voisine avec des fruits ou des ustensiles de cuisine : *Le poulet à table* (coll. Dr Lucien Kléman), *Nature morte au dindon* (donation Pierre Lévy, Musée de Troyes). Mais, très vite, elles prennent un tout autre aspect et les dépouilles posées sur une table se transforment en victimes immolées pendues à un crochet, évoquant ainsi les scènes de Kipourrah, lors de la veille du yom kippour, auxquelles l'artiste a assisté dans son enfance et où la volaille pend en sifflet au-dessus de la tête du pénitent pour le décharger de ses péchés en tournoyant. Soutine ne cherche pas un bouc émissaire comme dans la tradition du chtetel, mais il veut se libérer de son angoisse de la mort et de la souffrance ; la lecture de ce thème auquel il consacre une si grande importance pendant les quelques années où il le traite, permet de pressentir chez l'artiste un espoir de rédemption dans l'ardeur qu'il déploie à dynamiser par la pâte colorée la chair de l'animal immolé.

Le poulet plumé pend par le cou le long d'une table renversée qui le sépare de tout élément de vie. Son corps est un jaillissement multicolore parsemé par endroits de touches bleu foncé qui se concentrent sur le cou de l'animal encore couvert de son plumage, créant ainsi une séparation avec la tête. Celle-ci est gagnée par le bleu dans un ton sourd, absorbant les nuances colorées du bec qui s'éloigne par une extension démesurée, dernier vestige d'énergie. Le bois et les éléments métalliques du fond sont absorbés par une pâte en remous où le blanc se mêle au bleu pour créer un certain dynamisme. C.G.

Historique :
P. Guillaume ; Mme J. Walter.

Expositions :
1937, Paris, n° 46 ; 1945, Paris, n° 30 ; 1959, Paris, n° 83 ; 1966, Paris, n° 132 (repr.).

Bibliographie :
P. Courthion, 1972, p. 244, fig. A.

122
Le lapin

Huile sur toile ; H. 0,73 ; L. 0,36
S.b.d. : de biais, en rouge au pinceau : *Soutine*
RF 1963-90

Ce tableau appartient à une série de lièvres et de lapins pendus par une patte sur un fond tantôt bien défini comme *Le lièvre au volet vert* de la donation Pierre Lévy (Musée de Troyes), tantôt sombre et qui s'efface derrière la dépouille. Une cruche rouge également pendue et traitée avec la même touche que le lapin s'inscrit dans le même plan que lui. Tout le poids du corps pèse sur la tête de l'animal. Soutine crée ici une atmosphère tout à fait différente de celle qui règne dans les tableaux de volaille. Si l'œil dilaté et blanc rappelle que l'animal est mort, on ne peut s'empêcher de remarquer le soin extrême et l'intérêt que Soutine porte au pelage. De petits coups de pinceau d'un blanc chatoyant révèlent sa douceur sur les pattes, le cou et le ventre, de même que le blanc épais de la queue fait ressortir la densité de la fourrure et le plaisir que l'artiste a eu à s'y arrêter.

Soutine a parcouru un grand chemin depuis les lapins décharnés qui occupent les tables de victuailles dans les tableaux de ses débuts. La facture très libre, avec des touches en longues virgules, annonce les peintres du groupe Cobra. Les nombreuses couleurs qui composent le pelage donnent une énergie neuve à cette toile qui reprend un thème traditionnel de la nature morte. C.G.

Soutine, *Le lièvre au volet vert*, Troyes, Musée d'Art Moderne (donation D. et P. Lévy)

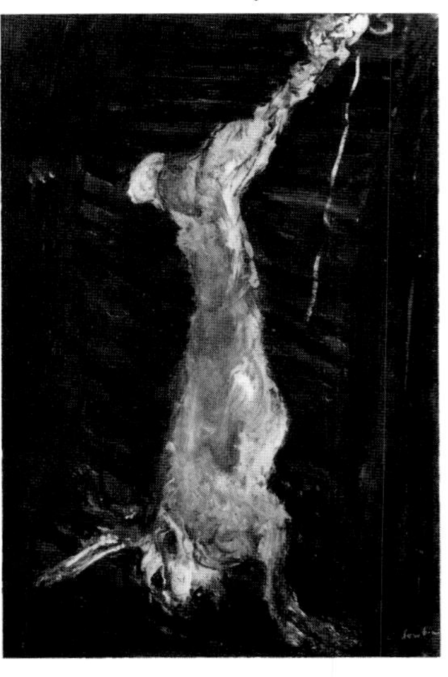

Historique :
P. Guillaume ; Mme J. Walter.

Expositions :
1959, Paris, n° 82 ; 1966, Paris, n° 133 (repr.).

Bibliographie :
P. Courthion, 1972, p. 243, fig. A ; R. Cogniat, 1973, p. 39 (repr.) ; J. Lanthemann, *Catalogue raisonné de l'œuvre dessiné de Soutine,* 1981, p. 30 (repr.).

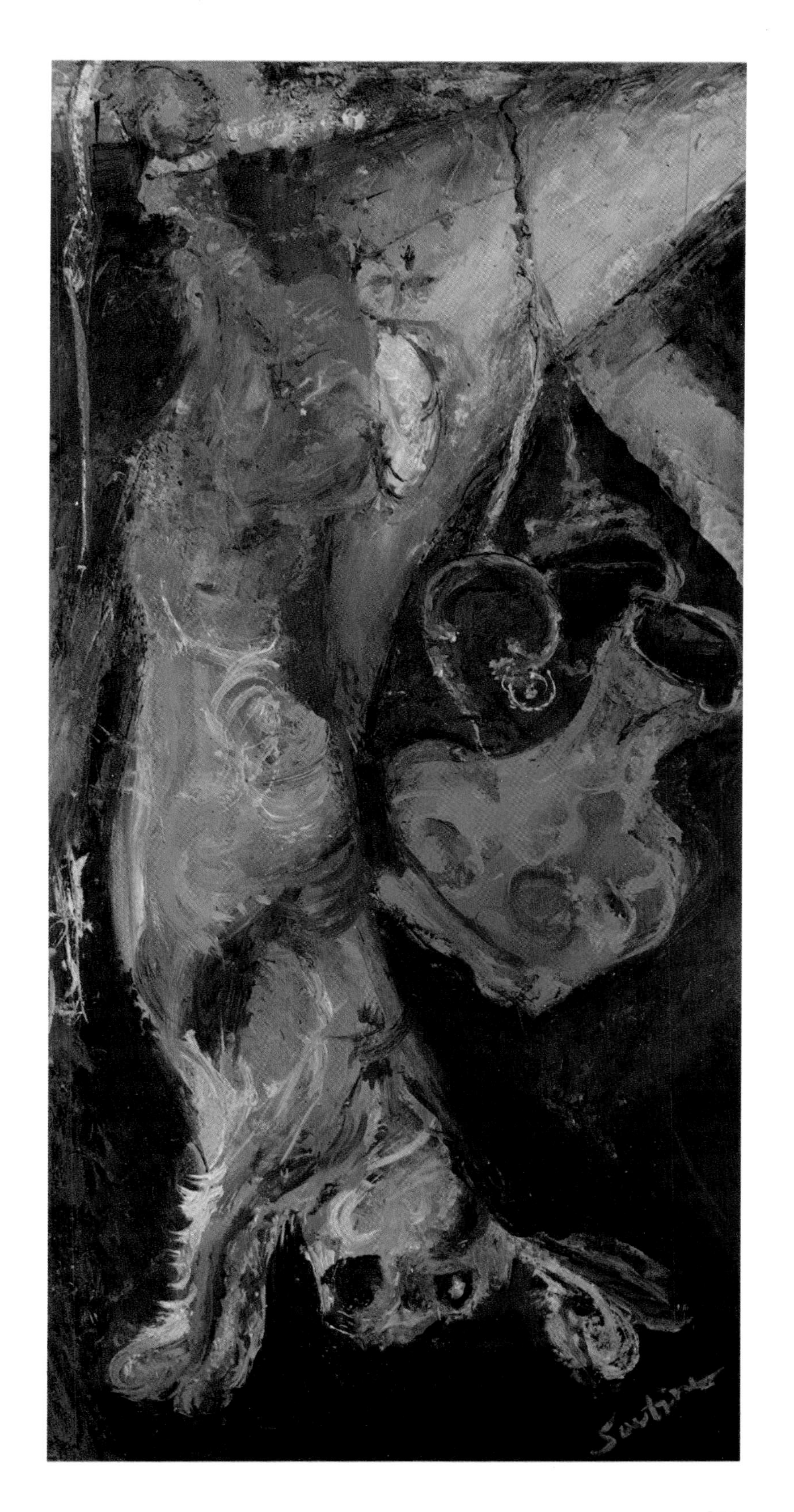

Chaïm Soutine

123
Le dindon

Huile sur toile ; H. 0,80 ; L. 0,65
N.s.
RF 1963-81

Le dindon, répond à une impression de masse au corps étiré du *Poulet plumé* (n° 121) et envahit de son plumage bleu-nuit toute la base du tableau, s'élevant, douloureux, suivant une diagonale.

Ce tableau est beaucoup moins lumineux que *Le poulet plumé* et le ton sourd du fond contribue à rassembler l'attention sur la dépouille où la tête se retranche dans le flou de la pâte qui envahit l'œil ; les plumes bleues du cou ne séparent plus le corps de la tête mais marquent la difficulté du passage de la vie à trépas. Le jaune domine les touches du corps qui repose lourdement dans une position de repli où la douleur occupe toute l'attention en créant une atmosphère pesante.

C.G.

Historique :
P. Guillaume ; Mme J. Walter.

Expositions :
1929, Paris ; 1935, Paris, n° 140 ; 1945, Paris, n° 17 ; 1952, Venise, n° 29 ; 1959, Paris, n° 73 ; 1966, Paris, n° 135 (repr.).

Bibliographie :
W. George, s.d., p. 157 (repr.) ; R. Negri, *Arte Moderna,* Milan, 1967, p. 218 (repr.) ; P. Courthion, 1972, p. 244, fig. G.

124
Dindon et tomates

Huile sur toile ; H. 0,81 ; L. 0,49
S.b.d. : de biais en rouge au pinceau : *Soutine*
RF 1963-89

Par sa composition, cette œuvre se rapproche du *Poulet plumé*, mais ici le volatile est pendu suivant une diagonale et comme le fait remarquer justement M. Bundorf dans le catalogue de 1966, Soutine l'a « placé en oblique comme s'il avait voulu saisir l'animal au cours de l'une des phases d'un balancement oscillatoire ». Une plage triangulaire en bas à gauche est éclairée par un linge lumineux sur lequel s'entassent des tomates. Leur incarnat se reflète sur l'animal, créant avec un jaune lumineux, une énergie nouvelle. Seules, les pattes, gagnées par le bleu lugubre qui cache peu à peu le vert-jaune initial et une tache noire et volumineuse dans le bas, rappellent la mort qui se lit sur la tête ; celle-ci est traitée en nuances de gris et de bleu ; elle est surmontée par la crête en hachures noires où subsistent encore quelques traces de rouge, dernier vestige de vie.

Cette nature morte est cependant moins pathétique que les autres volailles de la collection : la tête où l'œil apparaît se détache plus nettement du fond, les touches sont plus arrondies et régulières, les contours limités isolent l'animal et le rendent plus appliqué. C.G.

Historique :
P. Guillaume ; Mme J. Walter.

Expositions :
1952, Venise, n° 31 ; 1959, Paris, n° 72 ; 1966, Paris, n° 134 (repr.) ; 1978, Paris, n° 124 ; 1981, Tbilissi-Leningrad, n° 49 (repr.) ; 1982, Lucerne, n° 101 (repr.).

Bibliographie :
P. Courthion, 1972, p. 248, fig. A.

Chaïm Soutine

125
La table

Huile sur toile ; H. 0,81 ; L. 1,00
S.b.d. : en rouge au pinceau : *Soutine*
RF 1963-82

Soutine revient ici à un thème qu'il a beaucoup traité dans ses premières années parisiennes (1914-1915) mais il ne lui donne plus le caractère poignant que lui inspirait la faim. Cette composition rappelle celle de la jeunesse expressionniste de Cézanne : *Pain et gigot d'agneau,* (Venturi, n° 63 ; Zurich, Kunsthaus), mais l'artiste reste fidèle à la thématique qui lui est propre.

Afin de rendre les quartiers de viande plus présents, il les rassemble dans un espace réduit où avec les autres objets de la composition — bouteille de vin aussi solide sur sa base qu'un arbre soutinien, compotier qui semble danser sur son pied incurvé bien frêle pour le soutenir, cafetière, bouteille encore — ils forment un triangle. Toute une partie de la table est vide, mais pour que le reste contienne les objets ainsi amassés, il l'étire et l'incurve vers lui. Ce qui semble être une gigue de chevreuil touche à peine la table, seul le second quartier de viande repose de tout son poids. L'un et l'autre sont animés d'un mouvement désordonné de touches curvilignes où le rouge domine, non le rouge du sang, mais celui de l'emportement créateur de l'artiste rappelé par une ligne de renforcement sur le contour du compotier et la partie supérieure du tiroir de la table.

C.G.

Historique :
P. Guillaume ; Mme J. Walter.

Expositions :
1959, Paris, n° 17 ; 1966, Paris, n° 136 (repr.).

Bibliographie :
P. Courthion, 1972, p. 184, fig. C.

Chaïm Soutine

126
Nature morte au faisan

Huile sur toile ; H. 0,645 ; L. 0,92
S.b.d. : en noir au pinceau : *Soutine*
RF 1963-83

Le faisan à la cruche appartient à une autre série de tableaux représentant des volailles ; le faisan et la nappe sur laquelle il repose participent à un monde mou. Toute trace d'énergie vitale a quitté ce corps abandonné dans les plis de l'étoffe posée sur la table ; par contraste, la cruche qui verse son eau et le poivron rouge vigoureux sont, eux, dans le monde de la vie. Pourtant la touche est vive sur le corps de l'animal et dans une pâte épaisse par endroits, l'artiste pose une multitude de couleurs, de formes variées, curvilignes ou en virgules qui suppléent à l'énergie disparue par un foisonnement dense. Les objets autour de la volaille sont aussi générateurs de couleurs et contribuent, de même que le jaillissement de l'eau qui se déverse de la cruche, à faire naître dans ce corps inerte une autre vie organique.
C.G.

Historique :
P. Guillaume ; Mme J. Walter.

Expositions :
1942, Genève, Galerie Georges Moos, *Exposition d'art français depuis 1900,* n° 59 ; 1946, Paris, Galerie Charpentier, *La vie silencieuse,* n° 64 ; 1952, Venise, n° 32 ; 1959, Paris, n° 65 ; 1966, Paris, n° 137 (repr.) ; 1981, Munster-Tubingen, n° 68 (repr.).

Bibliographie :
J. Lassaigne, 1947, p. 120 (repr.) ; P. Courthion, 1972, p. 251, fig. G.

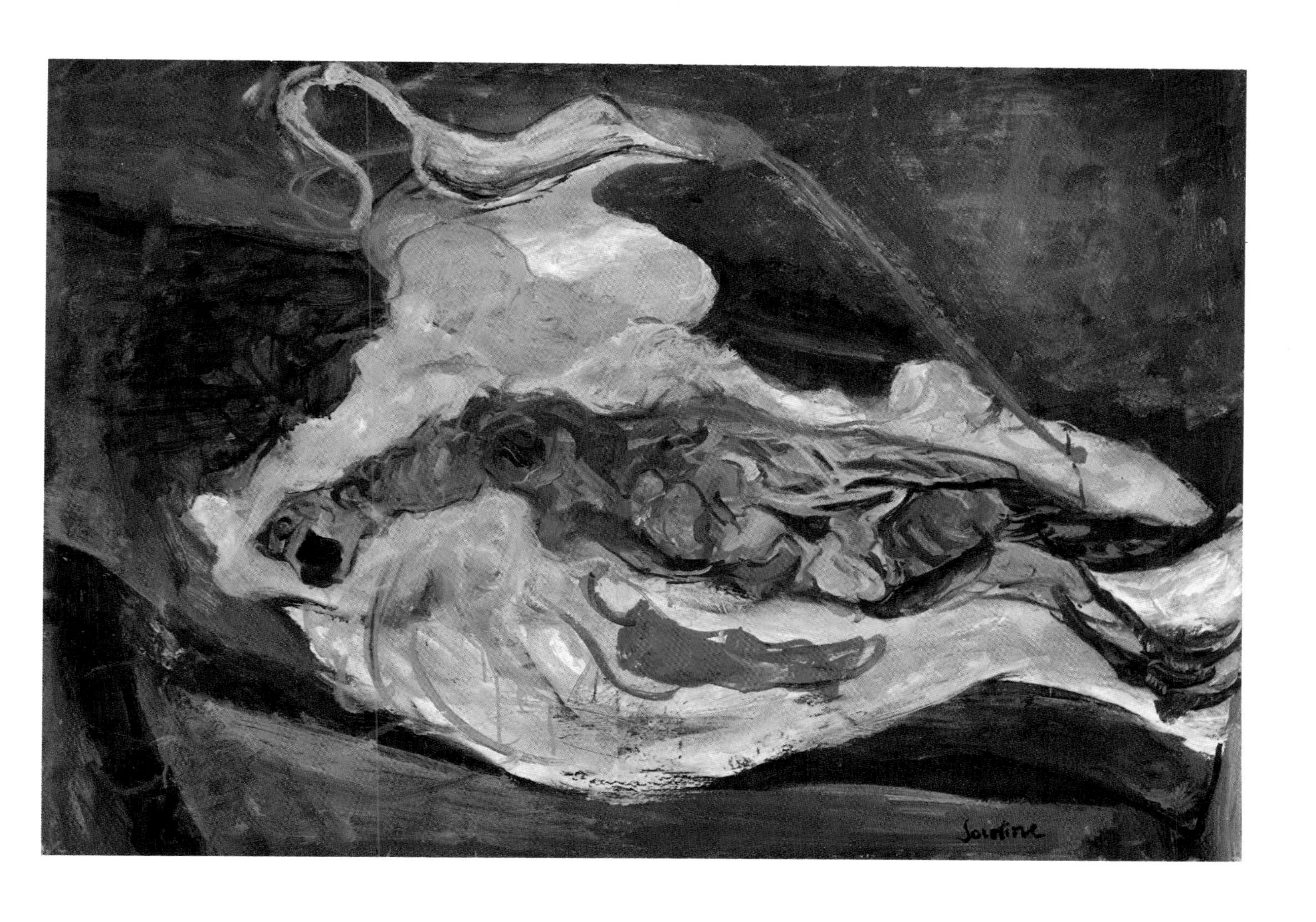

Chaïm Soutine

127
La jeune Anglaise

Huile sur toile ; H. 0,46 ; L. 0,55
S.b.g. : en noir au pinceau : *Soutine*
RF 1963-97

On retrouve dans ce portrait la même fascination de Soutine pour le rouge et le blanc que dans celui de *l'Enfant de chœur.* Et, comme le remarque M. Bundorf : « Cas d'exception parmi les portraits peints par Soutine, le modèle a presque un joli visage, équilibré par la masse des cheveux. Les membres, le buste sont un peu grêles. Toutefois il ne se dégage aucune inquiétude de ce portrait ; au contraire, Soutine semble avoir peint cette jeune femme avec un certain plaisir, en se souciant de respecter son charme et sa jeunesse. » (Cat. 1966, n° 139.) L'œuvre présente rappelle en effet une série de portraits féminins pleins de grâce peints à cette période comme *La Jeune Femme en rouge* (Courthion cat. 259 C, coll. Evelyn Sharp), *Le portrait de Mme Castaing* (Courthion cat. 270 E, photo D, New York, Galerie Pierre Matisse), de *Maria Lani* (Courthion cat. 272 A) ou de *La Jeune Polonaise* acheté par René Gimpel (Courthion cat. 270 F, photo G). Il est possible, néanmoins que ce portrait soit antérieur à la date traditionnellement donnée car un *Portrait d'Anglaise* figurait en 1924 à l'exposition inaugurale d'Art français du Palais de la Légion d'honneur à San Francisco et qui pourrait être celui-ci.

Il existe un autre portrait du modèle dans une tenue identique (huile sur panneau, 0,56 × 0,34, vente Drouot, 15 juin 1938, n° 85, repr.).

Le présent tableau a été peint au dos d'une toile qui porte les traces d'une œuvre antérieure. On sait que Soutine n'aimait pas les toiles neuves : Germaine Moncray (*Jardin des Arts,* n° 142, septembre 1966, pp. 72-73) raconte comment il avait obligé une aubergiste de Recloses près de Fontainebleau à lui céder un tableau d'inspiration religieuse qui ornait la salle à manger de l'auberge pour le nettoyer et peindre à la place un enfant de chœur.

Elie Faure, qui a reçu à plusieurs reprises Soutine dans sa propriété près de Bordeaux, raconte ses courses chez les brocanteurs et Madeleine Castaing les longues recherches qu'elle entreprenait avec son mari pour trouver des tableaux anciens que Soutine nettoyait des journées entières avant de les utiliser pour peindre. Il est certain qu'il éprouvait un certain plaisir à détruire des œuvres existantes. Il poursuivait d'un besoin de destruction obsessionnel toutes ses œuvres de la période de Céret, mais aucune période de sa création n'a été épargnée, même lorsque cette destruction ne s'est pas faite de façon systématique. C.G.

Historique :
P. Guillaume ; Mme J. Walter.

Expositions :
1942, Genève, Galerie Georges Moos, *Exposition d'art français depuis 1900,* n° 60 ; 1952, Venise, n° 24 ; 1962, Mexico, *Cien años de Pintura en Francia de 1850 a nuestros días,* n° 133 (repr.) ; 1966, Paris, n° 139 (repr.).

Bibliographie :
P. Courthion, 1972, p. 265, fig. I.

Chaïm Soutine

128
Enfant de chœur

Huile sur toile ; H. 0,635 ; L. 0,50
S.b.d. : en rouge au pinceau : *Soutine*
RF 1963-96

La série des enfants de chœur est contemporaine des représentations diverses des carcasses de bœuf ou les suit de près ; elle correspond chez Soutine à l'attrait des rouges, qu'il fait vibrer avec les blancs comme c'est aussi le cas dans *Le petit pâtissier* (n° 119) ou *Le garçon d'étage* (n° 129).

Dans ce genre de portrait la rutilance des habits qui marquent l'appartenance de l'enfant à une institution ou à une profession, ne réussit pas à masquer le caractère ingrat des modèles qu'inconsciemment Soutine transpose dans le souvenir de son enfance douloureuse. Mais ici, dans ce visage trop allongé, avec ces mains déformées qui émergent des manches du surplis, le portrait s'anime et prend une tournure particulière. Le regard croise celui du spectateur et révèle une connivence amusée avec le monde extérieur. Soutine a donné sa pleine mesure dans l'étude du surplis aux blancs chargés de tant de couleurs et rehaussés par la robe rouge et le fond bleu-nuit.

Il existe plusieurs portraits d'enfant de chœur. Tantôt il est représenté assis (New York, coll. Jack H. Poses), tantôt debout et en pied (Paris, coll., Mme Castaing, et Genève, coll. Charles Im Obersteg) ou présenté de trois quarts à la manière des *Hommes en prière* peints à Cagnes comme celui de la Galerie Félix Vercel, Paris, et celui plus majestueux de la présente collection qui prend possession de la toile avec l'autorité d'un personnage de portrait classique.
C.G.

Historique :
P. Guillaume ; Mme J. Walter.

Expositions :
1937, Paris, n° 54 ; 1938, Paris, Galerie Kaganovitch, *Œuvres choisies des XIXe et XXe s.*, n° 45 ; 1946, Paris, n° 83 (repr.) ; 1949, Paris, Galerie Charpentier, *l'Enfance*, n° 189 bis ; 1950, New York-Cleveland, p. 85 (repr.) ; 1952, Venise, n° 13 ; 1957, Paris, n° 93 ; 1959, Paris, n° 88 (repr.) ; 1966, Paris, n° 140 (repr. coul.) ; 1973, Paris, n° 44 (repr.) ; 1980, Athènes, n° 40 (repr.) ; 1982, Munster-Tubingen, n° 70 (repr.).

Bibliographie :
Formes, n° 5, mai 1930 (repr. coul.) ; *Les Arts à Paris*, n° 17, mai 1930 ; J. Lassaigne, 1947, p. 119 (repr.) ; M. Wheeler, *Chaïm Soutine*, New York, 1950, p. 74 (repr. p. 85) ; W. George, 1959 (repr.) ; M. Castaing et J. Leymarie, Paris, 1963, pl. 9 ; W. George, « Présence et primauté d'Eugène Delacroix », 1964, non paginé ; H. Serouya, Paris, 1967, pl. 12 ; R. Negri, *L'Arte Moderna*, Milan, 1967, p. 220 (repr.) ; M. Hoog, *Peinture moderne*, Paris, 1969, p. 158 ; P. Courthion, 1972, p. 259, fig. G. et pl. p. 82 ; R. Cogniat, 1973, pl. p. 45.

Soutine,
Le grand enfant de chœur,
Paris,
coll. Madeleine Castaing

Chaïm Soutine

129

Le garçon d'étage

Huile sur toile ; H. 0,87 ; L. 0,66
S.h.d. : en rouge au pinceau : *Soutine*
RF 1963-50

C'est à Châtelguyon où il allait en cure avec les Castaing que Soutine eut le loisir de voir évoluer grooms et maîtres d'hôtel. Quelle sorte de fraternité lie Soutine à ces hommes en livrée ? Dans le monde de son enfance, les domestiques étaient méprisés. Il se sent proche d'eux à cause du rejet dont il a souffert toute sa jeunesse et de la difficulté d'insertion qu'il rencontre, au moment où il peint ces uniformes et les volailles pendues, soit entre 1922 et 1928.

Soutine a réalisé plusieurs portraits de ce valet de chambre. *Le maître d'hôtel* (Exp. *Soutine,* Paris, Orangerie, n° 39, repr., coll. part., Paris) et le *Valet au gilet rouge* (0,33 × 0,46, Etats-Unis, coll. part.). Les trois visages reflètent la même expression vide et fermée et, à vrai dire, assez indéchiffrable. L'uniforme ici mal ajusté donne l'impression de formes disloquées. La couleur de l'habit sans relief, le visage dont la pigmentation de la peau se rapproche de la couleur de la texture du gilet, les mains informes constituent un ensemble révélateur de l'intention de l'artiste.

Le fond d'un bleu profond rappelé dans le nœud papillon crée un sentiment de dérision fréquente chez Soutine. C.G.

Historique :
H. Bing, Paris ; P. Guillaume ; Mme J. Walter.

Expositions :
1945, Paris, n° 29 ; 1952, Venise, n° 34 ; 1959, Paris, n° 89 ; 1966, Paris, n° 141 (repr.) ; 1981, Munster-Tubingen, n° 79 (repr.).

Bibliographie :
W. George, 1959 (repr.) ; W. George, « Présence et primauté d'Eugène Delacroix », *L'héritage de Delacroix,* 1964, non paginé ; P. Courthion, 1972, p. 95, p. 267, fig. A, notice B ; R. Cogniat, 1973, p. 50 (repr.) ; E.G. Güse, « C. Soutine », *Die Kunst,* déc. 1983, p. 840 (repr. coul.).

Chaïm Soutine

130
Garçon d'honneur

Huile sur toile ; H. 1,00 ; L. 0,81
S.b.d. : en biais le long de la jambe à la peinture bleue mêlée d'une pointe de blanc : *Soutine*
RF 1960-48

Le titre donné à ce tableau (semble-t-il depuis une date assez récente) ne doit pas prêter à une interprétation ou à un commentaire trop précis. Comme dans les *Grooms* et les *Garçons d'étage,* on a ici une de ces figures de jeunes gens dont le vêtement de cérémonie (ou la livrée) contraste avec le visage rustre ou disgracieux. La physionomie est ici quasi indéchiffrable, les yeux baissés. Le contraste entre le personnage et l'habit qu'il porte est encore accentué par le traitement caricatural des mains, dignes d'un personnage de bande dessinée ; les proportions des membres sont absurdes, comme celles d'un pantin. Le cadre n'est pas défini, aucun siège n'est suggéré, aucun accessoire présent. Seule, de façon inhabituelle, l'ombre de la tête et du bras sur le fond viennent situer le personnage, à moins qu'il ne s'agisse d'un repentir. L'impression générale est de résignation et d'abattement, plus que de tristesse.

Waldemar George, l'un des meilleurs témoins du travail de Soutine, place ce tableau en 1928. L'œuvre paraît inachevée. La facture associe des aplats maçonnés à des coulures et à des giclures. On songe ici à Fautrier, dont les œuvres anciennes, contemporaines précisément de ce tableau, manifestent la même volonté de « défiguration » obtenue par la même liberté technique. Ayant plusieurs admirateurs communs (J. Castel, W. George), les deux hommes se sont probablement rencontrés ; de toute façon, Fautrier n'a pas manqué d'occasions de voir des tableaux de Soutine. C.G.

Historique :
P. Guillaume ; Mme J. Walter.

Expositions :
1959, Paris, n° 90 ; 1966, Paris, n° 142 (repr.) ; 1982, Lucerne, n° 105 (repr.).

Bibliographie :
W. George, 1959 (repr.) ; P. Courthion, 1972, p. 268, fig. C.

Chaïm Soutine

131
Paysage avec personnage

Huile sur toile ; H. 0,60 ; L. 0,80
S.b.g. : *Soutine*
RF 1963-87

Ce paysage des environs de Paris se compose des éléments propres à la campagne que Soutine représente alors : des arbres, un groupe de maisons, une colline parcourue par un ou plusieurs chemins. Il choisit le lieu de rencontre d'un chemin et de ce qui devient une route. Elle n'est plus comme à Cagnes sinueuse ou accidentée, mais elle monte en ligne droite en respectant lignes de fuite et perspective. Les bas-côtés sont fermement délimités et les maisons suivent naturellement la pente. L'artiste utilise une touche nerveuse et rapide qui se déroule en arabesque lorsqu'il s'agit de rendre les taillis et les arbres ; plusieurs personnages viennent rompre la solitude de l'artiste. Voilà toute la poétique de Soutine, qui, même lorsqu'il est en quête d'ordre et de structure, présente une œuvre où le jaillissement du pinceau crée une force toujours aussi expressive. C.G.

Historique :
P. Guillaume ; Mme J. Walter.

Expositions :
1959, Paris, n° 103 ; 1966, Paris, n° 144 (repr.).

Bibliographie :
P. Courthion, 1972, p. 228, fig. D.

Chaïm Soutine

132
Le gros arbre bleu

Huile sur toile ; H. 0,83 ; L. 0,80
S.b.d. de biais : *Soutine*
RF 1963-85

Alors que la présence est très rare dans les tableaux de la période de Céret, à Cagnes une ou plusieurs silhouettes surgissent et certains détails apparaissent parfois comme le chapeau sur une tête (*Le village,* n° 118). Après 1930, les silhouettes s'étoffent et permettent d'identifier la présence d'un homme, d'une femme ou d'un enfant. Ces détails sont loin d'être anodins. Soutine a sans doute rencontré de nombreuses difficultés dans ses rapports humains et sa quête d'autrui est sous-jacente tout au long de son œuvre. Une petite scène anecdotique occupe le bas du tableau à gauche dans *Le gros arbre bleu* ; il s'agit d'un homme en conversation avec une femme assise sur un banc ; c'est une forme qui se lit difficilement car les têtes sont absorbées par la masse colorée du paysage. Mais ces deux formes à dominante bleue, parallèles à la route montante, permettent d'équilibrer la composition en contrebalançant le mouvement vers la droite de l'arbre et de la maison.

Une impression d'angoisse se dégage de ce tableau où toutes les formes se juxtaposent : route, fourrés, arbre, maison, ciel. L'air ne circule pas. Le temps semble arrêté. Certains y ont lu une préparation d'orage, mais c'est une interprétation qui se retrouve à propos d'un certain nombre d'œuvres des dernières années de l'artiste et qui ne correspond pas aux témoignages recueillis par ses proches. Ainsi, Gerda Groth qui, sous le nom de Mlle Garde, partagea pendant trois ans à partir de 1937 la vie de Soutine, rapporte dans son livre de souvenirs (*loc. cit.*) que l'artiste lui disait ne pouvoir peindre qu'à la belle saison et encore par beau temps. Il est probable que les angoisses intérieures de l'artiste contribuent à alimenter ce climat étouffant, dues entre autres à son état de santé contraignant, à son mal de peindre et au doute qu'il éprouvait en face de son œuvre, enfin aux persécutions qu'il sentait venir à la veille de la Seconde Guerre mondiale. C.G.

Historique :
P. Guillaume ; Mme J. Walter.

Expositions :
1952, Venise, n° 27 ; 1959, Paris, n° 37 ; 1966, Paris, n° 145 (repr.).

Bibliographie :
R. Negri, *L'Arte Moderna,* Milan, 1967, p. 205 (repr. coul.) ; P. Courthion, 1972, pp. 204-205, fig. D ; Mlle Garde (G. Groth), *Mes années avec Soutine,* 1973, p. 22.

133
La maison blanche

Huile sur toile ; H. 0,65 ; L. 0,50
N.s.
RF 1963-92

C'est un paysage surprenant chez Soutine. La maison blanche s'élève très solide sur sa verticalité et pour une fois domine les arbres. Un effet de perspective naît des deux chemins qui se croisent au premier plan et qui se transforment, sur la gauche, en une route conduisant à un petit groupe de maisons pour le contourner dans la ligne des collines. Le ciel bénéficie d'un espace très équilibré. Il est dans les teintes du reste du paysage et contribue à donner une impression de sérénité. La maison est bien dessinée par rapport aux maisons du second plan au sommet de la route. Ce souci chez Soutine de marquer la profondeur du champ est une raison de plus pour conserver la date de 1933 proposée par W. George, pour une œuvre aussi profondément différente des paysages de Céret et de Vence des années 1918-1923 ; P. Courthion, en revanche, propose la date de 1919. C.G.

Historique :
P. Guillaume ; Mme J. Walter.

Expositions :
1952, Venise, n° 26 ; 1959, Paris, n° 102 ; 1966, Paris, n° 143 (repr.) ; 1973, Paris, n° 62 ; 1982, Lucerne, n° 96 (repr.).

Bibliographie :
W. George, 1959 (repr.) ; P. Courthion, 1972, p. 41 (pl.), p. 190, fig. E ; R. Cogniat, 1973, p. 16 (repr.).

Maurice Utrillo

Paris, 1883 - Dax, 1955

134

Butte Pinson

Huile sur carton collé sur bois ; H. 0,48 ; L. 0,37
S.b.d. à l'encre noire : *Maurice, Utrillo, V,*
RF 1963-104

C'est avec des paysages de Montmagny, où se trouvait la Butte Pinson, et de Montmartre qu'Utrillo commence son apprentissage de la peinture. Suzanne Valadon, sa mère, et sa grand-mère, attirées par cette campagne du nord de Paris, passaient leurs vacances à Pierrefitte. Par goût personnel et pour retirer son fils de l'influence désastreuse de Montmartre, Suzanne Valadon incite Paul Mousis, son mari depuis 1896, à construire une maison sur cette colline, où la famille s'installe tout en conservant un atelier au 12, rue Cortot à Montmartre. De la Butte Pinson, conseillé par sa mère qui le guide dans le choix de sa palette, Utrillo réalise une série de tableaux entre 1905 et 1907 : ce sont, entre autres, *Les toits à Montmagny* (Paris, Centre Georges Pompidou, M.N.A.M.) dans la même gamme de jaune, vert et bleu, *La Butte Pinson* de la collection Knollys Eardly (Grande-Bretagne, P. n° 63) où l'écriteau est plus central et le motif plus nourri, et celle du Musée de l'Annonciade (Saint-Tropez, legs Gramont, P. n° 64).

Ce tableau fut signé à l'encre noire, comme le n° 135, et ne figure pas dans le catalogue Pétridès. Durant une courte période (1905-1908), Utrillo utilise des couleurs sombres. Les constructions, thème essentiel de son œuvre postérieure, disparaissent ici derrière un rideau d'arbres et les barrières de bois. C.G.

Historique :
P. Guillaume ; Mme J. Walter.

Expositions :
1966, Paris, n° 109 (repr.) ; 1983, Paris, n° 6.

Bibliographie :
G. Coquiot, *Maurice, Utrillo, V,* 1925, p. 13 ; ne figure pas dans le catalogue de P. Pétridès.

Maurice Utrillo

135
Notre-Dame

Huile sur carton ; H. 0,65 ; L. 0,49
S.b.d. à la peinture noire : *Maurice. Utrillo. V.*
RF 1963-103

C'est en 1895 que la série des *Cathédrales de Rouen* de Claude Monet est exposée chez Durand-Ruel. D'autres artistes abordent, eux aussi, peu après, ce sujet. Comme Matisse et Marquet (*Notre-Dame de Paris*), Delaunay (*La Cathédrale de Laon*), Utrillo, après avoir travaillé d'après des motifs sans beauté intrinsèque — vues de banlieue ou petites rues de Paris — s'attaque à des sujets plus ambitieux que, à l'instar de ses devanciers, il interprète selon ses préoccupations personnelles. Sa démarche est au fond assez proche de celle de Monet, n'abordant la série des *Cathédrales* qu'après celles des *Meules* et des *Peupliers.*

Il existe plusieurs œuvres d'Utrillo ayant pour thème Notre-Dame, l'une assez proche de celle-ci (Pétridès n° 598), d'autres comportant des variantes (Pétridès n°s 88, 112, 199).

Dans le présent tableau, la façade de la cathédrale occupe la totalité de la surface peinte, à l'exception de quelques maisons qui suggèrent, sur la gauche, le début d'une rue. Ce ne sont ni la lumière ni le décor sculpté qui intéressent ici Utrillo, mais la mise en valeur d'une ordonnance régulière. L'absence de profondeur suggère à la fois l'affirmation massive d'une certitude et l'aspect artificiel d'un décor de théâtre. Les portes rougeâtres viennent curieusement rompre l'harmonie un peu éteinte des verts et des bleus.

Les côtés du tableau ont reçu des fonds successifs et le tableau est resté inachevé. C.G.

Historique :
L. Libaude, Paris ; P. Guillaume ; Mme J. Walter.

Expositions :
1935, Anvers, *L'Art Contemporain* ; 1937, Paris, n° 5 ; 1966, Paris, n° 110 (repr.) ; 1980, Athènes, n° 41 (repr. coul.) ; 1981, Tbilissi-Leningrad, n° 50 (repr.) ; 1983, Paris, n° 10.

Bibliographie :
La Renaissance, avril 1929, n° 4, p. 181 (repr.), pp. 182, 183, 185 ; P. Pétridès, 1959, t. 1, n° 200, p. 250 (repr. p. 251) ; P. Pétridès, 1978, *Ma chance et ma réussite,* p. 94.

136
Grande Cathédrale ou *Cathédrale d'Orléans*

Huile sur contre-plaqué parqueté ; H. 0,72 ; L. 0,54
S.b.d. : *Maurice, Utrillo, V,*
RF 1963-105

La Cathédrale d'Orléans est datée, par Pétridès, de 1913 (p. 404), mais par J. Fabris et Y. Bourel de 1909. Dès cette date, Utrillo mélange à sa pâte de la colle, du plâtre ou du ciment pour obtenir les blancs si caractéristiques qu'il utilise jusqu'aux années de guerre. Une carte postale a pu servir de modèle. La droite qui limite la base du monument, posée sur un fond beige comme s'il s'agissait d'une maquette, est encore apparente. Les grandes formes sont obtenues à la règle et au compas, mais la peinture ne correspond pas au travail minutieux par lequel l'artiste se plaît à rendre les formes architecturales. formes architecturales. Ce tableau est inachevé ; la préparation des fonds se voit encore dans le bas.

La signature a été peinte dans la pâte, puis nettoyée et remplacée par une écriture à l'encre. Tabarant rapporte que Libaude, ayant Utrillo sous contrat, lui reprochait d'avoir une signature trop importante et que Suzanne Valadon, la plupart du temps son intermédiaire, grattait la signature d'Utrillo et en substituait une autre à l'encre noire. De nombreux tableaux passés chez Libaude ont subi le même sort. C.G.

Historique :
L. Libaude, Paris ; P. Guillaume ; Mme J. Walter.

Expositions :
1929, Paris ; 1935, Paris, n° 429 ; 1939, Amsterdam, Stedelijk Museum, *L'École de Paris,* n° 128 (repr.) ; ; 1946, Paris, n° 87 ; 1959, Paris, n° 48 (repr.) ; 1966, Paris, n° 111 (repr.) ; 1983, Paris, n° 9.

Bibliographie :
Tabarant, *Utrillo,* 1926, p. 88 ; W. George, *La Renaissance,* n° 4, avril 1929 (repr. p. 181) ; W. George, s.d., p. 153 (repr.) ; P. Pétridès, t. 1, 1959, n° 404, p. 468 (repr. p. 469).

Maurice Utrillo, V.

Maurice Utrillo

137
La maison de Berlioz

Huile sur contre-plaqué parqueté ; H. 0,915 ; L. 1,21
S.D.b.d. : *Maurice-Utrillo. V. 13 septembre 1914*
RF 1963-100

La maison de Berlioz, située à l'angle de la rue Saint-Vincent et de la rue du Mont-Cenis, doit son nom à l'installation du musicien avec son épouse, la tragédienne anglaise Harriet Smithson, entre 1834 et 1837. En 1911, Braque y installe son atelier. Rasée pendant la Première Guerre mondiale, la maison fut remplacée par un immeuble. Utrillo a reproduit ses deux façades, vues de points différents.

La technique paraît antérieure à la date indiquée sur le tableau. Il est probable que l'œuvre a été exécutée vers 1911-1912 et reprise en 1914. Le ciel évoque l'art de Sisley qu'Utrillo admirait plus particulièrement avec ce bleu adouci de jaune et d'ocre, et rappelé dans chaque rebord de cheminée. Sur les murs de la maison, les sous-couches foncées réapparaissent en contraste avec une touche de surface. Comme le note M. Bundorf : « On retrouve, dans cette œuvre, la préoccupation linéaire d'Utrillo qui se traduit par une insistance à cloisonner les masses, en délimitant les contours, les arêtes d'angle des murs, d'un trait noir et large. Seules les petites taches, simulant le feuillage qui dépasse du mur d'enclos, animent cette composition froide, à force de larges zones nues. » (Cat. 1966, n° 114.)

Cette œuvre est une des plus austères d'Utrillo, une des rares où la géométrisation des formes, l'aplatissement des volumes et la quasi-monochromie permettent un rapprochement avec le cubisme analytique, rigoureusement contemporain (cf. *Histoire de l'Art de la Pléiade,* t. III, p. 576). Un des rares autres exemples est la *Rue Montmartre* (Pétridès, t. 1, n° 154) qui a précisément appartenu à A. Lefèvre, l'un des grands collectionneurs du cubisme.

Le drapeau, au-dessus de la façade basse sur la droite, a été probablement ajouté à la reprise du tableau pour la signature. Utrillo a toujours partagé sa vie comme ses émotions avec l'œuvre à faire. 1914 est une année de grand désarroi pour l'artiste privé de son environnement familial. Utter, que sa mère a épousé le 1er septembre de la même année, est parti pour le front. S. Valadon a quitté Paris pour se placer dans une ferme (Edmond Heuzé, Avant-propos de l'*Œuvre complet de Maurice Utrillo,* Paris, 1959, p. 38). Les effets de la guerre l'atteignent douloureusement et, plus que jamais, il se retranche dans l'alcoolisme et le travail.

C.G.

Historique :
P. Guillaume ; Mme J. Walter.

Expositions :
1918, Paris, Galerie Paul Guillaume, *Peintres d'aujourd'hui,* n° 30 ; 1966, Paris, n° 114 (repr.) ; 1983, Paris, n° 23.

Bibliographie :
G. Charensol, « Guillaume curieux homme et homme curieux », *Plaisir de France,* déc. 1966 ; P. Pétridès, t. 2, 1962, n° 439, p. 31 (repr.).

Utrillo, *Rue à Montmartre*, anc. coll. A. Lefèvre

Maurice. Utrillo. V.
13 septembre 1914.

Maurice Utrillo

138

Rue du Mont-Cenis

Huile sur carton parqueté ; H. 0,76 ; L. 1,07
S.D.b.d. : *Maurice. Utrillo. V. 13 décembre 1914,*
RF 1963-101

La rue du Mont-Cenis a inspiré de nombreux tableaux à Utrillo. Lorsqu'il logeait chez M. Gay, la fenêtre de sa chambre donnait sur cette rue et sa fidélité à ce sujet reflète la compréhension qu'il a rencontrée auprès du propriétaire du bistro *Le casse-croûte.*

La rue du Mont-Cenis, en automne, est un travail d'atelier. Le décor est mis en place au moyen de la règle ; la perspective des maisons qui suivent la pente de la rue est respectée. Dans une pâte très épaisse, où le plâtre, qui se fabriquait alors à Montmartre, entre pour une part importante, Utrillo cherche des effets nouveaux de matière. Les couleurs sont automnales. Le jaune tend au vert, et domine avec le brun. Il semblerait que le drapeau ait été ajouté ultérieurement car on voit les traces du volet qu'il recouvre dans sa partie basse.

Le tableau porte la date du 13 décembre 1914, date qui représente peut-être dans la vie d'Utrillo un événement important. Il avait été signé précédemment dans la pâte, comme le n° 143, et il en reste quelques traces. La première signature, grattée, est recouverte de l'autre, à l'encre, sensiblement postérieure à l'œuvre. C.G.

Historique :
P. Guillaume ; Mme J. Walter.

Expositions :
1943, Paris, Galerie Charpentier, *L'Automne,* n° 266 (repr.) ; 1966, Paris, n° 112 (repr.) ; 1983, Paris, n° 21.

Bibliographie :
Ne figure pas dans le catalogue de P. Pétridès.

138 bis

Rue du Mont-Cenis

Huile sur toile ; H. 0,72 ; L. 1,06
S.b.d. : *Maurice Utrillo. V.*
RF 1960-54

Si les grandes lignes de la composition sont les mêmes que dans le tableau n° 138, les deux œuvres n'en sont pas moins très différentes. La mise en place assez maladroite et la lourdeur de facture font hésiter à attribuer à la main même d'Utrillo l'entière exécution de cette œuvre. M.H.

Historique :
P. Guillaume ; Mme J. Walter.

Expositions :
1946, Paris, n° 86 ; 1966, Paris, n° 113 (repr.) ; 1983, Paris, n° 22.

Bibliographie :
Ne figure pas dans le catalogue de P. Pétridès.

138

138 bis

139
Église de Clignancourt

Huile sur toile ; H. 0,73 ; L. 1,00
S.b.d. : *Maurice Utrillo. V.*
RF 1963-99

C'est souvent pour des raisons affectives qu'Utrillo s'attache à un thème qu'il traite un grand nombre de fois. Un soir, Utrillo confia à G. Coquiot : « Je suis né à Paris, le 25 décembre 1883, dans la nuit de la Nativité, au n° 3 de la rue du Poteau, à côté de l'église Notre-Dame de Clignancourt. Elle n'est pas bien belle, cette église, et pas bien vieille ; et elle se trouve placée comme ça, toute seule ; mais je l'aime bien tout de même ; et je l'ai peinte exprès pour maman qui la garde. » *(loc. cit.).*

Ce tableau a été réalisé en atelier. Les traits à la règle apparaissent dans la découpe de l'édifice et la perspective marquée par les rangées de maisons semble respectée. Des silhouettes se détachent, dispersées dans l'espace. Utrillo a tenté de dégager l'assise de l'édifice. Peu lui importe qu'il s'agisse d'une construction sans grand caractère, il trouve dans cette architecture des lignes stables, le prétexte à une disposition claire de la toile et la possibilité d'effets de perspective simples et parfois un peu scolaires. Comme le note Waldemar George, un critique qui l'a bien connu : «*L'Église* marque l'acheminement d'Utrillo vers un style linéaire, vers une vision statique. A la fougue juvénile, au désordre fécond, semble faire place un besoin de clarté. » (*loc. cit.*). C.G.

Historique :
P. Guillaume ; Mme J. Walter.

Expositions :
1959, Paris, n° 64 ; 1960, Paris, n° 97 ; 1966, Paris, n° 115 (repr.) ; 1980, Athènes, n° 42 (repr. coul.) ; 1981, Tbilissi-Leningrad, n° 51 (repr.) ; 1983, Paris-Liège-Marcq-en-Barœul, n° 30.

Bibliographie :
G. Coquiot, *Maurice, Utrillo, V,* Paris, 1925, p. 11 ; W. George, s.d., p. 156 ; P. Pétridès, 1962, t. II, n° 465, p. 50 (repr. p. 51).

Maurice. Utrillo. V.

Maurice Utrillo

140
Église Saint-Pierre

Huile sur carton parqueté ; H. 0,76 ; L. 1,05
S.b.d. : *Maurice, Utrillo. V.*
RF 1963-102

L'église Saint-Pierre sur la Butte Montmartre a très souvent inspiré Utrillo et ses variantes échappent à la monotonie par la richesse des angles de vue et de la matière colorée.

Ici, l'artiste a choisi de peindre le monument dans son anonymat. Une carte postale a sans doute été au point de départ, si on en juge par la symétrie de la mise en page et ses lignes à angles droits. Le souci de l'artiste n'est pas de mettre en valeur l'édifice, mais de s'attacher à traduire les divers éléments de la composition : l'élément bitumeux du trottoir et de la chaussée, en fines touches horizontales où les tons clairs s'intercalent entre les tons foncés pour dégager les dénivellations et imperfections du sol. Une pâte plus épaisse et en aplats caractérise les murs des maisons de façade, ainsi que ceux de l'église et du Sacré-Cœur à l'arrière-plan. Tantôt, elle est interrompue par des coulures qu'on discerne sur le mur du portail rehaussé de grilles noires, tantôt, comme c'est le cas sur la maison de droite, les sous-couches affleurent, décrivant à leur tour la vétusté des crépis. De nombreuses fenêtres pourraient contribuer à animer ces façades, mais l'opacité des bruns utilisés rendent ces ouvertures aveugles. L'élément végétal, par l'alternance des tonalités, née de l'effort du soleil à percer l'épaisseur du feuillage, est le seul mouvement de ce paysage. Le ciel, qui occupe pratiquement la moitié de la composition, présente une touche compacte et, au lieu de créer une profondeur de champ, il réduit la perspective.

Avec cette œuvre, Utrillo s'engage peu à peu vers la couleur. Quelques essais timides sont réalisés avec les tons verts de *L'Église de Clignancourt* (n° 139). Ici, ils se diversifient avec l'apport de tons gris, vert et jaune. C.G.

Historique :
P. Guillaume ; Mme J. Walter.

Expositions :
1946, Paris, n° 88 ; 1959, Paris, n° 63 (repr.) 1966, Paris, n° 116 (repr.) 1983, Paris, n° 29.

Bibliographie :
P. Pétridès, 1962, t. II, n° 442, p. 32 (repr. p. 33).

Maurice. Utrillo. V

Maurice Utrillo

141
La mairie au drapeau

Huile sur toile ; H. 0,98 ; L. 1,30
S.D.b.g. à l'encre noire : *Maurice. Utrillo. V. 1924*
RF 1960-53

Les témoignages des amis et marchands d'Utrillo convergent lorsqu'il s'agit d'établir les sources de ses peintures. Lorsque sa santé le lui permet et que le paysage l'inspire, il peint sur le motif. A partir de 1909, son état de santé se détériore et il vit soit en maison de santé, soit sous la surveillance d'un de ses proches dans une chambre d'hôtel ou dans son atelier. Sa mère, Suzanne Valadon, et son beau-père, André Utter, lui procurent des cartes postales pour lui permettre de poursuivre son travail de peintre et de diversifier ses sujets. Une toile du même motif, datée de 1924, a appartenu à Lucie Valore alors mariée à Robert Pauwels (vente Galliera, 10 juin 1970, repr. nº 124). Très proche de celle-ci, elle en diffère cependant par la disposition des personnages. D'après Pétridès, *La mairie au drapeau* représente le village de Maixe (Meurthe-et-Moselle). La matière est caractéristique des blancs d'Utrillo, moins empâtés cependant que dans sa période blanche. Il éprouve une certaine fascination pour le rendu des maçonneries et dessine, par endroits, au pinceau noir, le contour des matériaux — pierres ou briques —. A gauche, un groupe d'hommes et de femmes s'entretiennent, habillés à la mode des années 25 : jupes mi-longues, chapeaux mous, bottines à larges rebords, vestes longues pour les hommes. Comme dans une photographie, leur promenade semble interrompue brusquement et deux femmes saisies en mouvement se font face. Utrillo a créé un contraste entre la partie gauche animée par les personnages et la partie droite qui semble inachevée.

La signature qui figure sur ce tableau n'est pas la signature habituelle d'Utrillo. L'emplacement, près du centre, la lettre V de Valadon et la forme du 4 sont très inhabituelles. Il est vraisemblable que le tableau a été signé hâtivement par la mère de l'artiste au moment de la vente. C.G.

Historique :
P. Guillaume ; Mme J. Walter.

Expositions :
1966, Paris, nº 118 (repr.) ; 1980, Athènes, nº 43 (repr. coul.) ; 1981, Tbilissi-Leningrad, nº 52 (repr.) ; 1983, Paris-Liège-Marcq-en-Barœul, nº 42.

Bibliographie :
F. Carco, *Maurice Utrillo,* Paris, 1921, p. 63 (repr.) ; W. George, s.d., p. 156 ; P. Pétridès, 1962, t. II, nº 1091, p. 432 (repr. p. 433).

Maurice. Utrillo. V.
1926

142
La maison Bernot

Huile sur toile ; H. 1,00 ; L. 1,46
S.D.b.d. à l'encre noire : *Maurice, Utrillo, V, Février 1924,*
RF 1960-52

La maison Bernot est située dans un tournant de la rue du Mont-Cenis, à Montmartre.

Un dessin (fusain, pastel et crayons de couleur, daté de mars 1924, vente Sotheby, Londres, 8 juillet 1965, n° 47, repr.) représente le même motif avec quelques variantes dans le toit.

La facture de ce paysage est assez différente de celle des précédents. De gros traits noirs soulignent les lignes architecturales et permettent la transcription de la carte postale dont il s'est probablement inspiré.

Utrillo donne ici une version animée d'une rue de Montmartre, tant par les couleurs vives, que par les personnages à la silhouette caricaturale relevant de stéréotypes qu'il utilise à diverses reprises, silhouettes de femmes, de rapins. Utrillo, qui a peint ce tableau alors qu'il séjournait dans l'Ain, « se souvient des plus humbles détails et, sous sa brosse, il en ordonne l'énumération précise et savoureuse pour mieux en éprouver le mélancolique retour sur lui-même » (F. Carco, *Maurice Utrillo,* Paris, 1921).
C.G.

Historique :
P. Guillaume ; Mme J. Walter.

Expositions :
1945, Paris, Galerie Charpentier, *Paysages de France,* n° 187 (repr.) ; 1957, Paris, Galerie Charpentier, *Cent chefs-d'œuvre de l'Art français, 1750-1950,* n° 99 ; 1959, Paris, n° 91 (repr.) ; 1966, Paris, n° 117 (repr.) ; 1983, Paris - Liège - Marcq-en-Barœul, n° 41.

Bibliographie :
W. George, s.d., p. 156 ; P. Pétridès, 1962, t. 2, n° 1060, p. 418 (repr. p. 419).

BERNOT
COMMUNE
Maurice, Utrillo, V,
Février 1924,

Kees Van Dongen

Delfshaven, 1877 - Monaco, 1968

143

Portrait de Paul Guillaume

Huile sur toile ; H. 0,100 ; L. 0,74
S.d. en noir : *Van Dongen*
RF 1963-53

Paul Guillaume et Kees Van Dongen se connaissaient depuis longtemps lorsque le peintre brossa le portrait du marchand de tableaux. En effet, dès mars 1918, ce dernier avait organisé une exposition particulière regroupant vingt-cinq tableaux de l'artiste, qu'avait préfacée Guillaume Apollinaire. Ici, Kees Van Dongen laisse libre cours à son talent de peintre mondain auquel, après la Première Guerre mondiale, il doit sa célébrité. Le *Portrait de Paul Guillaume* est à faire figurer sur la liste fort longue groupant des personnalités en vue de « cette société de l'entre-deux guerres dont — Van Dongen — avait été sans conteste le brillant maître de ballet » (G. Diehl, *Van Dongen,* Paris, 1968, p. 7) et qu'il se plaisait à recevoir, lors de fastueuses fêtes, dans son hôtel du 5 rue Juliette-Lamber, où il peignit probablement le portrait du marchand de tableaux. C'est moins le « Novo Pilota » de Modigliani (n° 61) que l'homme socialement reconnu qui choisit ici de se faire représenter par le peintre attitré du Tout-Paris. Paul Guillaume dans un complet bleu — couleur que l'on retrouve pour son nœud papillon et que l'artiste a subtilement utilisée dans les reflets de la chevelure du modèle et l'arrière-plan du tableau —, arbore le ruban de la Légion d'honneur. Il avait obtenu cette distinction le 7 avril 1930, au titre d'éditeur et de critique d'art, et fut reçu dans l'Ordre, le 23 avril, par Ambroise Vollard. On peut donc supposer que l'exécution du portrait suivit de peu la remise de la distinction. Van Dongen s'y montre à la fois brillant et économe de ses moyens (le costume du modèle n'est-il pas simplement évoqué par quelques rapides traits de pinceau en surimpression à la masse colorée figurant le vêtement ?). Nous sommes sans doute en présence d'un de ces portraits où il n'exigeait de ses clients que quatre ou cinq séances de pose, à leur grande admiration. Nous y retrouvons en tout cas l'aisance un peu facile et la pleine maîtrise dont il fit preuve pour les portraits contemporains de notoriétés aussi différentes que *Boni de Castellane* (1928, coll. part.), *Paul Painlevé* (1931) ou encore *Anna de Noailles* (1931, Amsterdam, Stedelijk Museum). Cette activité de portraitiste devait se poursuivre fort tard (*Utrillo,* 1948, coll. part. ; *Brigitte Bardot,* 1954, coll. part.).

H.G.

Historique :
P. Guillaume ; Mme J. Walter.

Expositions :
1966, Paris, n° 63 (repr.) ; 1980, Athènes, n° 44 (repr. coul.) ; 1981, Tbilissi-Leningrad, n° 53 (repr. coul.).

Bibliographie :
G. Charensol, « Guillaume curieux homme et homme curieux », *Plaisir de France,* déc. 1966, p. 15 (repr.).

Van Dongen.

Bibliographie

Ouvrages et articles cités en abrégé

L'Atelier de Renoir, 2 tomes, Paris, 1931.

Abe, Yoshio et Marchesseau, Daniel
Marie Laurencin, Tokyo, 1980.

Barnes, Albert C. et Mazia (de), Violette
The Art of Renoir, Philadelphie, 1944.

Barr, Alfred H. Jr.
Matisse, his art and his public, New York, 1951.

Basler, Adolphe
Henri Rousseau, sa vie, son œuvre, Paris, 1927.

Basler, Adolphe
André Derain, Les Albums d'Art Druet XXI, Paris, 1929.

Basler, Adolphe
«M. Paul Guillaume et sa collection de tableaux», *L'Amour de l'Art,* juillet 1929, pp. 252-256, p. 274.

Basler, Adolphe
Modigliani, Paris, 1931.

Bouret, Jean
Henri Rousseau, Neuchâtel, 1961.

Brion, Marcel
Cézanne, Paris, 1974.

Cachin, Françoise et Ceroni, Ambrogio
Tout l'œuvre peint de Modigliani, Milan, 1970, Paris, 1972.

Castaing, Marcellin et Leymarie, Jean
Soutine, Paris et Lausanne, 1963.

Cogniat, Raymond
Soutine, Paris, 1973.

Courthion, Pierre
Henri Rousseau, Le Douanier, Genève, 1944.

Courthion, Pierre
Soutine, peintre du déchirant, Lausanne, 1972.

Daix, Pierre et Boudaille, Georges
Picasso 1900-1906, catalogue raisonné de l'œuvre peint, Neuchâtel et Paris, 1966.

Dale, Maud
Modigliani, New York, 1929.

Daulte, François
Auguste Renoir, catalogue raisonné de l'œuvre peint. Volume 1 : Figures, Lausanne, 1971.

Descargues, Pierre
Modigliani, Paris, 1954.

Diehl, Gaston
Derain, Paris, s.d. (1964).

Drucker, Michel
Renoir, Paris, 1944.

Drucker, Michel
Renoir, Paris, 1955.

Elgar, Frank
Rousseau, Paris, 1980.

Fermigier, André
Picasso, Paris, 1969.

George, Waldemar
«Trente ans d'art indépendant», *L'Amour de l'Art,* février 1926.

George, Waldemar
Soutine, Paris, 1928.

George, Waldemar
La grande peinture contemporaine à la collection Paul Guillaume, Paris, s.d. [1928 ou 1929].

George, Waldemar
«La grande peinture contemporaine à la collection Paul Guillaume», La Renaissance, *avril 1929, n° 4.*

George, Waldemar
«Derain», *Médecines, Peintures,* Paris, s.d. (1935).

George, Waldemar
Art et Style, n° 52, 3ᵉ trimestre 1959.

Georges-Michel, Michel
Les Montparnos, Paris, 1923 (rééd. 1929, 1957).

Georges-Michel, Michel
De Renoir à Picasso, les peintres que j'ai connus, Paris, 1954.

Gimpel, René
Journal d'un collectionneur marchand de tableaux, Paris, 1963.

Gindertael, Roger V.
Modigliani et Montparnasse, Milan, 1967, Paris, 1976.

Grey, Roch
Henri Rousseau, Rome, 1924.

Grey, Roch
Henri Rousseau, Paris, 1943.

Hilaire, Georges
Derain, Genève, 1959.

Henry, Daniel
(pseudonyme de Daniel Henry Kahnweiler)
André Derain, Leipzig, 1920.

Keay, Carolyn
Henri Rousseau, Le Douanier, Londres, 1976.

Kolle, Helmud
Henri Rousseau, Leipzig, 1922.

Lanthemann, Joseph
Modigliani, 1884-1920. Catalogue raisonné, sa vie, son œuvre complet, son art, Barcelone, 1970.

Lanthemann, Joseph et Parisot, Christian
Modigliani inconnu suivi de précisions et documents inédits, Brescia, 1978.

Lanthemann, Joseph
Catalogue raisonné de l'œuvre dessiné de Soutine, Monte-Carlo, 1981.

Larkin, David
Rousseau, Paris, 1975.

Lassaigne, Jacques
Cent chefs-d'œuvre des peintres de l'École de Paris, Paris, 1947.

Lassaigne, Jacques
Soutine, Paris, 1954.

Lassaigne, Jacques
Tout Modigliani. La peinture, Paris, 1982.

Le Pichon, Yann
Le monde du Douanier Rousseau, Paris, 1981.

Leymarie, Jean
Renoir, Paris, 1978.

Mann, Carol
Modigliani, Londres, 1980.

Marchesseau, Daniel
Catalogue raisonné de l'œuvre gravé de Marie Laurencin, Tokyo, 1981.

Meier-Graefe, Julius
Renoir, Leipzig, 1929.

Monod-Fontaine, Isabelle
Matisse. Œuvres de Henri Matisse, collection du Musée national d'Art moderne, Paris, 1979.

Moravia, Alberto, Lecaldano, Paolo et Daix, Pierre
Tout l'œuvre peint de Picasso. Périodes bleue et rose, Paris, 1980.

Nicholson, Benedict
Modigliani, Londres-Paris, 1948.

Palau i Fabre, Josep
Picasso vivant 1881-1909, Paris, 1981.

Pétridès, Paul
L'œuvre complet de Maurice Utrillo, Paris, 1959-1962.

Pfannstiel, Arthur
Modigliani, préface de Louis Latourrettes suivi du Catalogue raisonné, Paris, s.d. (1929).

Pfannstiel, Arthur
Modigliani et son œuvre, étude critique et catalogue raisonné, Paris, s.d. (1956).

Picon, Gaëtan et Orienti, Sandra
Tout l'œuvre peint de Cézanne, Paris, 1975.

Robida, Michel
Renoir. Portraits d'enfants, Paris, 1959.

Rewald, John
Rewald suivi d'un numéro, renvoie à la refonte du catalogue de Cézanne par L. Venturi. M. John Rewald a bien voulu nous communiquer les fiches inédites d'un certain nombre d'œuvres de Cézanne de la collection Walter-Guillaume.

Salmon, André
Henri Rousseau dit Le Douanier, Paris, 1927.

Salmon, André
André Derain, Paris, 1929.

San Lazzaro (di), Giovanni
Modigliani, peintures, Paris, 1947.

Carrá, Massimo et Schneider, Pierre
Tout l'œuvre peint de Matisse 1904-1928, Paris, 1982.

Serouya, Henry
Soutine, Paris, 1967.

Sutton, Denys
Derain, Londres, 1959.

Tobien, Félicitas
Paul Cézanne, Ramerding, 1981.

Vallier, Dora
Henri Rousseau, Paris, 1961.

Vallier, Dora
Tout l'œuvre peint d'Henri Rousseau, Paris, 1970.

Venturi, Lionello
Cézanne, son art, son œuvre, Paris, 1936, 2 vol.

Vollard, Ambroise
Tableaux, Pastels et Dessins de Pierre-Auguste Renoir, 2 vol., Paris, 1918.

Zervos, Christian
Pablo Picasso, Paris, Cahiers d'Art, 1932-1978, 33 vol.

Expositions citées en abrégé

1920
Venise, XIIe Biennale, *Mostra individuale di Paul Cézanne.*
1926
Paris, Grand-Palais, *Trente ans d'art indépendant 1884-1914.*
1929
Paris, Galerie Bernheim-Jeune, *La grande peinture contemporaine à la Collection Paul Guillaume.*
Paris, Galerie Pigalle, *Exposition Cézanne.*
1931
New York, Marie Harriman Gallery, *Henri Rousseau.*
Paris, Galerie Bernheim-Jeune, *Cézanne.*
1932
Paris, Galerie Georges Petit, *Picasso.*
1933
Bâle, Kunsthalle, *Henri Rousseau.*
New York, Galerie Durand-Ruel, *Derain.*
1935
Paris, *Les Expositions des Beaux-Arts et de la Gazette des Beaux-Arts. Les étapes de l'art contemporain. Peintres instinctifs.*
Paris, Petit Palais, *Hommage du Musée de Grenoble à Paul Guillaume.*
Springfield (Etats-Unis), Musée de Springfield, *Peinture française.*
1936
Paris, Orangerie des Tuileries, *Cézanne.*
New York, Valentine Gallery, *Ten Paintings by XXth Century French Masters.*
1937
Paris, Galerie Paul Rosenberg, *Henri Rousseau, 1844-1910.*
Zurich, Kunsthaus, *Les Maîtres populaires de la Réalité.*
Paris, Petit Palais, *Les Maîtres de l'art indépendant 1895-1937.*
1939
Londres, Galerie Wildenstein, *Hommage à Cézanne.*
Lyon, Palais Saint-Pierre, *Exposition Cézanne.*
1944
Paris, Musée d'Art Moderne de la Ville de Paris, *Henri Rousseau, Le Douanier.*
1945
Paris, Galerie de France, *Rétrospective Soutine 1894-1943.*
1946
Paris, Galerie Charpentier, *Cent chefs-d'œuvre des peintres de l'École de Paris.*
1950
Venise, XXVe Biennale, *Rétrospective Rousseau.*
New York, Museum of Modern Art - Cleveland, Museum of Art, *Chaïm Soutine.*
1952
Venise, XXVIe Biennale, *Trente-cinq œuvres de Soutine.*
1954
Paris, Musée National d'Art Moderne, *Derain.*
1957
Paris, Galerie Charpentier, *Cent chefs-d'œuvre de l'art français, 1750-1950.*
1958
Paris, Galerie Maeght, *Derain.*
Marseille, Musée Cantini, *Modigliani.*
Paris, Galerie Charpentier, *Cent tableaux de Modigliani.*
1959
Paris, Galerie Charpentier, *Cent tableaux de Soutine.*
1960
Paris, Galerie Charpentier, *Cent tableaux des Collections particulières de Bonnard à de Staël.*
1961
Paris, Galerie Charpentier, *Henri Rousseau dit Le Douanier.*
1963
Londres, Tate Gallery - Edimbourg, Arts Festival, *57 works by Soutine, Retrospective organized by the Arts Council of Great Britain.*
1964
Rotterdam, Musée Boymans - Van Beuningen, *De Lusthof der Naieven.*
Paris, Musée National d'Art Moderne, *Le monde des naïfs.*
Salzbourg, Residenzgalerie, *Die Welt der Naiven Malerei.*
Marseille, Musée Cantini, *Derain.*
1966
Paris, Orangerie des Tuileries, *Collection Jean Walter - Paul Guillaume.*
1967
Edimbourg, The Royal Scottish Academy - Londres, *An André Derain exhibition of paintings, drawings, sculpture and theatre designs.*
1973
Paris, Orangerie des Tuileries, *Soutine.*
1974
Tokyo - Kyoto - Fukuoka, *Exposition Cézanne.*
Paris, Orangerie des Tuileries, *Cézanne dans les musées nationaux.*
1977
Rome, Villa Medicis, *André Derain.*
1978
Paris, Grand-Palais, *André Derain.*
Paris, Grand-Palais, *Vingt-deux chefs-d'œuvre des musées soviétiques et français.*
Paris, Musée Jacquemart-André, *La Ruche et Montparnasse,* 1902-1930.
1980
Athènes, Pinacothèque nationale, *Impressionnistes et Post-impressionnistes des musées français de Manet à Matisse.*
Paris, Musée d'Art Moderne de la Ville de Paris, *Hommage à André Derain, 1880-1954.*
1981
Tbilissi, Musée des Beaux-Arts de Géorgie - Leningrad, Musée de l'Ermitage, *Impressionnistes et Post-impressionnistes des musées français de Manet à Matisse.*
Paris, Palais de Tokyo, Musée d'Art et d'Essai, *Visages et Portraits de Manet à Matisse,* sans cat.
Munster, Landesmuseum - Tübingen, Kunsthalle - Lucerne, Kunstmuseum, *Chaïm Soutine 1893-1943.*
Paris, Musée d'Art Moderne de la Ville de Paris, *Amedeo Modigliani,* 1884-1920.
Marcq-en-Barœul, Septentrion, Fondation Anne et Albert Prouvost, *a. derain.*
1982
Prague, Manège Waldstein, *Od Courbeta K Cézannovi* - Berlin, RDA, Staatliche Museen, National Galerie, *Von Courbet bis Cézanne.*
Liège, Musée Saint-Georges - Aix-en-Provence, Musée Granet, *Cézanne.*
1983
Paris, Palais de Tokyo, Musée d'Art et d'Essai, *La nature morte et l'objet de Delacroix à Picasso,* sans cat.
Paris, Musée Jacquemart-André - Liège, Musée Saint-Georges - Lille, Fondation Septentrion, Marcq-en-Barœul, *Centenaire de la naissance de Maurice Utrillo (1883-1955).*

Index des noms propres

Les indications de pages renvoient à l'introduction, les numéros renvoient aux notices des œuvres. Les auteurs de références bibliographiques n'ont pas fait l'objet de renvois, non plus que les noms d'artistes renvoyant aux notices de leurs œuvres.

Table de concordance des catalogues de 1966 et de 1984

		1966	1984
Cézanne (attribué à)			
Nature morte, poire et pommes vertes	RF 1963-10	1	15
Cézanne			
Le déjeuner sur l'herbe	RF 1963-11	2	1
Paysage au toit rouge *ou* Le pin à l'Estaque	RF 1963-7	3	2
Fruits, serviette et boîte à lait	RF 1960-10	4	6
Pommes et biscuits	RF 1960-11	5	5
Madame Cézanne au jardin	RF 1960-8	6	8
Portrait du fils de l'artiste	RF 1963-59	7	7
Fleurs et fruits	RF 1963-6	8	4
Fleurs dans un vase bleu	RF 1963-12	9	3
Arbres et maisons	RF 1963-8	10	9
Portrait de Madame Cézanne	RF 1960-9	11	10
La barque et les baigneurs	RF 1960-12	12	11
	RF 1960-13	13	11
Vase paillé, sucrier et pommes	RF 1963-9	14	12
Le rocher rouge	RF 1960-14	15	13
Dans le Parc de Château noir	RF 1960-15	16	14
Sisley			
Le chemin de Montbuisson à Louveciennes	RF 1960-47	17	111
Monet			
Argenteuil	RF 1963-106	18	65
Renoir			
Paysage de neige	RF 1960-21	19	78
Portrait d'un jeune homme et d'une jeune fille	RF 1963-24	20	79
Bouquet dans une loge	RF 1960-20	21	80
Pêches	RF 1963-16	22	81
Femme nue dans un paysage	RF 1963-13	23	82
Jeunes filles au piano	RF 1960-16	24	85
Portrait de deux fillettes	RF 1963-25	25	84
Baigneuse aux cheveux longs	RF 1963-23	26	87
Femme à la lettre	RF 1960-24	27	83
Pommes et poires	RF 1963-19	28	86
Gabrielle et Jean	RF 1960-18	29	88
Fleurs dans un vase	RF 1963-14	30	89
Yvonne et Christine Lerolle au piano	RF 1960-19	31	90
Bouquet	RF 1963-15	32	92
Gabrielle au jardin	RF 1963-18	33	91
Fraises	RF 1963-17	34	93
Claude Renoir, jouant	RF 1963-22	35	95
Bouquet de tulipes	RF 1963-20	36	96
Femme nue couchée (Gabrielle)	RF 1960-22	37	94
Claude Renoir en clown	RF 1960-17	38	97
Femme au chapeau	RF 1963-21	39	100
Baigneuse assise s'essuyant une jambe	RF 1963-26	40	98
Blonde à la rose	RF 1963-27	41	99
Femme accoudée	RF 1963-28	42	101
Rousseau (dit le Douanier)			
Le navire dans la tempête	RF 1960-27	43	102
La fabrique de chaises	RF 1960-28	44	104
La fabrique de chaises à Alfortville	RF 1963-32	45	103
La falaise	RF 1960-29	46	105
La noce	RF 1960-25	47	109
L'enfant à la poupée	RF 1963-29	48	108
Rousseau (dit le Douanier)			
Les pêcheurs à la ligne	RF 1963-31	49	106
Promeneurs dans un parc	RF 1963-30	50	107
La carriole du Père Junier	RF 1960-26	51	110
Gauguin (attribué à)			
Paysage	RF 1963-107	52	44
Matisse			
Les trois sœurs	RF 1963-63	53	50
Le boudoir	RF 1963-64	54	53
La jeune fille et le vase de fleurs *ou* Le nu rose	RF 1960-32	55	51
Femmes au canapé *ou* Le divan	RF 1963-68	56	52
Femme à la mandoline	RF 1963-69	57	54
Odalisque bleue *ou* L'esclave blanche	RF 1960-31	58	55
Femme au violon	RF 1960-30	59	56
Nu drapé étendu	RF 1963-65	60	57
Odalisque à la culotte rouge	RF 1963-66	61	58
Odalisque à la culotte grise	RF 1963-67	62	59
Van Dongen			
Portrait de Paul Guillaume	RF 1963-53	63	143
Derain			
La gibecière	RF 1963-38	64	16
Portrait de Paul Guillaume	RF 1960-40	65	17
Nature morte champêtre	RF 1963-34	66	18
Le beau modèle	RF 1960-37	67	20
La table de cuisine	RF 1960-38	68	19
Arlequin et Pierrot	RF 1960-41	69	21
Nu à la cruche	RF 1960-42	70	22
Arlequin à la guitare	RF 1960-43	71	23
Nature morte au verre de vin	RF 1963-35	72	25
Le modèle blond	RF 1963-50	73	24
Nature morte au panier	RF 1963-36	74	26
Melon et fruits	RF 1963-37	75	27
La danseuse Sonia	RF 1963-46	76	28
Grand nu couché	RF 1963-49	77	29
Le noir à la mandoline	RF 1963-45	78	30
Portrait de Madame Paul Guillaume au grand chapeau	RF 1960-36	79	31
Poires et cruche	RF 1963-33	80	32
Le gros arbre	RF 1963-41	81	33
Paysage de Provence	RF 1963-44	82	35
Paysage de Provence	RF 1963-42	83	34
Nu au canapé	RF 1960-39	84	36
La nièce du peintre	RF 1963-48	85	37
Paysage du Midi	RF 1963-39	86	38
La route	RF 1963-43	87	39
Arbres et village	RF 1963-40	88	40
La nièce du peintre assise	RF 1963-47	89	41
Roses dans un vase	RF 1963-52	90	42
Roses sur fond noir	RF 1963-51	91	43
Picasso			
L'étreinte	RF 1960-34	92	66
Les adolescents	RF 1960-35	93	67
Composition : Paysans	RF 1963-76	94	68
Nu sur fond rouge	RF 1963-74	95	70
Femme au peigne	RF 1963-75	96	69
Grande nature morte	RF 1963-80	97	71
Femmes à la fontaine	RF 1963-78	98	72
Femmes à la fontaine	RF 1963-79	99	73
Grande baigneuse	RF 1963-77	100	74

		1966	1984
Picasso			
Grand nu à la draperie	RF 1960-33	101	76
Femme au chapeau blanc	RF 1963-72	102	75
Femme au tambourin	RF 1963-73	103	77
Laurencin			
Danseuses espagnoles	RF 1963-56	104	45
Portrait de Mademoiselle Chanel	RF 1963-54	105	46
Les Biches	RF 1963-58	106	47
Femmes au chien	RF 1963-57	107	49
Portrait de Madame Paul Guillaume	RF 1963-55	108	48
Utrillo			
Butte Pinson	RF 1963-104	109	134
Notre-Dame	RF 1963-103	110	135
Grande Cathédrale *ou* Cathédrale d'Orléans	RF 1963-105	111	136
Rue du Mont-Cenis	RF 1963-101	112	138
Utrillo (?)			
Rue du Mont-Cenis	RF 1960-54	113	138 bis
Utrillo			
La maison de Berlioz	RF 1963-100	114	137
L'Eglise de Clignancourt	RF 1963-99	115	139
Eglise Saint-Pierre	RF 1963-102	116	140
La maison Bernot	RF 1960-52	117	142
La mairie au drapeau	RF 1960-53	118	141
Modigliani			
Fille rousse	RF 1960-46	119	60
Antonia	RF 1963-70	120	62
Femme au ruban de velours	RF 1960-45	121	63
Paul Guillaume, Novo Pilota	RF 1960-44	122	61
Le jeune apprenti	RF 1963-71	123	64
Soutine			
Glaïeuls	RF 1963-95	124	112
Les maisons	RF 1960-49	125	113
Paysage	RF 1963-84	126	114
Le petit pâtissier	RF 1963-98	127	119
La fiancée	RF 1960-51	128	115
Arbre couché	RF 1963-91	129	116
Le village	RF 1963-88	130	118
Bœuf et tête de veau	RF 1963-86	131	120
Le poulet plumé	RF 1963-93	132	121
Le lapin	RF 1963-90	133	122
Dindon et tomates	RF 1963-89	134	124
Le dindon	RF 1963-81	135	123
La table	RF 1963-82	136	125
Nature morte au faisan	RF 1963-83	137	126
Portrait d'homme (Emile Lejeune)	RF 1963-94	138	117
La jeune Anglaise	RF 1963-97	139	127
Enfant de chœur	RF 1963-96	140	128
Le garçon d'étage	RF 1960-50	141	129
Garçon d'honneur	RF 1960-48	142	130
La maison blanche	RF 1963-92	143	133
Paysage avec personnage	RF 1963-87	144	131
Le gros arbre bleu	RF 1963-85	145	132

Table des matières

Provenance des photographies :

Réunion des musées nationaux
et
The Art Institute of Chicago p. 122
The Baltimore Museum of Art : The Cone Collection, formed by
Dr. Claribel Cone and Miss Etta Cone of Baltimore, Maryland p. 132
Galerie Berggruen p. 154
Civica Galleria d'Arte Moderna p. 7
Durand-Ruel pp. 184, 188, 194, 196, 213, 218, 222
The Fogg Art Museum, Harvard University, Bequest-Collection
of Maurice Wertheim, Class of 1906 p. 150
Giraudon pp. 9, 30, 272
Godin pp. 57, 58
Hahnloser p. 184
Ifot p. 5, 74
Institut für Kunstwissenschaft Zürich p. 240
Collection Lehman p. 190
Collection Musée de l'Homme pp. 7, 8, 10
The National Gallery of Canada p. 199
Musée Pouchkine p. 54
The Toledo Museum of Art p. 6

Maquette :
Jean-Pierre Vespérini

Photocomposition en Iridium :
L'Union Linotypiste

Photogravure :
N.S.R.G.

Impression :
Société nouvelle de l'Imprimerie moderne du Lion, Paris

Dépôt légal mai 1984

ISBN 2-7118-0262-0
8040-112